Un Baile a Medianoche

Julia Quinn

Un Baile a Medianoche

Titania Editores

ARGENTINA - CHILE - COLOMBIA - ESPAÑA
ESTADOS UNIDOS - MÉXICO - URUGUAY - VENEZUELA

Título original: *Dancing at Midnight*
Editor original: Avon Books, Nueva York
Traducción de Diego Castillo Morales

Reservados todos los derechos. Queda rigurosamente prohibida, sin la autorización escrita de los titulares del copyright, bajo las sanciones establecidas en las leyes, la reproducción parcial o total de esta obra por cualquier medio o procedimiento, incluidos la reprografía y el tratamiento informático, así como la distribución de ejemplares mediante alquiler o préstamo público.

Copyright © 1995 *by* Julie Cotler Pottinger
Published by arrangement with Avon,
an imprint of HarperCollins Publishers, Inc New York, USA.
All Rights Reserved
Copyright © 2008 de la traducción *by* Diego Castillo Morales
© 2008 *by* Ediciones Urano, S.A.
Aribau, 142, pral. - 08036 Barcelona
www.titania.org
atencion@titania.org

ISBN: 978-84-96711-40-2
Depósito legal: B-21.818-2008

Fotocomposición: Ediciones Urano, S.A.
Impreso por Romanyà Valls, S.A. - Verdaguer, 1 - 08786 Capellades (Barcelona)

Impreso en España - *Printed in Spain*

Para mi padre,
que nunca olvida decirme lo orgulloso que está de mí.
¡Yo también estoy orgullosa de ti!

Y para Paul,
a pesar de que piensa que esta historia mejoraría
trasladándola a la selva.

Capítulo 1

Si escardaras poco a poco todo el mundo...

Arabella Blydon parpadeó. No podía ser correcto. No había jardineros en *Un cuento de invierno*. Se alejó el libro de la cara. Aún veía peor. Lo acercó un poco, y lentamente fue enfocando las letras de la página.

Si casaras poco a poco a todo el mundo...

Belle suspiró y se recostó contra un tronco. Así tenía mucho más sentido. Parpadeó un par de veces para que sus brillantes ojos azules enfocaran las palabras de la página que tenía delante. Pero se negaban a obedecer, y no se iba a poner a leer con el libro pegado a la cara, así que entornó los ojos y perseveró.

Sintió un viento frío, y miró el cielo nublado. Sin duda iba a llover, pero si tenía suerte, todavía faltaba una hora hasta que empezaran a caer las primeras gotas. Era justo el tiempo que necesitaba para terminar *Un cuento de invierno*. Y eso marcaría el final de su «Estudio de las obras completas de Shakespeare», una actividad casi académica en la que ocupaba su tiempo libre desde hacía casi seis meses. Había comenzado con *A buen fin no hay mal principio*, y proseguido alfabéticamente, pasando por *Hamlet*, todos los Enriques, *Romeo y Julieta*, y un montón de otras obras que no sabía que existían. No estaba exactamente segura de la razón por la que lo hacía, aparte del simple hecho de que le gustaba leer, pero ahora que el final estaba cerca, le fastidiaba que unas gotas se le interpusieran.

Belle tragó saliva y miró de un lado a otro, como si temiera que alguien hubiera escuchado que había maldecido mentalmente. Volvió a mirar hacia el cielo. Un rayo de sol se abrió paso a través de un pequeño agujero entre las nubes. Belle lo tomó como una buena señal y sacó un sándwich de pollo de una cesta de merienda. Lo mordió con delicadeza y volvió a coger el libro. Como antes, las palabras no parecían dispuestas a ser enfocadas así que se acercó más el libro a la cara y tuvo que hacer varias muecas hasta que consiguió leer.

—Así está bien, Arabella —dijo en voz alta para sí misma—. Si puedes mantener esta pose tan incómoda durante otros cuarenta y cinco minutos, no tendrás problemas para terminar el libro

—Claro que en ese punto probablemente tendrá la cara muy dolorida —dijo alguien con voz cansina detrás de ella.

Belle dejó caer el libro y volvió la cabeza. A pocos metros había un hombre con atuendo informal aunque elegante. Su cabello era color marrón chocolate al igual que sus ojos. Miraba su merienda solitaria con expresión divertida, y su relajada postura indicaba que llevaba un rato observándola. Belle se quedó mirándolo, incapaz de pensar en nada que decir, deseando que su expresión desdeñosa lo pusiera en su lugar.

No pareció funcionar. De hecho, la miraba incluso más entretenido:

—Necesita gafas —dijo simplemente.

—Y usted está aquí sin permiso —replicó ella.

—¿Ah sí? Más bien pensaba que era usted quien había entrado aquí sin estar autorizada.

—Por supuesto que no. Esta tierra pertenece al duque de Ashbourne. Mi primo —añadió enfática.

El extraño señaló hacia el oeste.

—Ésa es la tierra del duque de Ashbourne. El límite es ese río. Así que es usted quien ha entrado aquí sin permiso.

Belle entornó los ojos y se pasó un mechón de su ondulado cabello por detrás de la oreja.

—¿Está seguro?

—Completamente, sé que las posesiones de Ashbourne son enormes, pero no infinitas.

Ella se movió incómoda:

—Oh. Bien, en ese caso lamento mucho haberlo molestado —dijo con voz altiva—. Cogeré mi caballo y saldré de aquí.

—No sea tonta —dijo él enseguida—. Espero no tener tan mal carácter como para no permitir que una dama lea bajo uno de mis árboles. Por supuesto que puede quedarse aquí todo lo que quiera.

Belle consideró que de todos modos debía marcharse, pero la comodidad superó su orgullo.

—Gracias. Llevó aquí varias horas y estoy bastante cómoda.

—Ya lo veo. —Sonrió levemente, y Belle tuvo la impresión de que no era un hombre que sonriese a menudo—. Tal vez debería presentarse —dijo— dado que va a pasar el resto del día en mis tierras.

Belle dudó, incapaz de discernir si estaba siendo condescendiente o simplemente cortés.

—Perdone. Soy lady Arabella Blydon.

—Encantado de conocerla, milady. Soy lord John Blackwood.

—¿Cómo está?

—Muy bien. Pero de todos modos usted sigue necesitando unas gafas.

Belle sintió que la columna se le ponía rígida. El mes pasado Emma y Alex la habían animado para que se examinara la vista, pero al fin y al cabo ellos eran familia. Este lord John Blackwood era un perfecto desconocido y ciertamente no tenía derecho a hacerle tal sugerencia.

—Esté seguro de que consideraré su consejo —murmuró de mala gana.

John inclinó la cabeza y sonrió con ironía.

—¿Qué está leyendo?

—*Un cuento de invierno*.

Belle se quedó a la espera de los tradicionales comentarios condescendientes sobre las mujeres y la lectura.

—Una obra excelente, aunque creo que no es la mejor de Shakespeare —comentó John—. A mí personalmente me encanta *Co-*

riolano. No es muy conocida pero me gusta mucho. Usted podría leerla en algún momento.

Belle se olvidó de alegrarse por haber encontrado a un hombre que de hecho la estaba animando a que leyera y dijo:

—Gracias por la sugerencia, pero ya la he leído.

—Estoy impresionado —dijo John—. ¿Ha leído *Otelo*?

Ella asintió.

—¿*La tempestad*?

—Sí.

John buscó en su cabeza la obra más oscura de Shakespeare que se le pudiera ocurrir:

—¿Y *El peregrino apasionado*?

—No es mi favorita, pero hice el esfuerzo de leerla.

Belle intentaba impedir la sonrisa que estaba asomando en su cara sin conseguirlo.

Él se rió para sí mismo.

—La felicito, lady Arabella. No creo siquiera haber visto nunca un ejemplar de *El peregrino apasionado*.

Belle sonrió y aceptó amablemente el cumplido y abandonó la actitud antagónica que había tenido antes hacia ese hombre.

—¿Quiere sentarse conmigo unos minutos? —le preguntó señalando el espacio vacío de la manta sobre la que estaba sentada—. Todavía me queda gran parte de la merienda, y me encantaría compartirla con usted.

Por un momento pareció que él aceptaría. Abrió la boca para decir algo, pero soltó un pequeño suspiro y la cerró. Cuando finalmente habló, su voz era muy fría y formal y todo lo que dijo fue:

—No, gracias.

Se separó de ella un par de pasos y volvió la cabeza para contemplar los campos.

Belle inclinó la cabeza y estaba a punto de decir algo más cuando advirtió sorprendida que cojeaba. Se preguntó si habría sido herido en las guerras de la península Ibérica. Lord Blackwood era un hombre interesante. No le hubiese importado en absoluto pasar una hora en su compañía. Y, tenía que admitirlo, era bastante guapo, con rasgos fuertes y equilibrados, y un cuerpo delgado y fornido a pesar de la pierna lisiada. Sus ojos eran marrones y aterciopelados, y claramente expresaban inteligencia, aunque también parecían cargados de dolor y escepticismo. De hecho, comenzaba a parecerle muy misterioso.

—¿Está seguro? —le preguntó.

—¿Seguro de qué? —respondió sin volverse.

A ella le molestó su tosquedad.

—Seguro de que no quiere merendar conmigo.

—Completamente.

Eso le llamó la atención. Era la primera vez en que alguien parecía estar tan seguro de no querer su compañía.

Belle se sentó incómoda sobre la manta, con *Un cuento de invierno* posado sobre la falda. Era difícil decir algo más pues casi le estaba dando la espalda. Pero hubiera sido una descortesía volver a ponerse a leer.

De pronto John se giró por completo y se aclaró la garganta.

—No fue muy elegante decirme que necesitaba gafas —dijo ella de pronto más que nada para decir algo antes de que lo hiciera él.

—Lo siento. Nunca se me han dado bien las conversaciones formales.

—Tal vez debería conversar más —replicó ella.

—Si no fuera por su tono de voz, milady, sospecharía que está flirteando conmigo.

Ella cerró de golpe *Un cuento de invierno* y se levantó.

—Ya veo que no miente. No es que no sepa mantener una simple conversación, es que carece totalmente de educación.

Él se encogió de hombros y dijo:

—Una de mis muchas peculiaridades.

Ella se quedó con la boca abierta.

—Compruebo que no comparte mi particular sentido del humor.

—No creo que mucha gente lo haga.

Hubo una pausa, y entonces apareció en sus ojos una luz extraña y triste que desapareció al instante. Su tono de voz se volvió serio:

—No vuelva a venir sola por aquí.

Belle metió sus pertenencias en su bolsa.

—No se preocupe. No volveré más.

—No estoy diciendo que no vuelva a mi propiedad, sino que no lo haga sola.

Ella no sabía qué contestarle así que simplemente dijo:

—Me voy a casa.

Él miró hacia el cielo.

—Sí. Probablemente debería hacerlo. Pronto se pondrá a llover. Tengo que caminar más de dos kilómetros hasta llegar a mi casa. Seguro que llego empapado.

Ella miró a su alrededor.

—¿No ha traído caballo?

—Algunas veces, milady, es mejor usar las piernas. —Inclinó la cabeza—. Ha sido un placer.

—Tal vez para usted —susurró Belle mientras lo miraba alejarse.

Su cojera era bastante pronunciada, pero se podía mover con más rapidez de lo que pensaba. Belle siguió mirándolo hasta que desapareció por el horizonte. Sin embargo, mientras montaba su yegua, un pensamiento apremiante apareció en su cabeza. Cojeaba. ¿Qué tipo de hombre era si prefería ir andando?

John Blackwood escuchó el sonido de los cascos de la yegua de lady Arabella cuando se puso a galopar. Se había comportado como un idiota.

Volvió a suspirar, aunque esta vez en alto, con pena, odio a sí mismo y simple y pura irritación. Maldición. Ya nunca sabía qué decir a las mujeres.

Belle regresó a Westonbirt, la casa de sus parientes. Su prima americana, Emma, se había casado con el duque de Ashbourne pocos meses antes. Los recién casados habían preferido la privacidad de la vida del campo a Londres, y desde su boda residían casi continuamente en Westonbirt. Claro que la temporada ya había terminado así que no había nadie en Londres. De todos modos, Belle tenía la sensación de que Emma y su marido preferían evitar la vida social londinense, a pesar de que la nueva temporada ya estaba en marcha.

Belle suspiró. Sin duda regresaría a Londres la temporada siguiente. Y tendría que volver al mercado matrimonial para buscar un marido. Ya se estaba hartando de todo el proceso. Había estado expuesta durante dos temporadas y había acumulado una docena de propuestas, pero las había rechazado todas. Algunos de los hombres habían sido completamente inapropiados, aunque la mayoría eran correctos, bien relacionados y bastante agradables. Pero parecía que no podía aceptar a un hombre por el que no sintiese sentimientos profundos. Y ahora que vislumbraba lo feliz que era su prima, sabía que le iba a ser muy difícil aceptar a alguien que no colmara sus verdaderos sueños.

Cuando comenzó a llover más fuerte Belle espoleó su caballo para que galopara más rápido. Ya eran casi las tres, y sabía que Emma tendría el té preparado para cuando volviera. Llevaba tres semanas con ella y su marido, Alex. Pocos meses después de la boda de Emma, los padres de Belle habían decidido pasar unas vacaciones en Italia, y Ned, su hermano, había regresado a Oxford para terminar el último año, así que no tenían que preocuparse de él. Emma ahora estaba casada y establecida por lo que era la dama de compañía ideal para Belle.

No podía imaginar una situación más agradable. Emma era su mejor amiga, y después de todas las travesuras que habían pasado juntas, era muy divertido ser su acompañante.

Dio un suspiro de alivio cuando al subir cabalgando por la colina vio Westonbirt alzándose en el horizonte. Era un edificio enorme y elegante, con largas y estrechas filas de ventanas que recorrían toda la fachada. Belle comenzaba a sentirlo como su hogar. Se dirigió a los establos, dejó la yegua a un mozo de cuadra, y riéndose se fue a toda prisa hacia la casa intentando esquivar las gotas de lluvia que habían comenzado a caer con furia. Tropezó en los escalones de la entrada y antes de que pudiera abrir la pesada puerta, lo hizo el mayordomo con un gesto elegante.

—Gracias Norwood —dijo—. Me debe de haber estado esperando.

Norwood inclinó la cabeza.

—Norwood, ¿ha regresado Belle?

La voz femenina flotó en el aire, y Belle escuchó las pisadas de su prima por el pasillo que conducía al vestíbulo.

—Está lloviendo mucho —Emma se giró y entró en el vestíbulo—. ¡Oh, bien! Has vuelto.

—Un poco mojada pero no ha sido nada —dijo Belle alegremente.

—Te dije que iba a llover.

—¿Te sientes responsable de mí ahora que eres una dama vieja y casada?

Emma puso una cara que expresaba con exactitud lo que pensaba sobre eso.

—Pareces una rata ahogada —dijo sin ambages.

Belle hizo un gesto igualmente desagradable.

—Me cambio de ropa y en un momento bajo a tomar el té.

—En el estudio de Alex —le advirtió Emma—. Hoy nos acompaña.

—Oh, bien. Enseguida bajo.

Belle subió las escaleras y llegó al laberinto de pasillos que llevaban a su habitación. Rápidamente se despojó de la ropa de montar empapada, se puso un vestido azul claro y volvió a bajar por las escaleras. La puerta del estudio de Alex estaba cerrada y se escuchaban algunas risitas así que llamó prudentemente antes de entrar. Hubo un momento de silencio y después Emma dijo:

—¡Entra!

Belle sonrió para sí misma. Cada minuto aprendía más y más sobre el amor matrimonial. Menuda dama de compañía estaba resultando ser Emma. Alex y ella no dejaban de tocarse el uno al otro cada vez que pensaban que no había nadie mirando. La sonrisa de Belle aumentó. No estaba exactamente segura sobre los detalles de cómo hacer bebés, pero tenía la sensación de que todo ese toqueteo tenía algo que ver con el hecho de que Emma ya estaba embarazada. Belle empujó la puerta y entró en el estudio de Alex que era muy grande y masculino.

—Buenas tardes, Alex —dijo—. ¿Qué tal te ha ido el día?

—Más seco que el tuyo —dijo mientras echaba leche en su taza ignorando por completo el té—. Todavía te chorrean los rizos.

Belle se miró los hombros. La tela de su vestido estaba húmeda por su cabello. Se encogió de hombros.

—Oh, bueno, no hay mucho que pueda hacer. —Se acomodó en el sofá y se sirvió una taza de té—. ¿Y cómo te ha ido hoy, Emma?

—Ha sido todo bastante tranquilo. He estado examinando algunos de los libros de cuentas e informes sobre nuestras tierras en Gales. Parece que hay algún problema. Estoy pensado en ir allí para indagar.

—No quiero que vayas —dijo Alex refunfuñando.

—¿Ah, no? —respondió Emma.

—No irás a ninguna parte los próximos seis meses —añadió mirando amorosamente a su esposa de cabello color rojo fuego y ojos violetas—. Y probablemente tampoco los seis meses siguientes.

—Si piensas que voy a quedarme en cama hasta que llegue el bebé estás mal de la cabeza. Y además tienes que aprender quién manda aquí.

—Bien, entonces, tú...

—Parad, parad —se rió Belle—. Ya es suficiente. —Movió la cabeza. Menudo par de testarudos. Eran perfectos el uno para el otro—. ¿Por qué no os cuento cómo me fue a mí?

Emma y Alex se volvieron hacia ella expectantes. Belle dio otro sorbo al té para calentarse.

—En realidad he conocido a un hombre bastante raro.

—¿De verdad? —Emma se inclinó hacia delante.

Alex se apoyó hacia atrás mientras sus ojos vidriosos miraban con expresión aburrida.

—Sí. Vive cerca de aquí. Creo que sus tierras bordean las vuestras. Su nombre es lord John Blackwood. ¿Lo conocéis?

Alex soltó enseguida:

—¿Has dicho John Blackwood?

—Creo que me dijo lord John Blackwood. ¿Por qué? ¿Lo conoces? John Blackwood es un nombre bastante común.

—¿Cabello castaño?

Belle asintió.

—¿Ojos marrones?

Belle volvió a asentir.

—¿Como de mi altura y de constitución media?

—Creo que sí. No tenía la espalda tan ancha como tú, pero creo que era como de tu altura.

—¿Cojeaba?

—¡Sí! —exclamó Belle.

—John Blackwood, maldita sea —Alex movió la cabeza incrédulo.

—También es lord. Debe de haberse ganado el título por sus méritos militares.

—¿Luchó contigo en la guerra? —preguntó Emma.

Cuando Alex finalmente respondió, sus ojos verdes miraban hacia el pasado.

—Sí —dijo suavemente—. Dirigía su propia compañía, pero nos veíamos a menudo. Siempre me he preguntado qué le ocurrió. No sé por qué no he intentado saber de él. Supongo que me daba miedo descubrir que había muerto.

Esto llamó la atención de Belle.

—¿A qué te refieres?

—Es extraño —dijo Alex lentamente—. Era un soldado excelente. En nadie podías confiar más. Era absolutamente desinteresado. Siempre se ponía en peligro para salvar a los demás.

—¿Por qué eso es extraño? —preguntó Emma—. Parece un hombre muy honorable.

Alex volvió la cabeza hacia las dos damas y de pronto su expresión fue muy clara.

—Lo extraño es que para ser un hombre que no parecía darle importancia a su bienestar, se comportó de manera curiosa cuando lo hirieron.

—¿Qué ocurrió? —preguntó Belle con ansiedad.

—El cirujano le dijo que tenía que cortarle la pierna. Y debo decir que fue muy insensible. John todavía estaba consciente en ese momento, y el muy sanguijuela ni siquiera se molestó en decírselo a la cara. Simplemente se volvió a su ayudante y le dijo: «Tráeme la sierra.»

Belle se estremeció. La imagen de John Blackwood tan maltratado sorprendentemente le dolió.

—Se volvió loco —continuó Alex—. Nunca he visto nada como aquello. Agarró al cirujano por la camiseta hasta que quedaron nariz con nariz. Y considerando la cantidad de sangre que había perdido, lo sujetó con una fuerza excepcional. Yo iba a intervenir, pero cuando escuché su tono de voz, retrocedí.

—¿Qué dijo? —preguntó Belle al borde de su asiento.

—Nunca lo olvidaré. Dijo: «Si me cortas la pierna, pongo a Dios por testigo de que te cogeré y te cortaré la tuya.» El doctor lo dejó en paz y le dijo que lo dejaría morir si eso era lo que quería.

—Pero no murió —dijo Belle.

—No, no lo hizo. Pero estoy seguro de que fue el final de sus días en el ejército. Lo que probablemente fue lo mejor. Era un soldado increíble, pero siempre pensé que aborrecía la violencia.

—Qué raro —murmuró Emma.

—Sí, bueno, era un hombre interesante. Me caía bien. Tenía un excelente sentido del humor cuando quería mostrarlo. Pero en general era más bien retraído. Y tenía el sentido del honor más estricto que nunca haya visto.

—¿De verdad, Alex? —bromeó Emma—. Nadie puede ser más honorable que tú.

—Ay, mi encantadora y leal esposa.

Alex se inclinó hacia delante y besó la frente de Emma.

Belle se recostó en su asiento. Quería saber más de John Blackwood, pero no parecía haber ninguna manera elegante de pedirle a Alex que le contara más cosas. Le molestaba bastante admitirlo, pero no podía negar que estaba increíblemente interesada en ese hombre tan poco corriente.

Belle toda la vida había sido muy práctica, muy pragmática y siempre se había negado a engañarse a sí misma. John Blackwood la había intrigado esa tarde, pero ahora que conocía un poco su historia le fascinaba. Cualquier detalle suyo, desde la curvatura de sus cejas a la manera en que el viento despeinaba su cabello levemente ondulado, cobraba un nuevo sentido. Y su insistencia en ir a pie adquiría un sentido aún mayor. Después de luchar tan ferozmente para salvar su pierna, era natural que quisiera usarla. Le parecía un hombre de principios. Un hombre en el que se puede confiar o contar con él. Un hombre cuyas pasiones eran muy profundas.

Estaba tan sorprendida del giro que habían tomado sus pensamientos, que la cabeza le dio una pequeña sacudida. Emma advirtió el movimiento y le preguntó:

—¿Estás bien, Belle?

—¿Qué? Oh, me duele un poco la cabeza. En realidad es más como una punzada. Ya ha pasado.

—Oh.

—Probablemente es por todo lo que he leído —continuó Belle a pesar de que Emma parecía dispuesta a pasar del tema—. Últimamente me cuesta mucho enfocar las letras. Creo que tal vez deberían examinarme la vista.

Si Emma se sorprendió de que su prima admitiera de pronto que su vista ya no era lo que había sido, no lo mencionó.

—Muy bien. Hay un excelente doctor en el pueblo. Veremos lo que podemos hacer.

Belle sonrió y cogió su taza de té. Comenzaba a hacer frío. Y entonces Emma dijo algo maravilloso.

—¿Sabes qué tendríamos que hacer? —dijo la duquesa a su marido—. Deberíamos invitar a ese John Blake…

—John Blackwood —la interrumpió Belle enseguida.

—Perdón, a ese tal John Blackwood a cenar. Con Belle aquí quedaremos bien emparejados y no tendremos que buscar a ninguna mujer para estarlo.

Alex apoyó su vaso.

—Una idea estupenda, querida. Creo que me gustará bastante recuperar nuestra amistad.

—Entonces está decidido —dijo Emma dándolo por hecho—. ¿Le envío una nota, o mejor vas tú a invitarlo en persona?

—Creo que iré yo. Estoy impaciente por volver a verlo, y además, sería descortés por mi parte no tener en cuenta el hecho de que me salvó la vida.

Emma empalideció.

—¿Qué?

Alex sonrió tímidamente.

—Sólo una vez, amor mío, y no tiene sentido disgustarse por eso ahora.

La imagen que presentaba la pareja en esos momentos era tan tierna que para Belle era casi doloroso mirarlos. Se excusó en voz baja, salió del estudio y subió al piso de arriba donde las últimas páginas de *Un cuento de invierno* la esperaban en su habitación.

¿John Blackwood había salvado la vida de Alex? Apenas podía comprenderlo. Parecía que su nuevo vecino guardaba más de lo que mostraba su exterior un tanto tosco.

John Blackwood tenía secretos. Belle estaba segura de ello. Hubiera apostado que la historia de su vida dejaba pequeño a Shakespeare. Todo lo que tenía que hacer era investigar un poco. Esa excursión al campo iba a resultar mucho más emocionante de lo que esperaba.

Por supuesto no iba a poder desvelarle todos sus secretos hasta que no se hiciese amiga de él. Y él había dejado bastante claro que ella no le gustaba mucho.

Eso le resultaba tremendamente irritante.

Capítulo 2

*L*a mañana siguiente Belle despertó con el desagradable sonido de las arcadas de Emma. Se giró en la cama, abrió los ojos y vio a su prima en cuclillas junto a un orinal. Belle hizo una mueca y murmuró:

—Qué manera más bonita de empezar el día.

—Buenos días para ti también.

Emma hizo un sonido sordo, se levantó y se dirigió a una jarra de agua que habían dejado sobre una mesa cercana. Se sirvió un vaso y dio un trago.

Belle se sentó y observó cómo su prima se enjuagaba la boca.

—Supongo que no puedes hacer estas cosas en tu propia habitación —dijo finalmente.

Emma le lanzó una mirada de enfado mientras hacía gárgaras.

—Las náuseas por la mañana son normales, ya sabes —continuó Belle de manera práctica—. No creo que a Alex le moleste si vomitas en vuestra propia habitación.

La cara de Emma expresaba su evidente mal humor mientras escupía el agua en el orinal.

—No he venido aquí para evitar a mi marido. Créeme, me ha visto con náuseas un montón de veces las últimas semanas. —Suspiró—. Creo que el otro día vomité en sus zapatos.

Las mejillas de Belle se sonrosaron simpatizando con su prima.

—Qué desagradable —murmuró.

—Lo sé, pero la verdad es que vine para ver si te habías despertado, y me puse mal por el camino.

Emma se sentó de repente con la tez un poco verde.

Belle saltó de la cama y se puso un albornoz.

—¿Quieres que te traiga algo?

Emma negó con la cabeza y respiró hondo, intentando valientemente que no subiera el contenido de su estómago.

—No me estás dando demasiados ánimos para que me case —bromeó Belle.

Emma sonrió levemente.

—La mayor parte es mejor que esto.

—Desde luego eso espero.

—Pensé que podría digerir el té y las galletas que comí en el desayuno —dijo Emma suspirando—. Pero me equivoqué.

—Es fácil olvidar que estás embarazada —dijo Belle amablemente con la esperanza de animar a su prima—. Todavía estás tan delgada.

Emma le dirigió una mirada de agradecimiento.

—Es muy amable que lo digas. Para mí es una experiencia nueva, y todo es muy extraño.

—¿Estás nerviosa? No me has contado nada.

—Nerviosa exactamente no, más bien, mmm, no sé cómo describirlo. Pero la hermana de Alex va a tener su bebé dentro de tres semanas y estamos planeando visitarla la próxima semana o la siguiente. Quiero estar allí para el nacimiento. Sophie me ha asegurado que seremos bien recibidos. Estoy segura de que no me sentiré tan nerviosa una vez que sepa lo que me espera —la voz de Emma transmitía más esperanza que certidumbre.

La experiencia de Belle con los nacimientos se limitaba a haber visto cómo su hermano asistía al parto de una camada de cachorros cuando ella tenía doce años. No estaba segura de que Emma se sintiese más aliviada con el procedimiento después de ser testigo del nacimiento del bebé de Sophie. Belle sonrió delicadamente a su prima, murmuró algo ininteligible con el fin de comunicarle que estaba de acuerdo, y se quedó callada.

Después de un rato, la piel de Emma recobró su color normal y suspiró:

—Así. Ahora me siento mucho mejor. Es sorprendente lo rápido que se pasan las náuseas. Es lo único que las hace soportables.

Entró una doncella que traía una bandeja de desayuno con chocolate y panecillos. La puso sobre la mesa, y las dos damas se situaron una a cada lado.

Belle observó cómo Emma probaba vacilante el chocolate.

—Emma, ¿te puedo preguntar algo?

—Claro.

—¿Y tu respuesta será franca?

Emma hizo un gesto de sorpresa con la boca.

—¿Cuándo me has visto no ser franca?

—¿Te parezco agradable?

Emma consiguió taparse la boca con la servilleta a tiempo para no escupir chocolate sobre las sábanas de Belle.

—¿Perdona?

—Creo que soy agradable. Me refiero a que creo que gusto a la mayoría de las personas.

—Sí —dijo Emma lentamente—. A la mayoría sí. A todo el mundo. Creo que nunca he conocido a alguien a quien no gustaras.

—Exacto —Belle asintió—. Probablemente haya algunos a los que mi existencia les sea indiferente, pero creo que es raro que disguste a alguien.

—¿Y a quién no le gustas, Belle?

—A vuestro nuevo vecino. John Blackwood.

—Oh, vamos. No hablaste con él más de cinco minutos, ¿verdad?

—No, pero…

—Entonces no puedes haberle caído mal tan rápidamente.

—No lo sé. Más bien pienso que sí.

—Estoy segura de que te equivocas.

Belle movió la cabeza con expresión de perplejidad.

—No lo creo.

—¿Es tan terrible que no le gustes?

—No me gusta la idea de no gustar a alguien. ¿No es eso muy egoísta?

—No, pero...

—Generalmente se me considera una persona agradable.

—Sí, lo eres, pero...

Belle enderezó los hombros.

—Esto es inaceptable.

Emma contuvo la risa.

—¿Qué planeas hacer?

—Supongo que hacer que yo le guste.

—Belle, ¿estás interesada en ese hombre?

—No, claro que no —replicó Belle demasiado rápido—. Es sólo que no entiendo por qué me encuentra tan repugnante.

Emma movió la cabeza sin creer el giro tan insólito que estaba tomando la conversación.

—Bueno, podrás poner en práctica tus argucias con él muy pronto. Con todos los hombres que hay en Londres que se han enamorado de ti sin la menor provocación por tu parte, no me puedo imaginar que no tengas éxito en hacer que el amigo Blackwood caiga rendido ante ti.

—Mmm —murmuró Belle y miró hacia arriba—. ¿Cuándo has dicho que vendrá a cenar?

Tal vez Lord Blackwood no naciera lord, pero procedía de una familia aristocrática venida a menos. Sin embargo, John tuvo la desgracia de ser el séptimo de siete hijos, posición que prácticamente le garantizaba que no recibiría ninguno de los favores de la vida. Sus padres, los séptimos conde y condesa de Westborough, no es que quisieran descuidar a su hijo menor, pero al fin y al cabo, había cinco antes que él.

Damien era el mayor, y al ser su heredero, lo mimaron y le dieron todo lo que pudieron ofrecerle. Un año después, llegó Sebastian, y puesto que casi tenía la misma edad que Damien, pudo compartir la mayoría de los beneficios que disfrutaba el heredero de un condado. El conde y la condesa eran muy pragmáticos, y dada la tasa de mortalidad infantil, eran concientes de que Sebastian tenía bastantes posibilidades de convertirse en el octavo conde de Westborough. Poco después, Julianna, Christina y Ariana se sucedieron rápidamente, y como desde muy pronto fue evidente que las tres serían grandes bellezas, se les prestó mucha atención. Los matrimonios de conveniencia hacían mucho por las arcas de las familias.

Pocos años después llegó un niño que nació muerto. Aunque nadie se alegró especialmente por la pérdida, nadie lo lamentó demasiado. Cinco hijos atractivos y bastante inteligentes parecían suficiente riqueza, y a decir verdad, otro niño no hubiera sido más que otra boca que alimentar. Puede que los Blackwood vivieran en una magnífica casa antigua, pero era un problema pagar las facturas cada mes. Y por supuesto el conde nunca pensó en ganarse la vida.

Entonces les golpeó una tragedia. El conde murió al volcar su carro en una tormenta, y Damien recibió el título a la temprana edad de diez años. La familia apenas había tenido tiempo para pasar su duelo cuando, para sorpresa de todos, lady Westborough descubrió que una vez más estaba embarazada. Y en la primavera de 1787 tuvo su último hijo. El esfuerzo fue extenuante y nunca recuperó sus fuerzas. Y así, agotada e irritable, y muy preocupada por las finanzas de la familia, miró a su séptimo hijo, suspiró y dijo:

—Supongo que simplemente te llamaremos John. Estoy demasiado cansada como para que se me ocurra algo mejor.

Después de esa entrada al mundo en cierto modo poco propicia, John fue, a falta de una palabra mejor, olvidado.

Su familia tenía poca paciencia con él, y pasaba más tiempo en compañía de tutores que de parientes. Fue enviado a Eton y a Oxford, no porque hubiera una gran preocupación por su escolarización, sino más bien porque eso era lo que las buenas familias hacían con sus hijos, incluso con los menores, aunque fueran irrelevantes en cuanto al linaje dinástico.

Sin embargo, en 1808, cuando John pasaba su último año en Oxford, tuvo una oportunidad. Inglaterra se vio inmersa en una disputa política y militar en la península Ibérica, y hombres de toda condición corrieron a alistarse para la guerra. John pensó que el ejército permitía a un hombre hacer algo por sí mismo, y le expuso la idea a su hermano. Damien estuvo de acuerdo, pues lo vio como una manera honorable de deshacerse de él, así que le compró un cargo militar.

El ejército se le daba bien. Era un excelente jinete y bastante hábil con la espada y las armas de fuego. Corría algunos riesgos que sabía que debía evitar ya que en medio de los horrores de la guerra, estaba seguro de que no tendría manera de sobrevivir a la carnicería. Y si por algún golpe de la fortuna conseguía librarse con el cuerpo intacto, sabía que su alma no tendría tanta suerte.

Pasaron cuatro años y John sorprendentemente consiguió escapar de la muerte. Pero entonces le dispararon una bala en la rodilla y se vio en el barco de vuelta a Inglaterra. La dulce, verde y pacífica Inglaterra. De alguna manera no le parecía real. El tiempo pasó rápidamente mientras su pierna sanaba, pero a decir verdad, recordaba muy poco de su recuperación. Pasaba la mayor parte del tiempo borracho incapaz de asumir la idea de ser un inválido.

Entonces, para su sorpresa, lo nombraron barón por su valor, una ironía después de que su familia siempre le recordara que no era un caballero con título. Para él fue un punto de inflexión, pues se dio cuenta de que ahora tenía algo substancial que traspasar a una futura generación, y con una renovada determinación decidió poner su vida en orden.

Cuatro años después seguía cojeando, pero por lo menos lo hacía en su propia tierra. El fin de la guerra había llegado para él un poco antes de lo que esperaba, así que vendió su cargo militar e invirtió el dinero. Sus inversiones demostraron ser extremadamente rentables, y cinco años después había ahorrado suficiente dinero como para comprarse una pequeña propiedad en el campo.

Había decidido recorrer el perímetro de su propiedad el día en que se encontró con lady Arabella Blydon. Encuentro que le había dejado pensativo. Probablemente debía ir a Westonbirt a disculparse por su grosero comportamiento. Estaba seguro de que ella no volvería a Bletchford Manor después de como la había tratado.

John hizo un gesto de disgusto. Sin duda alguna iba a tener que ponerle un nuevo nombre al lugar.

Era una casa agradable. Cómoda. Elegante, pero no suntuosa, y podía ser fácilmente atendida por muy poco personal, lo que era de agradecer, pues no podía costearse emplear a demasiados sirvientes.

Así que ahí estaba. Tenía una casa sólo para él, y no un lugar que sabía que nunca iba a poseer debido a la existencia de cinco hermanos mayores. Tenía buenos ingresos, aunque un poco reducidos ahora que había comprado la casa, pero confiaba en sus habilidades financieras tras sus anteriores éxitos.

John miró su reloj de bolsillo. Eran las dos y media de la tarde, una buena hora para examinar sus campos del oeste para cultivarlos. Quería hacer que Bletchford Manor, que pronto tendría otro nombre, fuese lo más rentable posible. Una rápida mirada desde la ventana le dijo que no se iba a repetir el chaparrón del día anterior. Dejó su estudio y se dirigió al piso de arriba para recoger su sombrero.

No había ido muy lejos cuando Buxton, el anciano mayordomo que venía con la casa, lo requirió.

—Tiene una visita, milord —anunció.

Sorprendido, John se detuvo.

—¿Quién es, Buxton?

—El duque de Ashbourne, milord. Me he tomado la libertad de mostrarle el salón azul.

John sonrió. «Ashbourne aquí, fantástico.» No se había dado cuenta de que su viejo amigo del ejército vivía tan cerca cuando compró Bletchford Manor, lo que era una ventaja añadida. Se volvió, bajó las escaleras y se detuvo perplejo en el vestíbulo.

—Demonios, Buxton —gruñó—. ¿Cuál es el salón azul?

—La segunda puerta a su izquierda, milord.

John atravesó el vestíbulo y abrió la puerta. Tal como pensaba no había ni un solo mueble azul en la habitación. Alex permanecía junto a la ventana contemplando los campos que limitaban con su propiedad.

—¿Me vas a decir que el manzanar que nos separa está en tu lado? —bromeó John.

Alex se volvió.

—Blackwood. Qué alegría más grande verte. Claro que el manzanar está en mi lado.

John arqueó una ceja.

—Tal vez estoy tramando cómo despojarte de todo.

Alex se rió.

—¿Cómo estás? ¿Y por qué no has pasado a saludar? Ni siquiera sabía que te habías comprado esto hasta que me lo dijo Belle ayer por la tarde.

Así que la llaman Belle. Ese nombre le va bien. Y ha estado hablando de mí. John se sintió absurdamente encantado a pesar de que dudaba si ella tenía algo bueno que decir de él.

—Pareces olvidar que se supone que uno no llama a un duque a menos que éste lo haga primero.

—De verdad, Blackwood, pensaba que en este sentido estábamos más allá de las trivialidades de la etiqueta. Cualquier hombre que me haya salvado la vida puede acudir a mí todas las veces que quiera.

John se ruborizó un poco y recordó que había tenido que disparar a un hombre que iba a clavar un cuchillo a Alex en la espalda.

—Cualquiera hubiera hecho lo mismo —dijo suavemente.

Alex parecía afectado al recordar a los hombres que habían embestido a John mientras éste apuntaba. John había recibido una herida en el brazo por su valentía.

—No —dijo Alex finalmente—. No creo que nadie hubiera hecho lo mismo. —Se puso recto—. Pero ya basta de hablar de la guerra. Prefiero no obsesionarme con el tema. ¿Cómo te ha ido?

John le señaló una silla y Alex se sentó.

—Igual que a los demás, supongo. ¿Quieres beber algo?

Alex asintió y John le trajo un vaso de whisky.

—Obviamente igual que a los demás no, lord Blackwood.

—Oh, eso. Me han hecho barón. Barón Blackwood. —John dirigió a Alex una sonrisa desenfadada—. Suena bien, ¿no crees?

—Sí, suena muy bien.

—¿Y cómo ha cambiado tu vida los últimos cuatro años?

—No ha cambiado mucho, supongo, hasta los últimos seis meses.

—¿Y eso?

—Me casé —dijo Alex con una sonrisa tímida.

—¿De verdad?

John levantó su vaso de whisky e hizo un brindis en silencio.

—Su nombre es Emma. Es prima de Belle.

John se preguntó si la esposa de Alex se parecía en algo a su prima. Si era así, no le extrañaba que hubiera captado la atención del duque.

—No me digas que también se ha leído las obras completas de Shakespeare.

Alex soltó una breve risa.

—La verdad es que comenzó a leerlas, pero últimamente la he tenido muy ocupada.

John levantó las cejas por el doble sentido del comentario.

Alex captó de inmediato su expresión.

—La he puesto a gestionar mis propiedades. Tiene muy buena cabeza para los números. Suma y resta más rápido que yo.

—Veo que esa familia tiene cabeza.

Alex se preguntó cómo John sabía tanto sobre Belle en tan poco tiempo pero no dijo nada.

—Sí, bueno, eso debe de ser lo único que tienen en común, además de la asombrosa habilidad para conseguir exactamente lo que quieren sin que siquiera te des cuenta.

—¿Oh?

—Emma es muy testaruda —dijo Alex con un suspiro que expresaba agrado y alegría.

—¿Y su prima no es así? —preguntó John—. Me pareció imponente.

—No, no, Belle tiene una fuerte voluntad, no me malinterpretes. Pero no es igual a Emma. Mi esposa es tan terca que es capaz de meterse en situaciones difíciles sin pensar en ello antes. Belle no es así. Es muy práctica. Muy pragmática. Tiene una curiosidad insaciable. Es tremendamente difícil que no descubra un secreto, pero debo reconocer que me gusta bastante. Después de ver a algunos amigos en situaciones infernales, me considero muy afortunado por mi familia política.

Alex se dio cuenta de que estaba hablando mucho más abiertamente de lo que solía hacer con un amigo al que no veía hacía años, pero supuso que la guerra debía de tener algo que hacía que se forjaran lazos indestructibles, y tal vez por esa razón estaba hablando con John como si no hubieran pasado cuatro años.

O también podía ser que John sabía escuchar. Siempre había sido así, recordaba Alex.

—Ya está bien de hablar de mi nueva familia —dijo de pronto—. Muy pronto la conocerás. ¿Cómo estás? Siempre evitas hábilmente mis preguntas.

John se rió para sí mismo.

—Igual que siempre, supongo, excepto que ahora tengo un título.

—Y una casa.

—Y una casa. Compré este lugar invirtiendo y reinvirtiendo lo que gané al vender mi cargo de oficial.

Alex dio un silbido.

—Debes de tener una excelente mano para las finanzas. Algún día tenemos que hablar de eso. Es posible que aprenda algunas cosas de ti.

—En realidad el secreto para triunfar en las finanzas no es difícil de descubrir.

—¿Ah, sí? Por favor, cuenta, ¿cuál es?

—El sentido común.

Alex soltó una risa.

—Algo que creo me ha faltado estos últimos meses, pero me temo que es lo que el amor hace al hombre. Escucha ¿por qué no te vienes a cenar un día de estos? Le hablé a mi esposa de ti y está ansiosa por conocerte. Y por supuesto ya conoces a Belle.

—Me encantará —dijo John. Y en una extraña muestra de emoción añadió—, creo que será muy agradable tener amigos en la zona. Gracias por venir.

Alex miró a su viejo amigo fijamente, y de súbito percibió lo solo que estaba John. Pero un segundo después, John cambió su mirada y su expresión adoptó su normal aspecto inescrutable.

—Muy bien —dijo Alex cortésmente—. ¿Qué te parece dentro de dos días? Aquí no mantenemos los horarios de la ciudad así que cenamos más o menos a las siete.

John asintió con la cabeza.

—Excelente. Nos vemos entonces. —Alex se levantó y estrechó la mano de John—. Estoy contento de que nuestros caminos se hayan vuelto a cruzar.

—Yo también.

John acompañó a su amigo hasta los establos donde esperaba su caballo. Con un saludo amistoso Alex se subió al caballo y se alejó.

John volvió a la casa lentamente, sonriendo mientras contemplaba su nuevo hogar. Sin embargo, cuando llegó al vestíbulo, Buxton se acercó.

—Ha llegado esto para usted, milord, mientras charlabais con su excelencia.

Le tendió un sobre que llevaba encima de una bandeja de plata.

John levantó las cejas mientras abría la nota.

Estoy en Inglaterra

Qué extraño. John dio la vuelta al sobre. Su nombre no aparecía escrito en ningún sitio.

—¿Buxton? —llamó.

El mayordomo, que se estaba dirigiendo a la cocina, se dio la vuelta y regresó.

—Cuando llegó esto ¿qué dijo el mensajero?

—Sólo que tenía una nota para el señor de la casa.

—¿Mencionó mi nombre?

—No, milord, creo que no. La verdad es que la trajo un niño. No creo que tuviera más de ocho o nueve años.

John miró especulativamente el papel por última vez y se encogió de hombros.

—Probablemente era para los anteriores propietarios. —Arrugó la nota con la mano y la echó a un lado—. La verdad es que no tengo idea de qué se trata.

Esa noche mientras cenaba pensó en Belle. Cuando se tomó un vaso de whisky mientras leía *Un cuento de invierno*, todavía pensaba en ella. Y al meterse en la cama, seguía acordándose de ella.

Era guapa. Eso era irrefutable, pero no creía que esa fuera la razón por la que invadía sus pensamientos. Había un destello en esos brillantes ojos azules. Un brillo de inteligencia y... compasión. Ella había intentado hacerse su amiga antes de que él frustrara su intento.

Movió la cabeza como si eso pudiera hacerla salir de sus pensamientos. Sabía que no era bueno pensar en mujeres antes de dormir. Cerró los ojos, y rogó poder descansar sin tener pesadillas.

Estaba en España. Era un día caluroso, pero su compañía estaba de buen ánimo; la última semana no habían tenido que luchar.

Se habían establecido en un pueblo pequeño desde hacía casi un mes. Los vecinos del lugar estaban contentos en su mayoría. Los soldados gastaban dinero, sobre todo en la taberna, pero todos se sentían un poco más prósperos cuando los ingleses estaban en el pueblo.

Como siempre, John estaba borracho. Hacía lo que fuera para acabar con los lamentos que resonaban en sus oídos, y con la sangre que siempre sentía que le manchaba las manos por más que se las lavara a menudo. Unas pocas copas más, pensó, y sentiría que podía olvidarlo todo.

—Blackwood.

Miró hacia arriba y saludó con la cabeza a un hombre que se había situado frente a él al otro lado de la mesa.

—Spencer.

George Spencer levantó la botella.

—¿Puedo?

John se encogió de hombros.

Spencer se sirvió bruscamente un poco de líquido en el vaso que había traído con él.

—¿Tienes idea de cuándo saldremos de este infierno?

—Prefiero este infierno, como tú lo llamas, a estar en el fragor de una batalla.

Spencer miró a una tabernera que cruzaba la estancia mojándose los labios antes de volverse hacia John y decir:

—Nunca te había tomado por cobarde, Blackwood.

John bebió otro trago de whisky.

—No soy cobarde, Spencer. Soy simplemente un hombre.

—Todos lo somos —dijo Spencer con su atención todavía centrada en la muchacha que no debía de tener más de trece años.

—¿Qué piensas de ella, eh?

John se limitó a encogerse de hombros pues no se sentía especialmente comunicativo.

La chica, cuyo nombre había aprendido hacía un mes, era Ana. En ese momento se acercó para poner un plato de comida ante él. Él le dio las gracias en español. Ella movió la cabeza y sonrió, pero antes de que pudiera marcharse, Spencer le dio un tirón y la sentó en su regazo.

—Eres una bonita pieza —dijo arrastrando las palabras mientras deslizaba una mano por todo su cuerpo hasta prácticamente cubrir sus pechos apenas maduros.

—No —dijo ella—. Yo...

—Déjala tranquila —dijo John cortante.

—Por Dios, Blackwood, no es más que una...

—Déjala tranquila.

—A veces eres un burro, ¿sabes? —Spencer apartó a Ana aunque antes le dio un doloroso pellizco en el trasero.

John se llevó a la boca un poco de arroz con el tenedor, masticó, tragó, y dijo:

—Es una niña, Spencer.

Spencer flexionó la mano.

—Por lo que he palpado no lo es.

John se limitó a desaprobar con un gesto con la cabeza, pues no quería discutir con él.

—Déjala tranquila.

Spencer se levantó bruscamente.

—Voy a mear.

John observó cómo se iba y volvió a su cena. No había dado más de tres bocados cuando la madre de Ana apareció en la mesa.

—Señor Blackwood —dijo en una mezcla de inglés y español que sabía que él entendía—. Ese hombre que tocó a mi Ana. Debe parar.

John parpadeó unas cuantas veces intentando limpiar su mente de los efluvios alcohólicos.

—¿La molesta desde hace mucho tiempo?

—Toda la semana, señor. Toda la semana. Ella no querer. Ella tener miedo.

John sintió náuseas.

—No sé preocupe, señora —le aseguró—. Me encargaré de que la deje tranquila. Estará a salvo de mis hombres.

La mujer inclinó la cabeza.

—Gracias, señor Blackwood. Sus palabras consolar.

Volvió a la cocina donde, supuso John, pasaría la tarde cocinando.

Él siguió con su comida, y se bebió otro vaso de whisky. Cada vez más cerca de olvidar. En esos días lo anhelaba. Hacía lo que fuera por liberar su mente de muertos y moribundos.

Spencer volvió secándose las manos con una toalla.

—¿Todavía comiendo, Blackwood?

—Siempre te encanta constatar lo obvio.

Spencer frunció el ceño.

—Entonces cómete tu bazofia si es lo que quieres. Voy a salir a ver si encuentro diversión.

John levantó una ceja y le dijo:

—¿Aquí?

—Este lugar es ideal.

Los ojos de Spencer brillaban mientras subía las escaleras con aire arrogante desapareciendo de la vista.

John suspiró contento de librarse de ese hombre de su regimiento que siempre le había parecido una molestia. Nunca le había gustado Spencer, pero era un soldado aceptable, e Inglaterra necesitaba todos los que hubiera.

Terminó su cena y empujó el plato. La comida era sabrosa aunque nada parecía satisfacerlo. Tal vez otro vaso de whisky.

Pero ya estaba borracho. Verdaderamente borracho. Imaginaba que todavía había algunas cosas por las que dar las gracias al Señor.

Dejó que su cabeza se desplomara sobre la mesa. La madre de Ana le había parecido muy nerviosa. Su cara cargada de preocupación y miedo flotaba en su mente. Y a Ana, pobre niña, no le debía de gustar tener a esos hombres a su alrededor. Especialmente si eran como Spencer.

Escuchó un golpe que venía del piso de arriba. Nada fuera de lo normal.

Spencer. Ah, sí, era él en quien pensaba. Era insoportable. Siempre molestando a la gente del lugar, sin importarle nada más que divertirse.

Otro golpe.

Qué había dicho: que iba en busca de diversión. Eso era típico en él.

Otro ruido raro. Esta vez parecía el grito de una mujer. John miró a su alrededor. ¿Nadie más lo había escuchado? Nadie parecía reaccionar. Tal vez era porque él estaba más cerca de las escaleras.

Este lugar es ideal.

John se restregó los ojos. Algo no iba bien.

Se levantó y se apoyó con firmeza en la mesa para aliviar las náuseas que sacudían su cuerpo. ¿Por qué tenía la extraña sensación de que algo estaba pasando?

Otro golpe. Otro grito.

Subió lentamente las escaleras. ¿Qué iba mal? El ruido se hizo más fuerte mientras se dirigía al pasillo del segundo piso.

Y entonces lo volvió a escuchar. Esta vez era claro.

—¡Nooo! —era la voz de Ana.

John recuperó la sobriedad en un instante. Empujó la puerta con fuerza, y rompió una de sus bisagras.

—¡Oh, Dios, no! —gritó.

Apenas podía ver a Ana pues su pequeña figura estaba debajo de Spencer, que se movía sin descanso de arriba abajo sobre ella.

Pero se podía escuchar su llanto.

—Nooo, nooo, por favor, nooo.

John no se detuvo a pensar. Enloquecido, apartó a Spencer de la muchacha y lo empujó contra la pared.

—¿Qué diablos... Blackwood? —La cara de Spencer estaba tan enrojecida como su miembro.

—Cabrón —dijo respirando fuerte apoyando la mano sobre su arma.

—Por el amor de Dios, no es más que una puta española.

—Es una niña, Spencer.

—Ahora es una puta.

Spencer se volvió para subirse los pantalones.

La mano de John apretó su arma.

—Eso es lo único que llegará a hacer.

John levantó el arma.

—Los soldados de su majestad no violan —dijo, y disparó a Spencer en el trasero.

Spencer aulló y cayó al suelo soltando una rápida sarta de improperios. John inmediatamente se acercó a Ana como si hubiera algo que pudiera hacer para borrar su dolor y su humillación.

La cara de ella estaba completamente desprovista de cualquier expresión...

Hasta que lo vio.

Entonces se encogió de miedo y se apartó de John horrorizada. Él se tambaleó hacia atrás por la fuerza de su terror. Él no... no había sido él... Él sólo quería...

La madre de Ana irrumpió en la habitación.

—Madre de Dios —gritó—. Qué pasa... Oh, mi Ana. Mi Ana.

Corrió hacia su hija que lloraba desconsoladamente.

John permanecía en medio de la habitación, confundido, conmocionado y todavía borracho de whisky.

—Yo no... —susurró—. No fui yo.

Había mucho ruido. Spencer estaba chillando y maldiciendo de dolor. Ana lloraba. Su madre despotricaba contra Dios. John no podía moverse.

La madre de Ana se volvió y su rostro expresaba más odio del que nunca había visto John en una persona.

—Tú le hiciste esto —dijo susurrando y le escupió a la cara.

—No. No fui yo. Yo no...

—Me prometiste protegerla—. La mujer parecía estarse conteniendo para no agredirlo—. También podrías haber sido tú.

John parpadeó.

—No.

También podrías haber sido tú.

También podrías haber sido tú.

También podrías...

John se sentó en la cama con el cuerpo empapado de sudor. ¿Realmente habían pasado cinco años? Se volvió a recostar intentando olvidar que Ana se había suicidado tres días después.

Capítulo 3

Cuando a la mañana siguiente Belle bajó a desayunar, descubrió que ni Emma ni Alex se habían levantado todavía. Eso la sorprendió bastante porque Emma solía ser bastante madrugadora. Belle supuso que Alex la tenía en cama para sus propios propósitos, y se preguntó si una mujer podía volver a quedarse embarazada si ya lo estaba.

—Para ser alguien que normalmente se considera bastante inteligente —murmuró para sí misma—, en realidad es patético lo poco que sabes sobre las cosas importantes.

—¿Dice algo, milady? —preguntó un lacayo.

—No, no, hablaba conmigo misma —replicó, y puso los ojos en blanco por su comportamiento. Si seguía así la mitad de Westonbirt iba a pensar que era boba.

Se dispuso a desayunar y echó una mirada al periódico del día anterior que estaba sobre la mesa para que lo leyera Alex. Cuando terminó la tortilla, los recién casados seguían sin llegar. Belle suspiró intentando decidir qué hacer.

Podía hacer una incursión en la biblioteca de Alex, supuso, pero por una vez no le apetecía leer. El sol brillaba con fuerza, un lujo en ese otoño excepcionalmente lluvioso, y de pronto deseó no estar sola, que Alex o Emma no hubieran decidido quedarse en la cama, tener a alguien con quien compartir el buen tiempo. Pero no había nadie. Excepto… Belle negó con la cabeza. No podía pasar por la casa de lord Blackwood y decir hola.

De todos modos, ¿por qué no podía?

Bueno, por una razón, porque a él no le gustaba ella.

Lo que, por otro lado, era precisamente la razón por la que debía visitarlo. Nunca iba a ser capaz de arreglar la situación si no se volvían a ver de nuevo.

Belle levantó las cejas al considerar la idea. Podía llevarse a una doncella como acompañante, y no iba a estar demasiado alejada de los límites de la propiedad. Bueno, en realidad sí lo estaría, pero nadie la iba a ver, y no le parecía que lord Blackwood fuese demasiado estrecho de mente. Mientras tomaba la decisión, fue a la cocina para a ver si la señora Goode podía darle unos panecillos. Eran un desayuno fantástico. Tal vez lord Blackwood no había desayunado aún.

Todo iría bien. Al fin y al cabo no estaban en Londres. Evitaría soportar a un montón de cotillas criticando su escandaloso comportamiento. Y no iba a hacer nada terrible. Sólo quería saludar correctamente a su nuevo vecino. Se dijo a sí misma que lo que más le interesaba era ver el aspecto de su casa. ¿Cómo se llamaba? Alex se lo había dicho la noche anterior. ¿Bletchwood Place? ¿Blumley Manor? ¿Blasphemus Burg? Belle rió para sí misma. Lo único que recordaba es que era un nombre horrible.

Se dirigió a la cocina y la señora Goode se mostró encantada de prepararle una cesta. Salió enseguida cargada de mermeladas frescas y panecillos caseros.

Se encaminó a grandes zancadas hasta los establos donde montó a Amber, su yegua. No estaba muy segura de dónde estaba la casa de John, pero sabía que era hacia el este. Si seguía por el camino y se dirigía en dirección al sol, al final llegaría a la propiedad.

Avanzó a trote ligero por el largo camino que conducía de Westonbirt a la ruta principal. La doncella de Emma sabía montar y mantenía el paso junto a ella. Doblaron hacia el este en la vía principal, y después de más o menos un cuarto de hora, se encontraron con una senda que parecía llegar a alguna casa. Poco después Belle se encontró en un gran claro en cuyo centro se levantaba una elegante casa de piedra.

Era pequeña para los criterios de la aristocracia, pero elegante y bien construida. Parecía hecha para ella. Belle sonrió y animó a la yegua para que avanzara. No vio ningún establo así que se encargó ella misma de la yegua y la ató a un árbol. La doncella de Emma hizo lo mismo.

—Lo siento, Amber —murmuró Belle, y después respiró hondo y se dispuso a subir los peldaños de la escalera principal.

Levantó la gigantesca aldaba de latón, la dejó caer e hizo un ruido rotundo. Después de un momento, un anciano de cabello blanco abrió la puerta. Belle imaginó que era el mayordomo.

—Buenos días —dijo ella en tono refinado—. ¿Es la casa de lord Blackwood?

El mayordomo levantó una ceja.

—Sí, lo es.

Belle le ofreció su sonrisa más brillante.

—Excelente. Por favor, infórmele de que lo visita lady Arabella Blydon.

Buxton no dudó ni un momento de que era una dama al ver su traje elegante y oír su acento aristocrático. Con un gesto regio hizo que pasara a una habitación amplia, decorada en tonos crema y azul.

Belle permaneció en silencio mientras el mayordomo subía las escaleras. Después se volvió hacia la doncella y le dijo:

—Tal vez deberías, eh, ir a las cocinas y ver si hay, eh, más sirvientes por ahí.

La muchacha abrió los ojos un tanto sorprendida, pero asintió y salió de la habitación.

John todavía estaba en cama cuando llegó el mayordomo, pues había decidido concederse un buen descanso. Buxton entró en silencio y acercó sus labios a la oreja de su amo.

—Tiene una visita, milord —dijo en voz alta.

John lo golpeó con la almohada, y se levantó de mala gana.

—¿Una qué? —preguntó adormilado.

—Una visita.

—Dios mío, ¿qué hora es?

—Las nueve, milord.

John salió tambaleante de la cama y cogió una bata para cubrir su cuerpo desnudo.

—¿Quién diablos llega de visita a las nueve de la mañana?

—Lady Arabella Blydon, milord.

John se giró sorprendido.

—¿Quién?

—Creo que dije lady…

—Sé lo que ha dicho —replicó John de mal humor por haber sido despertado bruscamente—. ¿Qué diablos hace aquí?

—Le aseguro que no lo sé, milord, pero ha preguntado por usted.

John suspiró, preguntándose cuándo Buxton se iba a dar cuenta de que no toda pregunta precisaba una respuesta. Volvió a suspirar. No dudó ni un momento de que el anciano y astuto mayordomo sabía perfectamente que los comentarios de John eran hipotéticos.

—Supongo que debo vestirme —dijo finalmente.

—Eso imagino, milord. Me he tomado la libertad de informar a Wheatley que precisaría de sus servicios.

John se dio la vuelta y se dirigió a su vestidor. Como Buxton, el ayuda de cámara también venía con la casa. John tenía que admitir que no era difícil acostumbrarse a los lujos. Enseguida lo vistió con entallados pantalones color marrón claro, una camisa blanca impecable, y una chaqueta azul marino. Deliberadamente ignoró la corbata. Si a lady Arabella le parecía mal que no hubiera venido de visita a las nueve de la mañana.

Se lavó la cara con agua y después se pasó las manos mojadas por su rebelde cabello intentando cambiar su aspecto de recién levantado.

—Maldición —murmuró. Todavía parecía adormilado. En fin. ¿A quién le importaba? Bajó las escaleras.

Buxton le esperaba al llegar abajo.

—Lady Arabella lo espera en el salón verde, milord.

John respiró hondo intentado no mostrar su exasperación.

—¿Y cuál es ése, Buxton?

El mayordomo sonrió divertido y señaló.

—Justo ahí, milord.

John siguió el dedo de Buxton y entró en la habitación dejando la puerta respetablemente abierta. Belle estaba junto a una silla azul y se distraía examinando un jarrón pintado. Tenía un aspecto encantador con su vestido rosado.

—Vaya sorpresa —dijo él.

Belle levantó la vista al escuchar el sonido profundo de su voz.

—Oh, buenos días lord Blackwood. —Miró ligeramente su cabello despeinado—. Espero no haberle despertado.

—En absoluto —mintió.

—Me parece que el otro día no tuvimos un buen comienzo.

Él no dijo nada.

Ella tomó aire y continuó.

—Y bueno, pensé que debía darle la bienvenida al vecindario. He traído algunas cosas para desayunar. Espero que le gusten los panecillos.

John le dirigió una amplia sonrisa.

—Adoro los panecillos. Y llegan justo a la hora del desayuno.

Belle frunció el ceño ante su tono demasiado alegre. Lo había despertado.

—También hay un poco de mermelada —dijo, y se sentó preguntándose qué la había poseído como para llegar allí tan temprano.

John llamó para pedir té y café. Después se sentó enfrente de ella, y echó un vistazo por la habitación.

—Veo que no ha traído compañía.

—Oh, no, traje una doncella, pero ha ido a visitar a los sirvientes. Me tenía que haber acompañado Emma, pero aún no se había levantado. Ya ve que es muy temprano.

—Ya lo veo.

Belle tragó saliva y continuó.

—En verdad no tiene importancia. Esto no es Londres. Allí cualquier movimiento da pie a murmuraciones. Y no me estoy poniendo en ningún peligro.

Los ojos de John escudriñaron con admiración sus decididas formas femeninas.

—¿Ah no?

Belle se ruborizó y se irguió tiesa en su asiento. Lo miró directo a los ojos y vio que tras su fachada sarcástica había una gran honorabilidad.

—No, no creo que lo esté —replicó con resolución.

—No debería haber venido sola.

—Ya le dije que no he venido sola. Mi doncella…

—Su doncella está en la cocina. Y usted está aquí en esta habitación. Sola. Conmigo.

La boca de Belle se abrió y cerró varias veces antes de conseguir hablar.

—Bien… sí, claro… pero…

John la miraba fijamente y pensaba que lo que más le apetecía era inclinarse hacia delante y besar esos suaves labios que se abrían y cerraban con tanta consternación. Movió la cabeza ligeramente para desterrar el pensamiento. Su voz interior le advertía: «Contrólate, John».

—Lo siento —dijo de pronto—. No quería incomodarla. Sólo que no es común que una joven dama visite a un soltero sin acompañante.

Belle sonrió ampliamente pues su disculpa alivió su tensión.

—Es que soy bastante poco común.

John no lo había dudado ni un instante. Mientras miraba su fresca expresión se preguntaba si había venido deliberadamente para torturarlo.

—Además —continuó Belle—, no creo que sea riguroso con la etiqueta.

—No lo soy —admitió—. Sin embargo, la mayoría de las damas jóvenes lo son.

Un sirviente trajo el té y el café, y enseguida Belle se ofreció para servirlo. Le pasó una taza de café y preparó un té para ella mientras charlaba.

—¿Se crió en este lugar?

—No.

—Y, entonces, ¿dónde creció?

—En Shropshire.

—Qué bonito.

John hizo un ruido que se parecía peligrosamente a un gruñido. Belle levantó las cejas y continuó.

—Yo soy de Londres.

—Qué bonito.

Belle apretó los labios ante su sarcástico comentario.

—Claro que tenemos una casa en Sussex, pero suelo pensar que mi hogar está en Londres.

John cogió un panecillo y esparció generosamente mermelada sobre él.

—Qué desgracia la suya.

—¿No le gusta Londres?

—No especialmente.

—Oh. —Qué otra cosa podía decir, se preguntó Belle. Pasó un minuto en el que fue terriblemente consciente de las miradas especulativas y divertidas que John le lanzaba—. Bien —dijo al final—, veo que ayer no me mintió.

Ese comentario captó la atención de John y la miró con curiosidad.

—Sin duda es usted pésimo manteniendo conversaciones formales.

Él soltó una sonora risa.

—Nadie te podría acusar de no ser astuta, milady.

Belle ignoró el comentario, sin estar del todo segura de que fuera un cumplido. Mientras lo miraba se acordó de la conversación del día anterior. Por un momento, al menos, habían disfrutado juntos. Habían hablado de Shakespeare, y sí, incluso habían bromeado.

Después fue diferente, casi infantil. Fue bien hasta que él subió la guardia. Belle tenía la sensación de que en el pasado alguien lo debía de haber herido muy profundamente. Sin embargo, eso no significaba que a cambio le iba a dejar abusar de ella.

Ella percibía algo especial en él, algo refinado y brillante y muy, muy bueno. Y quizá lo único que necesitaba era que alguien se lo recordara. No veía razón para despreocuparse e intentar hacerse su amiga a pesar de todos los obstáculos que estaba poniendo en el camino. Cruzó los brazos y dijo:

—Si quiere puede hablarme usando ese tono arrogante, no me importa.

John levantó las cejas.

—Tendrá que aceptarlo —declaró Belle con sinceridad—. Yo le gusto.

Y para disgusto de John su taza de café tembló ruidosamente sobre el platillo.

—¿Qué ha dicho?

—Que yo te gusto —Belle levantó la cabeza; parecía un gato que acaba de dar el último lametón a un gran cuenco de nata.

—¿Y puedo saber cómo ha llegado a esta conclusión?

—Simplemente lo sé.

Él tenía en la punta de la lengua preguntarle si también se daba cuenta de lo mucho que él la deseaba. ¿Podía deducirlo? Tal vez. Él mismo estaba muy sorprendido de las reacciones que ella le provocaba. El día anterior tenía un aspecto encantador sentada debajo del árbol, pero hoy, para sus ojos aún dormidos era una diosa.

—No tiene por qué impresionarse tanto mi observación. —bromeó Belle.

Una diosa muy inteligente.

—Usted —dijo John con vigor— debería ser azotada.

—Espero que no vaya a buscar una fusta. Siempre me ha gustado bastante mi trasero.

Dios santo, se preguntó Belle ¿cuándo se había vuelto tan osada? Miró el semblante furioso de él.

La traicionera mente de John decidió que le gustaba mucho su trasero, y entonces su aún más traicionero cuerpo reaccionó violentamente con ese pensamiento. ¿Qué diablos se creía esa mujercita? No se puede provocar a un hombre de esa manera. Aún así, no podía negar que sus palabras tenían algo de verdad. Ella le gustaba bastante. De modo que, intentado alejar la conversación de aguas peligrosas, dijo deliberadamente:

—Tiene razón. No soy muy bueno para las conversaciones formales.

Belle captó la indirecta. Sonrió divertida y dijo:

—No se preocupe demasiado. Todavía hay posibilidades.

—Es un gran alivio.

—Aunque disminuyen por momentos —masculló.

John la miró mientras masticaba un panecillo. De alguno modo se las arreglaba para parecer dulce y deseable al mismo tiempo. Por el amor de Dios, ella ya estaba derrumbando el muro protector que años atrás había erigido en torno a sí mismo. En realidad no se merecía el tratamiento que le estaba prodigando. Tragó con lentitud, se limpió la boca con cuidado, se levantó y le cogió una mano.

—¿Me permitiría volver a empezar esta mañana? —dijo elegantemente llevándose la mano de ella a los labios—. Creo que me he levantado con el pie izquierdo.

El corazón de Belle se sobresaltó un poco al sentir sus labios rozándole los nudillos.

—Soy yo quien debe disculparse. Me temo que cualquier pie hubiera sido malo a esta hora.

John sonrió, volvió a sentarse y cogió otro panecillo.

—Están deliciosos —comentó.

—La madre de nuestra cocinera es de Escocia.

—¿Nuestra cocinera? —John cuestionó su elección de palabras—. ¿Entonces ya es usted parte permanente de la casa?

—No, tengo que regresar a Londres cuando mis padres vuelvan de Italia. Pero he de admitir que en Westonbirt me he comenzado a sentir como en casa.

John asintió y alzó su panecillo mordisqueado.

—¿Ha estado en Escocia?

—No.

Hubo un momento de silencio y después John dijo:

—¿Qué tal lo estoy haciendo?

—¿Cómo está haciendo qué? —preguntó Belle con expresión perpleja.

—Manteniendo una conversación formal. Lo he estado intentando con mucho esfuerzo desde hace un rato —dijo mientras le lanzaba una sonrisa infantil.

Belle no pudo contener una carcajada.

—Ah, está dando grandes pasos.

—Estaré preparado para pasar una temporada en Londres dentro de poco —dijo antes de dar otro mordisco al panecillo.

Belle se inclinó hacia delante animada.

—¿Está planeando ir a la ciudad la próxima temporada?

Le entusiasmó la idea. Estaba empezando a aburrirse de la vida social, y John seguro que la animaría. Además, la idea de bailar en sus brazos le parecía extrañamente erótica. Sólo pensar en estar tan cerca de él hizo que un hormigueo eléctrico le subiera por la columna y se ruborizara.

John advirtió el color de sus mejillas y le produjo una gran curiosidad saber qué pensamiento escandaloso podía hacer que se sonrojara después de llegar descaradamente a su casa a las nueve de la mañana. No obstante, no se lo preguntó para no avergonzarla y sólo dijo:

—No. No tengo dinero.

Belle se acomodó en su asiento sorprendida de su franqueza.

—Bueno, eso no importa —dijo ella intentando hacer una broma—. Media clase alta no lo tiene. Simplemente se las arreglan para que los inviten a distintas fiestas cada noche y así no tener que pagar la cena.

—No suelo ir a fiestas.

—No, no creo que lo haga. Tampoco yo.

—¿De verdad? Hubiera pensado que sería la bella del baile, si me perdona el juego de palabras.

Belle sonrió con ironía.

—No quiero ser falsamente modesta y decirle que no haya disfrutado de un considerable éxito social…

John se rió para sí mismo por su cuidadosa elección de palabras.

—Pero he de admitir que me he hastiado de la temporada social.

—¿Sí?

—Sí. Pero supongo que tendré que volver el próximo año.

—¿Por qué va si lo encuentra tan aburrido?

Ella hizo una mueca.

—Es que hay que encontrar marido al fin y al cabo.

—Ah —fue todo lo que dijo John.

—Y no es tan fácil como se pueda pensar.

—No puedo imaginar que para usted sea especialmente difícil encontrar marido, lady Arabella. Sin duda sabe que es bellísima.

Belle se ruborizó de placer por el cumplido.

—He tenido algunas ofertas, pero ninguna adecuada.

—¿No tenían suficiente dinero?

Esta vez su rubor no era de consternación.

—Eso me ofende, lord Blackwood.

—Lo siento, pensé que así eran las cosas.

Belle tuvo que admitir que para muchas mujeres, así eran las cosas, y aceptó sus disculpas con un breve gesto de asentimiento.

—Algunos de los caballeros me informaron de que estaban dispuestos a pasar por alto mis terribles tendencias intelectuales gracias a mi belleza y mi fortuna.

—A mí sus tendencias intelectuales me parecen muy atractivas.

Belle hizo un gesto de alegría.

—Qué agradable es escuchar que alguien, un hombre, diga eso.

John se encogió de hombros.

—Siempre me ha parecido tonto desear a una mujer que no tenga más conversación que una oveja.

Belle se inclinó hacia delante y sus ojos brillaron pícaramente.

—¿Verdad? Hubiera pensado que preferirías a una mujer así dadas sus dificultades para conversar.

—*Touché*, milady. Le cedo este asalto.

Belle se sintió absurdamente encantada y de pronto se alegró mucho de haberse atrevido a venir esa mañana.

—Lo tomo como un gran elogio.

—Eso pretendía ser. —John señaló con una mano los pocos panecillos que quedaban—. ¿No quiere uno? Soy capaz de comerme toda la bandeja si no hace algo.

—Bueno, ya he desayunado, pero… —dijo mirando los apetitosos panecillos—. Supongo que uno no hace daño.

—Dios, no tengo paciencia con las mujeres que intentan comer como conejos.

—No, tengo entendido que prefiere las ovejas.

—*Touché* de nuevo, milady —John miró por la ventana hacia fuera—. ¿Esos caballos que hay ahí son suyos?

Belle siguió su mirada y después se levantó para acercarse a la ventana.

—Sí, el de la izquierda es mi yegua Amber. No vi los establos así que la até al árbol. Parece contenta.

John se puso de pie en el momento en que ella se levantó, y ambos se juntaron en la ventana.

—Los establos están atrás.

Belle era intensamente consciente de su proximidad y de su atractivo aroma masculino. Parecía que se iba a quedar sin aliento y por primera vez en la mañana sintió que le faltaban las palabras. Mientras él contemplaba su yegua, ella aprovechó para mirar de reojo su perfil. Tenía la nariz recta y aristocrática, y la mandíbula fuerte. Sus labios eran sencillamente hermosos, plenos y sensuales. Tragó saliva incómoda y se obligó a mirarle a los ojos. Parecían desolados. Belle se descubrió deseando desesperadamente poder borrar el dolor y la soledad que veía en ellos.

De pronto, John se dio la vuelta y sorprendió a Belle observándolo. Sus ojos se encontraron con los de ella, y por un momento se relajó permitiendo que ella mirara en su alma. Después sonrió, rompió el hechizo y le dio la espalda.

—Es una yegua preciosa —dijo.

Belle tardó un rato en recuperar el aliento.

—Sí, la tengo desde hace varios años.

—No creo que pueda hacer mucho ejercicio en Londres.

—No. —Belle se preguntaba por qué se habían puesto a hablar tan formalmente. ¿Por qué se había apartado? Pensó que no soportaría estar ni un momento más con él si sólo iban a hablar de banalidades y, Dios no lo quisiera, mantener conversaciones formales—. Es mejor que me vaya —dijo de pronto—. Se está haciendo tarde.

John se rió para sí mismo. Apenas eran las diez de la mañana.

Con la prisa por prepararse y partir, Belle no oyó su risa.

—Puede quedarse la cesta —dijo—. Es un regalo, junto con la comida.

—La guardaré siempre.

John tiró de la cuerda de la campanilla para llamar a la doncella de Belle que estaba en la cocina.

Belle sonrió y después, para su sorpresa y horror, sintió que se le humedecían los ojos.

—Gracias por su compañía. He tenido una mañana estupenda.

—Yo también.

John la acompañó al vestíbulo. Ella le sonrió antes de darse la vuelta. Había estremecido su alma, y su cuerpo había sentido una fresca oleada de deseo.

—Lady Arabella —dijo con voz ronca.

Ella se volvió con el rostro nublado de preocupación.

—¿Pasa algo?

—No es prudente que venga a hacerme compañía.

—¿Qué quiere decir?

—No vuelva a venir por aquí.

—Pero si acaba de decir…

—He dicho que no vuelva por aquí. Por lo menos no lo haga sola.

Ella parpadeó.

—No sea tonto. Parece el héroe de una novela gótica.

—No soy un héroe —dijo misteriosamente—. Haría bien recordándolo.

—Deje de reírse de mí —dijo ella con una voz poco convincente.

—No lo hago, milady —dijo él cerrando los ojos, y por una fracción de segundo sus rasgos mostraron una expresión agónica—. Hay muchos peligros en este mundo de los que no sabe nada. De los que nunca se enterará —añadió con aspereza.

La doncella llegó al vestíbulo.

—Es mejor que me vaya —dijo Belle enseguida, completamente desconcertada.

—Sí.

Se volvió, bajó los peldaños y corrió hasta su caballo. Se montó con prisa y cabalgó por el camino hasta la ruta principal, todo el tiempo intensamente consciente de que John la seguía mirando.

¿Qué le había ocurrido? Si Belle antes estaba intrigada con su vecino, ahora tenía una curiosidad enorme. Su humor cambiaba como el viento. No podía entender cómo podía bromear con ella tan dulcemente y al poco rato volverse oscuro y amenazador.

Y además no podía quitarse la idea de la cabeza de que de algún modo la necesitaba. Él necesitaba a alguien, eso estaba claro. Alguien que pudiera limpiar el dolor que afloraba en sus ojos cuando pensaba que nadie lo miraba.

Belle puso los hombros rectos. Nunca había sido de las que dan la espalda a los desafíos.

Capítulo 4

Belle no pudo dejar de pensar en John el resto del día. Se fue a la cama temprano con la esperanza de que dormir bien le diera una nueva perspectiva. Pero tardó horas en dormirse, y una vez que se lo hizo plácidamente, John atormentó sus sueños con sorprendente perseverancia.

La mañana siguiente se despertó un poco más tarde de lo normal, pero cuando bajó a desayunar descubrió que Alex y Emma nuevamente se habían quedado en la cama. No tenía ganas de ponerse a buscar algo con lo que entretenerse así que terminó rápidamente el desayuno y decidió salir a dar un paseo.

Miró las botas que llevaba y pensó que eran lo bastante resistentes como para dar una caminata de modo que salió por la puerta principal dejando una nota para sus primos con Norwood. El aire de otoño era fresco, aunque no frío, por lo que se alegró de no haberse puesto una capa. Dando grandes y raudos pasos descubrió que se estaba dirigiendo hacia el este, y que allí se encontraba la propiedad de Blackwood.

Belle se lamentó. Debía haber sabido que iba a ocurrir eso. Se detuvo e intentó obligarse a darse la vuelta y volver hacia el oeste. O al norte o al sur o a noroeste o cualquier dirección salvo el este. Pero sus pies se negaban a obedecer y siguieron caminando hacia delante, e intentó excusar su comportamiento diciéndose a sí misma que sólo sabía llegar a Blondwood Manor por el camino principal, y ahora iba a través del bosque, por lo que de todas formas probablemente no llegaría.

Frunció el ceño. No se llamaba Blondwood Manor. Y por más que se esforzaba no podía recordar cómo se llamaba. Movió la cabeza y continuó caminando.

Cuando había pasado una hora, Belle comenzó a lamentar su decisión de no salir con la yegua. La propiedad de Alex estaba a unos dos kilómetros y medio, y por lo que le había dicho John el día anterior, sabía que había otro par de kilómetros hasta su casa. Sus botas no eran todo lo cómodas que esperaba, y tenía la sospecha de que se le estaba formando una ampolla en el talón derecho.

Intentó mantenerse firme, pero el dolor pronto comenzó a ser muy intenso. Con un quejido audible, finalmente se rindió derrotada por la ampolla. Se puso de cuclillas y tocó el césped con una mano para ver si estaba húmedo. El rocío del amanecer ya se había evaporado, así que se desplomó sobre la hierba, desató su bota y se la quitó. Estaba a punto de levantarse y ponerse a caminar nuevamente cuando se dio cuenta de que llevaba puestas sus medias favoritas. Con un suspiro, cogió el extremo de una bajo la falda y la deslizó por la pierna lentamente.

John se encontraba a unos pasos y no se podía creer lo que estaba viendo. Belle estaba de nuevo en su propiedad, y justo cuando iba a darle a conocer su presencia, ella se había puesto a refunfuñar para sí misma y se había sentado sobre la hierba de una manera muy poco decorosa.

Intrigado, John se escondió rápidamente detrás de un árbol. Lo que siguió fue una escena mucho más seductora de lo que nunca hubiera soñado. Después de sacarse la bota, Belle se levantó la falda muy por encima de las rodillas, ofreciendo una turbadora visión de sus contorneadas piernas. John casi dio gemido. En una sociedad que consideraba que los tobillos eran obscenos, eso era algo verdaderamente picante.

John sabía que no debía mirar. Pero mientras seguía allí, observando cómo Belle se quitaba una media, se justificaba pensando que no tenía mejor alternativa. Si le advertía de su presencia sólo conseguiría avergonzarla. Lo mejor era que no supiera que él estaba ahí. Un verdadero caballero, supuso, tendría el valor de darse la vuelta. Pero la verdad es que John consideraba que la mayoría de los hombres que se toman la molestia de llamarse caballeros a sí mismos sencillamente eran tontos.

No podía dejar de mirarla. Su inocencia la hacía más tentadora, más que la actriz más profesional. Su desnudo involuntario era aún más sensual pues Belle se iba quitando la media muy lentamente no porque supiese que había un espectador, sino porque parecía que le encantaba la sensación de la seda deslizándose por su piel suave.

Y entonces, demasiado pronto para gusto de John, terminó y se puso de nuevo a refunfuñar. Él sonrió. Nunca había conocido a nadie que hablara tan a menudo consigo mismo, especialmente en un tono tan gracioso.

Ella se levantó y se miró de arriba abajo unas cuantas veces hasta que se fijó en un lazo que le adornaba el vestido. Ató la media al perifollo asegurándola con firmeza al vestido y se agachó para recoger la bota. John casi rió cuando se puso de nuevo a murmurar mientras miraba airadamente su calzado, como si fuera una criatura pequeña y ofensiva, pues se había dado cuenta de que podía haber metido la media en la bota para que estuviera a buen recaudo.

Él pudo oir su suspiro pues debió de hacerlo de manera muy sonora. Luego la vio encogerse de hombros y alejarse caminando con dificultad. John levantó una ceja al darse cuenta de que no iba hacia su casa, se dirigía a la de él. Sola. Había creído que la joven haría caso de su advertencia. Creía que el día anterior la había asustado. Pero Dios sabía que sólo se había asustado a sí mismo.

No obstante, se no pudo evitar sonreír pues al ir sin una bota cojeaba casi tanto como él.

John enseguida se dio la vuelta y se dirigió al bosque. Después de su accidente había ejercitado su pierna religiosamente, lo que había hecho que pudiera caminar muy rápido. Casi tanto como un hombre normal. El único problema era que si ejercitaba demasiado la pierna después le dolía como si hubiera ido y vuelto (sin cojear) al infierno.

Pero no pensaba en estas consecuencias mientras avanzaba rápidamente. Lo que pretendía era acortar camino a través del bosque e interceptar a Belle cerca de Bletchford Manor sin que se diera cuenta de que la había estado espiando.

Sabía que el camino se curvaba a la derecha justo delante, así que cortó en diagonal por el bosque, maldiciendo cada tocón de árbol que ya no tenía la agilidad de saltar. Cuando finalmente salió al camino casi a medio kilómetro de su casa, le latía la rodilla y estaba jadeando por el esfuerzo. Puso las manos sobre sus muslos y se inclinó hacia delante un momento intentando recuperar el aliento. La pierna le dolía de arriba abajo, y sólo enderezarla le suponía una agonía. Con una mueca de dolor se restregó la rodilla hasta que el dolor agudo disminuyó y dio paso a uno más llevadero.

Se incorporó justo a tiempo. Belle llegaba cojeando desde la curva. John enseguida dio un paso en dirección a ella deseando aparecer como si llevara paseando toda la mañana.

Ella no lo vio enseguida porque iba mirando al suelo para no pisar guijarros con su pie descalzo. Estaban a unos diez metros cuando ella escuchó el ruido de sus pisadas. Miró hacia delante y en un instante lo vio aproximarse con su enigmática sonrisilla como si supiera algo que ella ignorara. En realidad, pensó, era más bien como si supiera algo que ella nunca sabría.

—Oh, buenos días, lord Blackwood —dijo curvando sus labios deseando sonreír de la misma manera misteriosa que él. Pensó que no podría lograrlo; nunca en su vida había tenido un día misterioso, y además, parecía demasiado alegre.

En medio de los turbulentos pensamientos de Belle, John saludó con la cabeza.

—Supongo que se estará preguntando qué hago de nuevo en su propiedad.

John levantó una ceja, y Belle no supo si su gesto significaba: es usted una intrusa molesta; es una graciosa criatura; o sus acciones no merecen el tiempo que tengo que emplear pensando en ellas. Así que continuó avanzando penosamente.

—Claro que me he dado cuenta de que esta es tu propiedad, pero esta mañana cuando salí de Westonbirt me dirigí hacia el este. No sé por qué, pero lo hice y el límite oriental es el más próximo a la casa, y como me gusta dar paseos bastante largos, era natural llegar al linde, y pensé que no le importaría —Belle tuvo que obligarse a guardar silencio. Estaba hablando por hablar lo cual no era típico en ella y eso la enfadó.

—No me importa —dijo John simplemente.

—Oh. Bien, así es mejor, supongo, pues no deseo ser expulsada a la fuerza de su propiedad.

Eso sonaba realmente estúpido. Belle volvió a cerrar la boca.

—¿Haría falta usar la fuerza para expulsarla de mi propiedad? No tenía idea de que le gustara tanto.

Belle sonrió pícaramente.

—Me está tomando el pelo.

John le ofreció otra de sus sonrisillas, de las que hubieran dicho mucho de él mismo si el resto de su rostro no fuese tan inescrutable.

—No habla mucho, ¿verdad? —preguntó Belle de repente.

—No creía que fuese necesario. Parece que puede llevar la conversación usted sola perfectamente.

Belle frunció el ceño.

—Es una manera horrible de decirlo.

Ella miró hacia arriba. Sus ojos de color marrón aterciopelado, normalmente tan ilegibles estaban llenos de buen humor. Suspiró.

—Pero es verdad. Normalmente no hablo tanto, ¿sabe?

—¿De verdad?

—Así es. Creo que como usted es muy callado tengo la necesidad de hablar más.

—Ah. ¿Entonces la culpa recae sobre mis hombros?

Belle miró coqueta sus hombros, que eran un poco más amplios de lo que recordaba.

—Parecen muy capaces de aguantar una carga tan pesada.

John la miró con una gran sonrisa, riendo abiertamente, lo que era algo que no hacía muy a menudo. De pronto se alegró de haberse puesto una de sus mejores chaquetas; normalmente usaba las antiguas para sus paseos matutinos. Y luego se enfadó consigo mismo por sólo pensarlo.

—¿Es una nueva moda? —preguntó haciendo un gesto hacia la bota que llevaba en la mano.

—Una ampolla —dijo Belle levantando su falda unos centímetros. Era atrevido, lo sabía, pero no le importó. Además estaban manteniendo una conversación tan estrafalaria que las normas de la etiqueta no parecían estar aplicándose.

Sin embargo, para su sorpresa, él se puso de rodillas y le cogió el pie.

—¿Le importa si le echo un vistazo? —preguntó.

Belle retiró su pie nerviosamente.

—No creo que sea necesario —dijo enseguida. Que viera su pie era una cosa, pero tocarlo era algo completamente distinto.

John se lo cogió con firmeza.

—No sea mojigata, Belle. Se le podría infectar, y entonces se sentiría mal de verdad.

Ella parpadeó unas cuantas veces muy sorprendida de que usara descaradamente su nombre de pila.

—¿Cómo sabe que me llaman Belle? —preguntó finalmente.

—Me lo dijo Ashbourne —replicó John examinando los dedos del pie—. ¿Dónde está esa cosa?

—En el talón —respondió Belle, y se dio la vuelta obediente.

John soltó un silbido.

—Tiene una bastante fea. Debiera usar unos zapatos más cómodos si quiere salir de excursión al campo.

—No estaba haciendo una excursión, salí a pasear. Y tengo zapatos mejores. Es que no pretendía salir a caminar esta mañana hasta después de vestirme, y no me apetecía cambiar de traje —Belle soltó un suspiro de frustración. ¿Por qué sentía la necesidad de explicarse ante él?

John se levantó, sacó un pañuelo blanco almidonado, y cogió el brazo de Belle.

—Hay un estanque por aquí cerca. Puedo limpiarle la herida con un poco de agua.

Belle soltó su falda.

—No creo que sea necesario, John.

A él le pareció simpático su deliberado uso de su nombre de pila y estaba contento de haberse adelantado en usar el suyo. Decidió que le gustaba esta lady Arabella, a pesar de estar demasiado bien relacionada para su gusto. No se acordaba de la última vez que se había reído tanto. Era lista y divertida. Un poco demasiado guapa como para sentirse cómodo, pero estaba seguro de que con un pequeño esfuerzo podría controlar su atracción hacia ella.

Sin embargo ella era tremendamente indiferente a su propio bienestar, como demostraba el que no usara gafas, su incipiente ampolla, o su gusto por hacer excursiones sin compañía. Obviamente necesitaba a alguien que le inculcara un poco de sentido común. Puesto que no había nadie más en las proximidades, John decidió que él tendría que hacerlo, así que comenzó a caminar hacia el estanque, prácticamente arrastrándola detrás de él.

—¡Jo-ohn! —protestaba.

—¡Be-elle! —respondía él imitando perfectamente el tono que usaba para quejarse.

—Soy perfectamente capaz de cuidar de mí misma —dijo Belle acelerando el paso para seguirlo. Para tener una cojera tan pronunciada, se movía muy deprisa.

—Obviamente no lo es, si no llevaría gafas encima de la nariz.

Belle se detuvo de golpe con tanta fuerza que John tropezó.

—Sólo las necesito para leer —dijo machaconamente.

—Me reconforta saber que lo admite.

—Pensaba que me empezaba a gustar usted, pero ahora estoy segura de que no es así.

—Todavía le gusto —dijo él riéndose abiertamente mientras volvía a tirar de ella para llevarla al estanque.

Belle se quedó con la boca abierta.

—No, no me gusta.

—Claro que sí.

—No, yo... bueno, tal vez un poquito —le concedió—. Pero creo que está actuando muy despóticamente.

—Y yo creo que tiene una ampolla espantosa en el talón, así que deje de quejarse.

—No me quejo…

—Sí lo hace.

Belle cerró la boca, consciente de haber estado diciendo demasiados disparates. Finalmente se rindió con un suspiro y dejó que la condujera hasta el estanque. Al llegar se sentó en una pradera cerca de la orilla mientras John iba hasta el agua para empapar su pañuelo en ella.

—¿Está limpio? —gritó ella.

—¿Mi pañuelo o el agua?

—¡Los dos!

John volvió a su lado y le enseñó el níveo pañuelo.

—Limpísimo.

Ella se resignó ante su determinación de curar la ampolla y sacó su pie desnudo de debajo de la falda.

—Esto no va a funcionar —dijo él.

—¿Por qué no?

—Tendrá que tumbarse boca abajo.

—No lo creo —replicó Belle en tono firme.

John inclinó su cabeza hacia un lado.

—Por lo que veo —dijo pensativo— tenemos dos opciones.

No dijo nada más así que Belle se vio obligada a preguntar:

—¿Dos opciones?

—Sí. O se tumba boca abajo para que le pueda curar la ampolla, o me deslizo yo de espaldas y me tumbo bajo su pierna para poder verle el talón. Claro que para eso probablemente haría falta que me asomara debajo de sus faldas, y aunque la idea me atrae…

—Basta —murmuró Belle. Y se tumbó boca abajo.

John cogió su pañuelo, suavemente limpió la herida y quitó un poco de sangre coagulada que se había incrustado alrededor. Dolió un poquito cuando tocó la carne viva, pero Belle era consciente de que estaba siendo extraordinariamente cuidadoso así que no dijo nada. Sin embargo, cuando sacó un cuchillo del bolsillo, cambió de opinión.

—¡Aaah!

Por desgracia la primera palabra que salió de su boca no era demasiado coherente.

John la miró sobresaltado.

—¿Algo va mal?

—¿Qué quiere hacer con ese cuchillo?

Él sonrió pacientemente.

—Voy a hacer una pequeña incisión en la ampolla para drenarla. Así se podrá secar la piel muerta.

Parecía que sabía lo que estaba haciendo, pero Belle pensó que de todos modos tenía que hacer algunas preguntas puesto que, al fin y al cabo, estaba a dejando que alguien relativamente desconocido le clavara un cuchillo.

—¿Por qué quiere secarla?

—Así se curará mejor. La piel muerta se caerá y se endurecerá la que salga por debajo —dijo estrechando los ojos—. Nunca ha tenido una ampolla, ¿verdad?

—No tan grande —admitió Belle—. Normalmente no camino tanto, suelo salir a caballo.

—¿Y qué hay de los bailes?

—¿Y qué hay de los bailes? —replicó.

—Estoy seguro de que va a bailes elegantes y esas cosas cuando está en Londres. Debe pasarse toda la noche de pie.

—Siempre uso calzado cómodo —respondió con desdén.

John no estaba seguro de por qué, pero le gustaba su sensibilidad.

—Bueno, no se preocupe —dijo finalmente—. He tratado muchas ampollas, y la mayoría peores que ésta.

—¿En la guerra? —preguntó Belle cautelosa.

—Sí —contestó con la mirada sombría.

—Imagino que ha tenido que tratar heridas mucho peores que simples ampollas —dijo ella con suavidad.

—Claro que sí.

Belle sabía que debía interrumpir su cuestionario; era evidente que para él la guerra era un tema doloroso, pero su curiosidad podía con su discreción.

—¿No tenían médicos y cirujanos para esas cosas?

Hubo un silencio perceptible, y Belle sintió la presión de sus manos en el pie cuando el cuchillo pinchó la ampolla antes de responder.

—Algunas veces no había ni médicos ni cirujanos disponibles y tenías que hacer lo que pudieras, lo que fuera sensato. Y después rezabas —su voz sonaba grave— aunque hubieras dejado de creer en Dios.

Belle tragó saliva incómoda. Pensó que debía decir algo tranquilizador como «ya veo», pero la verdad es que no lo consideró oportuno. Ni siquiera era capaz de imaginar los horrores de la guerra, y le pareció muy superficial dar a entender que podía.

John limpió de nuevo la ampolla con el pañuelo húmedo.

—Ahora está bien.

Se levantó y le extendió la mano pero ella no le hizo caso y se volvió para poder volver a sentarse sobre el montículo de hierba. Él se quedó extrañamente inmóvil hasta que ella le señaló un lugar a su lado. Él dudó, y Belle emitió un quejido golpeando el suelo con bastante fuerza.

—Oh, por favor —dijo con un tono un poco irritado—. No muerdo.

John se sentó.

—¿Debería ponerme una venda? —preguntó Belle girándose un poco para poder ver su obra.

—No a menos que quiera ponerse de nuevo zapatos apretados. Sana antes si la deja descubierta.

Belle siguió mirándose el talón, intentando conservar el decoro mientras lo hacía.

—No creo que haya demasiada gente que se pasee por Westonbirt descalza, pero creo que tengo suficiente influencia como para hacerlo, ¿no cree? —dijo mirando hacia arriba con una sonrisa radiante.

John se sintió golpeado por el encanto de su sonrisa. Le llevó unos segundos quitar la vista de su boca, y cuando lo hizo movió la mirada hacia los ojos, lo que fue un gran error, pues éstos estaban tan azules como el cielo. En realidad más azules, y claramente perspicaces e inteligentes. Sentía la mirada de ella casi físicamente, como si recorriera todo su cuerpo aunque en realidad no había apartado los ojos de los suyos, ni siquiera un instante. John temblaba.

Belle se humedeció los labios con un gesto nervioso.

—¿Por qué me mira así?

—¿Cómo? —dijo John susurrando apenas consciente de que había hablado.

—Como si… como si… —no encontraba la palabra pues no estaba segura de cómo la estaba mirando. Pero cuando lo supo se le abrieron los ojos de asombro—. Como si me temiera.

John se sintió confundido. ¿Le tenía miedo? ¿Temía su capacidad para desbaratar su preciado equilibrio interno que hacía muy poco había conseguido establecer? Tal vez, pero él no temía a nadie más que a sí mismo. A las cosas que le gustaría hacerle…

Cerró los ojos y le llegó la visión de Spencer encima de Ana. No, no era eso lo que quería hacer con Belle.

Tenía que controlarse. Apartarla. Parpadeó, y de pronto recordó lo que ella le había preguntado sobre ir descalza en la casa de Ashbourne.

—Supongo que puede hacer lo que quiera si es pariente del duque —replicó finalmente un poco cortante.

Belle se echó hacia atrás un poco molesta por su tono. Pero si quería podía seguir su juego.

—Sí, supongo que puedo —dijo levantando la barbilla.

John se sintió como un caradura. Pero no se disculpó. Probablemente era mejor si pensaba que era un grosero. No tenía sentido enredarse con ella aunque fuera muy, muy fácil permitírselo a sí mismo. La había estado investigando en el *Debrett's Peerage* después de que lo hubiera visitado el día anterior. Era la hija de un conde tremendamente rico relacionado con un buen número de personas importantes e influyentes de la sociedad. Se merecía a alguien con un título que tuviera más de un año de antigüedad, alguien que le pudiera ofrecer las comodidades materiales a las que sin duda estaba acostumbrada, alguien que estuviera entero, cuyas piernas fuesen tan perfectas como las de ella.

Dios mío, pero cómo le gustaría mirarlas. Emitió un gemido.

—¿Se encuentra mal? —dijo Belle mientras lo miraba intentando no parecer preocupada.

—Estoy bien —respondió él bruscamente.

Ella incluso olía bien, a un aroma de primavera agradable y fresco que parecía rodearlo. Él ni siquiera se merecía pensar en ella, no después de haber cometido un crimen tan imperdonable contra las mujeres.

—Bueno, gracias por curar mi ampolla —dijo Belle de pronto—. Ha sido muy amable por su parte.

—Le aseguro que no ha sido nada.

—Tal vez para usted —dijo Belle intentando parecer lo más alegre posible—. Yo he tenido que tumbarme junto a un hombre al que acabo de conocer hace tres días.

«Por favor, no diga nada que no sea amable», imploró ella en silencio. «Por favor sea tan divertido, bromista y dulcemente torpe como lo ha sido hace sólo unos minutos.»

John sonrió pues fue como si los pensamientos de ella hubieran viajado por el aire y se hubieran posado como un beso sobre él.

—Puede estar segura de que he disfrutado muchísimo admirando su trasero —bromeó, y su sonrisa incipiente dio pie a una carcajada seductora. Aunque iba en contra de su buen juicio, era incapaz de no ser amable pues ella estaba haciendo un gran esfuerzo para que fueran amigos.

—¡Vaya! —se quejó Belle y le dio un golpe juguetón en el hombro—. Lo que ha dicho está muy mal.

—¿Nunca nadie ha admirado su trasero? —dijo cubriendo con su mano la de ella.

—Le aseguro que nadie nunca ha sido tan grosero como para mencionarlo.

Su voz sonaba entrecortada. Él no la acarició, simplemente había dejado reposar su mano ligeramente sobre la de Belle, pero el calor de su tacto se filtró por su cuerpo, ascendiendo por el brazo peligrosamente hasta su corazón.

John se inclinó hacia delante.

—No quería ser grosero —murmuró.

—¿No? —dijo Belle tocando su labio inferior con la lengua.

—No, sólo he sido honesto —dijo él muy cerca, a milímetros de distancia.

—¿De verdad?

John respondió algo, pero Belle no lo entendió porque sus labios ya estaban rozando suavemente los de ella. Belle gimió suavemente y pensó que quería seguir así para siempre, y agradeció en silencio a los dioses y a sus padres (aunque no necesariamente en ese orden) por haberle aconsejado que no aceptara a ninguno de los hombres que se le habían declarado los últimos dos años. Esto es lo que había estado esperando, lo que apenas se había atrevido a desear. Esto era lo que compartían Alex y Emma. Por eso siempre se estaban mirando el uno al otro, sonriendo constantemente detrás de las puertas cerradas. Esto era…

John pasó suavemente la lengua a lo largo de la suave piel de su labio superior, y Belle perdió toda capacidad de pensar. Sólo sentía, pero, oh, cómo sentía. Cada centímetro de su piel le hormigueaba, aunque apenas la estaba tocando. Belle suspiró hundiéndose en él, sabiendo instintivamente que él sabría lo que hacer, cómo hacer que esa maravillosa sensación continuase para siempre. Se fundió en él mientras su cuerpo buscaba su calor. Y entonces él la apartó con brusquedad y murmuró una terrible maldición con la respiración inquieta y agitada.

Belle parpadeó confundida sin entender su reacción y sintiéndose completamente desolada. Se tragó su dolor y se abrazó las piernas contra el cuerpo deseando que él dijera algo amable o divertido, o por lo menos que explicara su comportamiento. Y si no lo hacía, sólo deseaba que no pudiera ver cuánto la hería su rechazo.

John se levantó y se dio la vuelta llevándose las manos a los labios. Mirándolo hacia arriba a través de las pestañas, Belle pensó que había algo muy sombrío en su desplante. Finalmente volvió a mirarla y le ofreció la mano. Ella la cogió, se puso de pie y le agradeció en voz baja que la ayudara.

John suspiró y se pasó una mano por su espesa cabellera. No había querido besarla. En verdad lo deseaba, pero eso no significaba que tuviera ningún derecho a tocarla. Y nunca había imaginado cuánto le gustaba, ni lo difícil que era controlarse.

¡Dios, era débil! No era mejor que Spencer atacando a una joven inocente, y la verdad es que quería más. Mucho más...

Deseaba sus orejas, sus hombros, y su barbilla. Quería pasar su lengua por todo su cuello arrastrando un fuego húmedo hasta el valle que había entre sus pechos. Quería agarrar y apretar su trasero, atraerla hacia él, y usarla como un juguete satisfaciendo sus deseos.

Quería poseerla. Cada centímetro. Una y otra vez.

Belle lo contemplaba en silencio, pero él se giró un poco de modo que ella no pudiera ver sus ojos. Sin embargo, cuando al fin volvió a mirarla, Belle se sorprendió por la severa expresión de su cara. Ella dio un paso atrás y se tapó inconscientemente la boca con una mano.

—¿Qué pasa? —dijo con la voz entrecortada.

—Se lo tienes que pensar dos veces antes de arrojarse a los brazos de un hombre, mi pequeña aristócrata —dijo con la voz peligrosamente cercana a un susurro.

Belle lo miraba fijamente muda de asombro, hasta que el horror, el dolor y la furia surgieron a la vez de su interior.

—Puede estar seguro —dijo en tono gélido— que el siguiente hombre al que me «arroje» libremente no será tan maleducado como para insultarme como lo ha hecho usted.

—Lamento que mi sangre no sea lo suficiente azul para usted, milady. No se preocupe, intentaré no volver a contaminarla con mi presencia.

Belle levantó una ceja mirándolo duramente y con desdén.

—En fin, no todo el mundo es pariente de un duque.

Su voz era hiriente y sus palabras crueles. Satisfecha por su actuación se dio la vuelta y se alejó dando grandes zancadas, intentando mantener toda la dignidad que le permitía su cojera.

Capítulo 5

John permaneció varios minutos observando cómo Belle desaparecía entre los árboles. No se movió hasta mucho después de que ella se hubiera marchado, muy disgustado por su comportamiento. Pero, se recordó a sí mismo, no había hecho más que lo que debía. Ahora ella estaría furiosa con él, pero al final se lo agradecería. Bueno, tal vez no a él, pero cuando esté confortablemente casada con algún marqués, agradecerá a esa persona por haberla salvado de John Blackwood.

Cuando finalmente se iba a dirigir a su casa se dio cuenta de que Belle se había ido sin su bota. Se agachó y la recogió. Maldición, ahora tendría que devolvérsela, y no tenía idea de cómo podría enfrentarse de nuevo a ella.

John suspiró, se pasó la elegante bota de una mano a otra y comenzó la lenta caminata hasta su casa. En primer lugar se le tendría que ocurrir alguna excusa para explicar la razón por la que tenía la bota. Alex era un buen amigo y podría querer saber por qué tenía calzado de su prima. Supuso que podría pasarse por Westonbirt esa noche...

De pronto se puso a maldecir. Tenía que ir a Westonbirt esa noche. Ya había aceptado la invitación de Alex para ir a cenar. Su malhumor aumentó cuando imaginó la agonía que se le presentaba por delante. Tendría que estar toda la noche mirando a Belle, quien por supuesto iba a estar deslumbrante con un caro vestido de noche. Y entonces, cuando ya no pudiera soportar mirarla ni un minuto más, probablemente diría algo encantador e inteligente que haría que la deseara con más intensidad aún.

Y era tan, tan peligroso desearla.

Para Belle el camino de regreso a casa no había sido más fácil que para John. No estaba acostumbrada a caminar sin zapatos, y parecía que su pie derecho se las arreglaba para pisar cada guijarro afilado y cada raíz sobresaliente que había en el estrecho camino. Además, su zapato izquierdo tenía un pequeño tacón que la hacía ir desequilibrada y cojeando.

Cada vez que cojeaba se acordaba de John Blackwood. El horrible John Blackwood.

De pronto comenzó a refunfuñar repitiendo todas las palabras inapropiadas que alguna vez su hermano había dicho accidentalmente delante de ella. Su diatriba sólo duró unos segundos pues Ned solía cuidar mucho de no hablar mal delante de su hermana. Cuando se quedó sin palabrotas continuó diciendo «canalla, canalla», pero no parecía hacer el mismo efecto.

—¡Maldición! —soltó cuando su pie pisó una piedra especialmente afilada. El percance la descompuso y sintió que una cálida lágrima le caía por la cara al cerrar con fuerza los ojos por el dolor.

«No vas a llorar por una piedrecilla», se regañó a sí misma, «y tampoco vas a llorar por ese hombre horrible».

Pero estaba llorando y no podía contenerse. No podía entender cómo un hombre podía ser tan agradable un momento, y un minuto después tan ofensivo. Le gustaba, estaba segura. Se veía en su manera de hacer bromas y en cómo se había ocupado de su pie. Y aunque no había estado muy comunicativo cuando le había preguntado por la guerra, tampoco la había ignorado por completo. No se hubiera asincerado con ella en absoluto si no le gustara un poco.

Belle se agachó, recogió la piedra culpable y la tiró con rabia a los árboles. Ya era hora de dejar de llorar y de pensar racionalmente en su problema, y entender por qué había cambiado tan repentinamente.

No, decidió, por una vez en su vida no quería ser tranquila y racional. No le intentaba ser práctica y pragmática. Todo lo que quería era estar enfadada.

Estaba furiosa.

Cuando llegó a Westonbirt, sus lágrimas se habían secado, y estaba bastante contenta tramando todo tipo de planes de venganza contra John. No pretendía llevar a cabo ninguno, pero el solo hecho de planearlos la animaba.

Entró al vestíbulo caminando penosamente y ya estaba junto a la escalera curva cuando Emma la llamó desde el salón.

—¿Eres tú, Belle?

Belle retrocedió hasta la puerta abierta, asomó la cabeza y saludó.

Emma estaba sentada en un sofá y en la mesa que tenía enfrente reposaba un libro de contabilidad abierto. Levantó las cejas al ver el desaliñado aspecto de Belle.

—¿Dónde has estado?

—Salí a pasear.

—¿Con un solo zapato?

—Es la última moda.

—O una larga historia.

—No tan larga pero no muy propia de una dama.

—Los pies descalzos no lo son.

Belle puso los ojos en blanco. Emma había sido conocida por vadear con el barro hasta las rodillas para llegar a su punto de pesca favorito.

—¿Desde cuándo te has convertido en modelo del buen gusto y el decoro?

—Desde, oh, no importa, ven y siéntate conmigo. Estoy volviéndome loca.

—¿De verdad? Eso parece interesante.

Emma suspiró.

—No me tomes el pelo. Alex no quiere dejarme salir de este condenado salón porque teme por mi salud.

—Lo puedes ver por el lado bueno y pensar que es una señal de su eterno amor y devoción —le sugirió Belle.

—O simplemente podría estrangularlo. Si por él fuera me confinaría a la cama hasta que llegara el bebé. En vista de la situación me ha prohibido salir a caballo.

—¿Puede hacerlo?

—¿Hacer qué?

—Prohibírtelo.

—Bueno, no, no me da órdenes como hacen la mayoría de los maridos con sus esposas, pero me ha dejado claro que se preocupa mucho cada vez que saco a cabalgar a Boston, y maldita sea, lo amo demasiado como para disgustarlo de esa manera. Algunas veces es mejor seguirle la corriente.

—Mmm —murmuró Belle—. ¿Quieres un té? Me he enfriado un poco —dijo levantándose para llamar a la doncella.

—No, gracias, pero tómate uno tú.

Una doncella entró en silencio y Emma le ordenó que preparara té.

—Oh, y por favor, dígale a la señora Goode que dentro de un rato iré a verla para que decidamos el menú de esta noche. Tendremos un invitado y creo que deberíamos hacer algo especial.

La doncella asintió con la cabeza y abandonó la habitación.

—¿Quién viene a cenar esta noche? —preguntó Belle.

—Ese tal John Blackwood que conociste hace unos días. Alex lo invitó ayer. ¿No te acuerdas? Creo que lo mencionamos a la hora del té.

Belle sintió que el corazón le daba un vuelco. Había olvidado por completo los planes para cenar.

—Creo que se me fue de la mente —dijo deseando que llegara ya su taza de té para poder esconder la cara tras ella. Sus mejillas se estaban poniendo muy calientes.

Si Emma advirtió su rubor no lo mencionó. Belle inmediatamente se puso a charlar sobre las últimas modas de París, y las dos damas siguieron con el tema hasta bastante después de haber llegado el servicio del té.

Belle se vistió con especial atención esa noche, sabiendo que John era la razón que la imposibilitaba a hacerlo. Eligió un traje de corte sencillo de seda color azul hielo que resaltaba sus ojos y se recogió el pelo en un moño alto y suelto encima de la cabeza, dejando que algunos rizos dispersos le enmarcaran la cara. Un collar de perlas y pendientes a juego completaban el conjunto. Satisfecha con su aspecto se encaminó al piso de abajo.

Emma y Alex ya estaban en el salón esperando a John. Belle apenas tuvo tiempo de sentarse cuando el mayordomo entró en la habitación.

—Lord Blackwood.

Belle miró hacia arriba cuando Norwood terminó de pronunciar el nombre de John. Alex se levantó y se dirigió a grandes pasos hasta la puerta de entrada para saludar a su amigo.

—Blackwood, qué bien verte de nuevo.

John asintió con la cabeza y sonrió. A Belle le irritó lo atractivo que estaba con su traje de noche.

—Deja que te presente a mi esposa —Alex condujo a John hasta el sofá donde estaba sentada Emma.

—¿Cómo está su excelencia? —murmuró John cortésmente dándole un rápido beso en el dorso de la mano.

—Oh, por favor, no soporto demasiada etiqueta en mi propia casa. Por favor, llámeme Emma. Alex me ha asegurado que es un amigo muy especial, así que no creo que tengamos que ser formales.

John sonrió a Emma pensando que Alex había tenido su suerte habitual a la hora de encontrar novia.

—Entonces me puede llamar John.

—Y por supuesto, ya conoce a Belle —continuó Alex.

John se volvió hacia Belle y le estrechó la mano. Un intenso calor le subió por el brazo, pero ella se obligó a no retirar la mano. Él no debía saber el efecto que provocaba en ella. Pero cuando levantó su mano y la besó suavemente, no pudo controlar el rubor que tiñó sus mejillas.

—Es un placer volverla a ver, lady Arabella —dijo todavía sujetando su mano.

—P... por favor llámeme Belle —dijo tartamudeando y odiándose por su falta de compostura.

John finalmente le liberó la mano y sonrió.

—Te he traído un regalo —dijo ofreciéndole una caja atada con una cinta.

—¿Por qué?, gracias.

Belle desató el lazo curiosa y abrió la tapa. Dentro se encontró con su bota un poco embarrada. Contuvo una sonrisa y la sacó de la caja.

—Me salió una ampolla —explicó volviéndose hacia Alex y Emma— que era muy dolorosa, y me quité la bota —su voz se apagó.

John se volvió hacia Emma.

—Te hubiera traído una a ti también, pero no parece que hayas perdido ningún zapato en mi propiedad recientemente.

Emma se rió, se inclinó hacia sus pies y dijo:

—Tengo que rectificar este asunto de inmediato.

John descubrió que le gustaba mucho la duquesa de Alex. Era fácil que le gustara, supuso. A diferencia de su prima, no hacía que el corazón se le acelerara y se le detuviera la respiración cada vez que la veía.

—Tal vez le pueda dar una de mis zapatillas ahora —añadió Emma— y me la devuelve más adelante cuando vuelva a cenar con nosotros.

—¿Es esto una invitación?

—Claro que sí, Blackwood —comentó Alex—. Aquí siempre eres bienvenido.

Los cuatro charlaron animadamente durante un cuarto de hora a la espera de la cena. Belle se sentó tranquilamente y se puso a estudiar a John, reflexionando acerca de por qué podía hacer algo tan simpático como envolver su bota en papel de regalo, después de haberse comportado con tanta rudeza esa tarde. ¿Qué se suponía que tenía que reflexionar? ¿Quería él ser su amigo de nuevo? Mantuvo una sonrisilla pegada a la cara, maldiciéndolo en silencio por sentirse tan confundida.

Los pensamientos de John eran similares, y se preguntaba cómo demonios iba a reaccionar Belle esa noche. Probablemente ella no podía entender sus razones para mantener las distancias, y sólo Dios sabía que no se lo podía explicar. Al fin y al cabo una violación no era un tema aceptable para una conversación formal.

Cuando la cena estuvo lista, Emma susurró algo a Alex en el oído y después se levantó y lo cogió del brazo.

—Excusadme por no seguir la convención y llevar a mi mujer al comedor —dijo sonriendo coqueto—. Belle, cenaremos en el comedor sencillo. Emma pensó que era más cómodo.

John se levantó y ofreció su mano a Belle mientras la otra pareja salía de la habitación.

—Parece que nos han dejado solos.

—Imagino que lo han hecho a propósito.

—¿Eso cree?

Belle cogió la mano de John y se levantó.

—Lo deberías tomar como un cumplido. Significa que le gusta a Emma.

—¿Y a usted le gusto, Belle?

Hubo una larga pausa seguida de un decisivo:

—No.

—Supongo que lo merezco —dijo permitiendo que la mano de ella cayera hacia un lado.

Belle se giró por completo.

—Exactamente. No me puedo creer que tenga el valor de venir a cenar esta noche.

—Me invitaron, no sé si lo recuerda.

—Debió haber declinado la invitación. Tenía que haber enviado una nota diciendo que estaba enfermo, o que su madre estaba enferma, o su perro, o su caballo o lo que fuera para evitar tener que aceptar la invitación.

Él no tenía nada que decir salvo:

—Por supuesto tiene razón.

—Y usted no… No se besa a alguien y después se le habla de la manera que lo hizo. Es de mala educación. No es agradable, y…

—¿Y usted siempre es agradable? —preguntó con una seriedad que la confundió.

—Intento serlo. Dios sabe que con usted he intentado ser agradable.

Él inclinó la cabeza.

—Es verdad que lo ha sido.

—Yo... —Belle dejó de hablar y lo miró—. ¿Ni siquiera va a discutir conmigo?

Él levantó un hombro haciendo un gesto de cansancio.

—¿Qué sentido tendría? Obviamente tiene razón y yo, como siempre, estoy equivocado.

Belle lo miraba sin entender, con los labios separados de asombro.

—No le entiendo.

—Probablemente lo mejor es que ni siquiera lo intente. Me disculpo, por supuesto, por mi comportamiento de esta mañana. Fue imperdonable.

—¿El beso o las horribles palabras de después? —las palabras fluyeron de su boca antes de que pudiese contenerlas.

—Las dos cosas.

—Acepto sus disculpas por insultarme.

—¿Y por el beso?

Belle mantenía la mirada fija en la luna creciente que brillaba a través de la ventana.

—No hace falta que se disculpe por el beso.

El corazón de John golpeaba con fuerza en su pecho.

—No estoy seguro de que yo comprenda lo que quiere decir, milady —dijo cauteloso.

—Sólo tengo una pregunta —Belle apartó sus ojos de la luna y se obligó a mirarlo—. ¿Hice algo mal? ¿Algo que le ofendiera?

John soltó una risa estridente, incapaz de creer lo que escuchaba.

—Oh Dios, Belle, si usted supiera —se pasó los dedos por el pelo y después puso sus manos en las caderas—. No me puede ofender aunque lo intente.

Durante un segundo cientos de emociones en conflicto atravesaron el corazón y la mente de Belle. Y en contra de su buen juicio le tocó el brazo.

—Entonces ¿qué ocurrió? Necesito saberlo.

John inspiró nervioso antes de enfrentarse a ella.

—¿Seguro que quiere saber la verdad?

Ella asintió.

Él abrió la boca pero pasaron varios segundos hasta que salió una palabra de ella.

—No soy el hombre que cree que soy. He visto cosas… —cerró la boca y un músculo agarrotó violentamente su garganta como si luchara para controlar las emociones que se desencadenaban en su interior—. He hecho cosas. Estas manos… —Miró sus manos como si fueran algo extraño para él. Su voz bajó hasta convertirse casi en un susurro—. Fui un maldito egoísta por besarla esta mañana, Belle. No me merezco ni siquiera tocarla.

Belle lo miraba fijamente y le horrorizó el dolor que se dibujaba en su cara. ¿Cómo es que no podía ver lo que para ella estaba claro? Había algo en su interior. Algo tan bueno… Parecía que resplandecía desde su alma. Y él pensaba que no valía nada. Ella no sabía qué le había ocurrido para que fuera así, pero su dolor la devastaba. Dio un paso hacia delante.

—Se equivoca.

—Belle —susurró él— está loca.

Sin palabras, Belle negó con la cabeza.

John miraba sus ojos profundamente, y que Dios lo perdonara, pero no podía impedir el lento descenso de sus labios hasta los de ella.

Por segunda vez en el día, Belle sintió esa desconocida corriente de deseo que surgía al acercar su cuerpo al suyo. La boca de él rozó con suavidad la de ella, y Belle pasó audazmente la lengua por su labio superior, igual que había hecho él esa mañana. La reacción de John fue instantánea, y la estrechó con fuerza hacia él pues necesitaba sentir el calor de su cuerpo contra el suyo.

El contacto íntimo disparó una alarma en la mente de Belle, y poco a poco se apartó de él. Sus mejillas estaban enrojecidas, tenía los ojos brillantes y el número de mechones que enmarcaban su cara habían aumentado considerablemente.

—Alex y Emma nos esperan en el comedor —le recordó sin aliento—. Vamos a llegar tarde.

John cerró los ojos y exhaló, deseando mentalmente que su cuerpo se calmara. Después de un momento le ofreció el brazo, y apareció en su boca una sonrisa torcida que no encajaba mucho con su mirada.

—Echaremos la culpa a mi pierna por la tardanza.

Belle sintió de inmediato una corriente de simpatía hacia él. Era un hombre orgulloso y seguro que no le gustaba admitir que su lesión le impedía apresurarse.

—Oh, no, no es necesario. Emma siempre se está quejando de que camino demasiado lento. Simplemente le diré que le estaba mostrando una de las pinturas de la galería. Alex tiene un Rembrandt maravilloso.

John colocó su dedo índice en la boca de ella.

—Shhh, culparemos a mi pierna. Ya es hora de que me beneficie en algo esta maldición.

Salieron del salón, y Belle se dio cuenta de que se movía con bastante rapidez por los largos corredores que llegaban al comedor.

—Avíseme cuando casi hayamos llegado —le susurró al oído.

—Está a la vuelta del pasillo.

John disminuyó la velocidad tanto que Belle pensó que se iba a detener. Cuando echó un vistazo a sus piernas advirtió que cojeaba de una manera mucho más notoria de lo habitual.

—Es usted terrible —le regañó—. Sé que puede doblar la pierna más que eso.

—He tenido un mal día —respondió él con una expresión angelical.

Alex se levantó cuando entraron en el comedor.

—Pensábamos que os habíais perdido por el camino.

—Me temo que hoy la pierna me ha estado doliendo un poco —replicó John—. Belle ha sido muy amable y se adaptó a mi lento caminar.

Belle asintió, preguntándose cómo diablos era capaz de mantener la boca cerrada. John y ella se unieron a Emma y Alex en torno a la pequeña mesa del comedor informal. Les sirvieron espárragos en salsa de mostaza, y Emma, que advirtió que su vecino y su prima parecían conocerse más de lo que justificaba el tiempo, de inmediato comenzó el interrogatorio.

—Estoy tan contenta de que pudiera venir a cenar esta noche, John. Pero cuéntenos más de usted mismo. ¿De qué parte de Inglaterra procede?

—Soy de Shropshire.

—¿De verdad? Nunca he estado allí pero me han dicho que es precioso.

—Sí, bastante.

—¿Y su familia todavía vive allí?

—Creo que sí.

—Oh. —Emma parecía un poco aturdida por la extraña elección de palabras, no obstante siguió la conversación—. ¿Y los ve a menudo?

—Rara vez los veo.

—Emma, querida —dijo Alex amablemente—. Dale tiempo a nuestro invitado para que coma entre tus preguntas.

Emma sonrió con timidez y ensartó un espárrago con el tenedor. Sin embargo, antes de llevárselo a la boca, dijo:

—Sabes, Belle es maravillosamente culta.

Belle se atragantó con la comida pues no esperaba que la conversación tomara ese giro.

—Hablando de lecturas —cortó John con suavidad—. ¿Terminó *Un cuento de invierno*? El otro día advertí que casi lo estaba acabando.

Belle dio un sorbo de vino.

—Sí, lo hice. Y ha sido el fin de mi «Estudio de la obras completas de Shakespeare».

—¿Ah sí? Casi me da miedo preguntarle lo que es.

—Todas sus obras.

—Qué impresionante —murmuró John.

—En orden alfabético.

—Y organizadamente. Esta dama es un prodigio.

Belle se ruborizó.

—No se rías de mí, no sea canalla.

Los ojos de Alex y de Emma se abrieron por las burlas amistosas que se intercambiaban.

—Si me acuerdo bien —intervino Alex— ¿su estudio también incluía algo de poesía?

—Creo que por ahora he abandonado la poesía. La poesía es, bueno, poética ¿no cree? Ahora nadie habla así.

John levantó una ceja.

—¿Cree que no?

Se giró hacia Belle y cuando volvió a hablar había un fuego en sus ojos marrones que ella nunca antes había visto.

Aunque mis ojos ya no puedan ver
ese puro destello que me deslumbraba.
Aunque ya nada pueda devolverme las horas
de esplendor en la hierba, de la gloria en las flores,
no debemos afligirnos, pues siempre,
la belleza subsiste en el recuerdo.

En la mesa hubo silencio hasta que John volvió a hablar sin dejar de mirar a Belle.

—Me gustaría poder expresarme siempre con tanta elocuencia.

Belle se sintió extrañamente conmovida por el corto recital de John y el cálido tono de su voz. La poesía la había hechizado y se olvidó por completo de la presencia de sus primos.

—Ha sido maravilloso —dijo serena.

—Wordsworth. Es uno de mis favoritos.

—¿Tiene este poema un significado especial para usted? ¿Se identifica con ese sentimiento?

Hubo una larga pausa.

—No —dijo John sin rodeos—. Lo he intentado, en ocasiones, pero normalmente no lo consigo.

Belle tragó nerviosa, incómoda por el dolor que veía en sus ojos, y buscó otro tema.

—¿También le gusta la poesía?

John se rió, apartó su mirada de Belle y la dirigió a la mesa en general.

—Me gustaría escribir poesía si alguna vez pudiera escribir algo que fuera la mitad de decente.

—Pero si recita a Wordsworth con tanta pasión... —protestó Belle—. Obviamente siente un gran amor por la poesía.

—Disfrutar de la poesía y ser capaz de escribirla son dos cosas muy distintas. Imagino que por eso muchos aspirantes a poeta se pasan tanto tiempo con una botella de brandy en cada mano.

—Estoy segura de que tiene alma de poeta —persistió ella.

John sonrió.

—Me temo que no merezco tu confianza, pero lo tomaré como un cumplido.

—Así debiera. No me daré por satisfecha hasta que ponga un libro suyo de poesía en mi biblioteca —dijo Belle con actitud traviesa.

—Entonces será mejor que me ponga a trabajar. Ciertamente no me gustaría decepcionarla.

—No —murmuró ella con tranquilidad—. Estoy segura de que no lo hará.

Capítulo 6

Al día siguiente Belle pensó que tal vez se había precipitado demasiado en su juicio sobre la poesía. Después de comer se cambió de ropa, se puso un traje de montar azul oscuro y se dirigió a los establos. Inspirada por el recital de John de la noche anterior se llevó con ella un librito de poesía de Wordsworth. Su plan era encontrar una pradera para instalarse a leer, pero tenía la sensación de que no iba a ser capaz de evitar llevar a su yegua hasta Blemwood Park, no, Brinstead Manor… vaya, ¿por qué no podía acordarse del nombre del lugar? Como quiera que se llamara, era donde vivía John, y Belle quería ir allí.

Animó a su yegua para que trotara y respirando el aire fresco del otoño se encaminó hacia el este para ir a la propiedad de John. No tenía idea qué diría si se lo encontraba. Probablemente algo estúpido; parecía que decía más tonterías de lo normal cuando estaba con él.

«Buenos días, lord Blackwood.» Probó. No, demasiado formal.

«Justo cabalgaba hacia el este…» Demasiado obvio. ¿Y no había usado ya algo parecido el día anterior?

Suspiró y decidió ser simple.

«Hola, John.»

«Hola.»

Belle jadeó. Estaba tan ocupada ensayando lo que quería decirle que no se dio cuenta de que ya lo tenía justo delante.

John levantó las cejas ante su expresión de sorpresa.

—¿Cómo es que está tan terriblemente sorprendida de verme? Me acaba de decir hola.

—Sí, es verdad —dijo Belle con una sonrisa nerviosa. ¿La había escuchado hablando consigo misma? Lo miró, y dijo lo primero que se le vino a la mente—. Un caballo monísimo.

John sonrió levemente al comprobar que la yegua se ponía nerviosa.

—Gracias. Aunque imagino que Thor podría ser eximido de ser llamado monísimo.

Belle parpadeó y lo miró más de cerca. John de hecho estaba encima de un semental, y por añadidura muy poderoso.

—Un caballo muy hermoso, entonces —enmendó Belle.

Él dio una palmadita en el cuello del semental.

—Thor se siente mucho mejor, estoy seguro.

—¿Qué le trae por aquí? —preguntó Belle sin estar segura de si todavía estaba en la propiedad de Alex o si ya había entrado en la de John.

—Me dirigía hacia el oeste…

Belle contuvo la risa.

—Ya veo.

—¿Y qué la trae a usted por aquí?

—Me dirigía al este.

—Ya veo.

—Ay, le tengo que confesar que estaba deseando verle —dijo ella.

—Y ahora que me ha visto —dijo John— ¿qué pensaba hacer conmigo?

—En realidad no había llegado tan lejos en mis planes —admitió Belle—. ¿Qué quiere hacer usted conmigo?

Para John los pensamientos en ese sentido no eran adecuados para una conversación formal. Se mantuvo en silencio pero no pudo evitar dirigir una mirada de admiración a la mujer que tenía enfrente.

Belle interpretó su expresión correctamente y se puso roja como un tomate.

—No sea canalla —dijo Belle tartamudeando—. No me refería a eso.

—No sé de qué habla —dijo John cuya cara era la imagen misma de la inocencia.

—Lo sabe perfectamente, no me hará decirlo, es usted... Bueno, no importa, ¿viene a la hora del té?

John se rió estrepitosamente.

—Cómo me gustan los ingleses. Cualquier cosa se puede curar con una taza de té.

Belle le ofreció una sonrisa mordaz.

—Usted también es inglés, John, y para que conste, cualquier cosa se puede curar con una taza de té.

Él sonrió irónico.

—Ojalá alguien le hubiera dicho eso al doctor que casi me serró la pierna.

Belle se puso seria de inmediato. ¿Qué se suponía que tenía que decir ante eso? Miró hacia el cielo que se estaba comenzando a nublar. Sabía que John era muy sensible respecto a su pierna así que probablemente debía evitar hablar sobre eso. De todos modos, él había sacado el tema, y la mejor manera de demostrarle que no le daba importancia a su lesión era no tomarla en serio.

—Bien, entonces, milord —dijo rezando para no estar cometiendo un terrible error— he pensado que habría que echarle un poco de té en la pierna esta tarde. Si eso no funciona no sé qué otra cosa lo podría hacer.

Él pareció dudar un momento antes de decir:

—Supongo que necesita compañía para volver a Westonbirt. Veo que de nuevo va sola.

—Algún día —dijo ella exasperada— será un padre estupendo.

Una gran gota de lluvia cayó sobre la nariz de John y bromeando levantó los brazos como si se rindiera.

—Adelante, milady.

Belle hizo que su yegua se diera la vuelta, y regresaron a Westonbirt. Después de unos minutos de tranquilo silencio, se volvió hacia él y le preguntó:

—¿Por qué ha salido esta tarde? Y no me diga que simplemente le dirigía hacia el oeste.

—¿Me creería si le digo que lo hice por si la veía?

Belle se volvió rápidamente hacia él para analizar su cara y comprobar si hablaba en serio. Sus ojos marrones y aterciopelados mostraban calidez, pero casi se le detuvo el corazón por la manera intensa con que la miraba.

—Le podría creer si se porta bien conmigo esta tarde —dijo ella bromeando.

—Me portaré especialmente bien —dijo John malicioso— si eso significa tomarme una taza extra de té.

—¡Por usted cualquier cosa!

Cabalgaron varios minutos hasta que Amber se detuvo de golpe y levantó las orejas nerviosa.

—¿Algún problema?

—Probablemente sea un conejo del bosque. Amber siempre ha sido muy sensible a cualquier movimiento. De todos modos es extraño. Puede trotar por todo Londres atiborrado de gente sin que nadie le importe, pero en un tranquilo camino de campo sospecha de cada ruidito.

—Yo no he escuchado nada.

—Yo tampoco —dijo Belle tirando con suavidad de las riendas—. Vamos, chica, que va a llover.

Amber dio unos pasos con miedo pero después se volvió a detener doblando con fuerza la cabeza hacia la derecha.

—No sé que le pasa —dijo Belle con timidez.

¡Pum!

Belle escuchó la explosión de un arma de fuego que salía del bosque y después sintió una suave ráfaga de aire provocado por una bala que pasó zumbando entre sus cuerpos.

—¿Qué ha sido…? —comenzó a decir, pero no término la pregunta porque Amber, asustada, se encabritó con el fuerte ruido. Belle tuvo que centrar toda su atención en mantenerse sobre la montura agarrándose con fuerza al cuello de la yegua.

—Tranquila, chica. Cálmate —susurró. Estaba tan asustada que no estaba segura de si pretendía tranquilizar al caballo o a ella misma.

Justo cuando se dio cuenta de que ya no era capaz de mantenerse sobre la yegua, sintió los firmes brazos de John que la cogían por la cintura, la arrancaban de la montura, y la hacían aterrizar bruscamente junto a él encima de Thor.

—¿Está bien? —le preguntó él con tosquedad.

Belle asintió con la cabeza.

—Eso creo. Tengo que recuperar el aliento. Más que otra cosa.

John la acercó más a él incapaz de creerse el tremendo susto que sintió cuando la había visto agarrada al cuello de la yegua arriesgando la vida. El animal ahora corría alrededor de ellos haciendo círculos nerviosos, respirando con fuerza pero ya más calmado.

Cuando Belle sintió que comenzaba a recuperar la compostura, se separó lo suficiente de John para poder mirarlo a la cara.

—Oí un disparo.

John asintió con expresión severa. No podía imaginar por qué alguien podría querer dispararles, pero pensó que no debían quedarse allí como blanco fácil.

—Si se queda conmigo mientras cabalgamos de vuelta, ¿cree que Amber nos seguirá?

Ella asintió y enseguida estaban galopando hacia Westonbirt.

—Debió de ser un accidente —dijo Belle una vez que aflojaron la marcha.

—¿El disparo?

—Sí. Alex me contó el otro día que estaban teniendo problemas con cazadores furtivos. Estoy segura de que Amber se asustó con una bala perdida.

—Pasó demasiado cerca para ser una bala perdida.

—Lo sé, pero ¿qué más podía haber sido? ¿Por qué alguien iba a querer dispararnos?

John se encogió de hombros. No tenía enemigos.

—Tengo que contárselo a Alex —continuó Belle—. Estoy segura de que hará que se cumplan las reglas con mucho celo. Alguien podría resultar herido. Casi nos alcanzó a nosotros.

John asintió, la acercó más a él y animó a Thor para que fuera más rápido. Pocos minutos después estaban llegando a los establos de Westonbirt, justo a tiempo pues la lluvia cada vez caía con más fuerza.

—Ya hemos llegado, milady —dijo, y la ayudó a descender del caballo—. ¿Será capaz de llegar a la casa sin hacerse daño?

—¿Pero usted no viene? —dijo con la decepción claramente escrita en sus facciones.

Él tragó saliva, y un músculo se tensó en su garganta.

—No, la verdad es que no puedo. Yo...

—Pero se empapará si intenta cabalgar ahora hasta su casa. Debería venir a tomar un té aunque sea para calentarse un poco.

—Belle, yo...

—Por favor.

Él miraba los maravillosos ojos azules de Belle preguntándose si alguien tendría la fortaleza de negarle algo. Echó un vistazo a la puerta del establo y dijo:

—La verdad es que llueve mucho.

Belle asintió.

—Si intenta volver a su casa ahora, seguro que se pondrá enfermo. Venga conmigo —lo cogió de la mano y se dirigieron a toda prisa hasta la casa.

Cuando atravesaron la puerta principal y entraron en el vestíbulo, ambos estaban bastante mojados, y Belle tenía mechones de pelo pegados a la cara.

—Debo de estar hecha un desastre —dijo insegura—. Tengo que ir a cambiarme.

—Tonterías —dijo John mientras le ponía un mechón mojado detrás de la oreja—. Está muy guapa «embrumada».

Belle contuvo la respiración, pues el tacto de él le siguió hormigueando en la mejilla.

—Querrá decir enmohecida. Me siento como un estropajo.

—Le aseguro, lady Arabella, que no parece un estropajo. —Dejó caer el brazo—. Y no creo que alguna vez haya visto alguno.

Belle se puso rígida.

—No soy la niña mimada que usted cree.

John miró con ansia a la bella mujer que tenía delante de él en el vestíbulo. Parte de su cabello se había salido del moño y le caía libre haciendo que sus mechones dorados, rizados por la humedad, le besaran ambos lados de la cara. Sus largas pestañas, que le enmarcaban unos ojos de un tono azul indescifrable relucían por las gotas de lluvia. John respiró hondo sin dejar que sus ojos miraran más abajo de su suave boca.

—Créame, no creo que sea una niña —dijo finalmente.

Belle tragó nerviosa incapaz de quitarse la decepción de la cara. Esas no eran las palabras que deseaba escuchar.

—Tal vez deberíamos seguir charlando en el salón.

Se volvió y cruzó a zancadas el salón con la espalda muy recta.

John suspiró para sí mismo y la siguió. Cuando estaba con ella siempre se las arreglaba para decir algo equivocado. Quería estrecharla entre sus brazos y decirle que la encontraba completamente maravillosa, hermosa, inteligente, agradable y todo lo que un hombre pudiera desear de una mujer.

Si un hombre merecía una mujer, ella era el mejor premio. Aunque sabía que él nunca podría casarse ni aceptar el amor de una mujer. Era imposible después de lo de Ana.

Cuando John entró en el salón, Belle estaba de pie junto a la ventana observando cómo la lluvia corría por el cristal. Iba a cerrar del todo la puerta, pero se lo pensó mejor y la dejó abierta unos centímetros. Después se acercó a ella con la intención de poner sus manos sobre sus hombros, pero cuando estaba a un paso de ella, de pronto Belle se volvió.

—No soy una mimada —dijo con terquedad—. Sé que no he tenido una vida difícil, pero no he sido mimada.

—Sé que no lo ha sido —replicó John con suavidad.

—Ser mimado significa que uno es testarudo y manipulador —continuó Belle—. Y yo no soy nada de eso.

Él asintió.

—Y no sé por qué siempre tiene que hacer comentarios sobre mi familia. Su padre también es conde. Me lo dijo Alex.

—Era conde —corrigió John aliviado de que ella pensara que se apartaba de ella por algún sentimiento de inferioridad social. La verdad es que era un motivo, pero no su preocupación más importante—. Fue un conde que se empobreció y que no podía permitirse ayudar por igual a sus siete hijos, el último de los cuales, y póstumo, fui yo.

—¿Siete hijos? —preguntó Belle con los ojos muy abiertos—. ¿De verdad?

—Uno nació muerto —admitió John.

—Debió de tener una infancia maravillosa con tantos hermanos para jugar.

—En realidad no pasé mucho tiempo con mis hermanos. Solían estar ocupados en sus propios asuntos.

—Oh. —Belle frunció el ceño no del todo satisfecha con el retrato de familia que le había pintado—. Su madre debía de estar muy ocupada teniendo todos esos niños.

John sonrió con malicia.

—Imagino que mi padre también.

Ella se sonrojó.

—¿Cree que podríamos volver a empezar esta tarde? —preguntó John cogiendo su mano, y dándole un ligero beso en los nudillos—. Lamento haber asumido que nunca había visto un estropajo.

Belle soltó una risita.

—Esta es la disculpa más absurda que he escuchado nunca.

—¿Eso cree? Pensé que había sido bastante elocuente, especialmente con el beso en la mano.

—El beso fue maravilloso. Y la disculpa muy dulce. Fue la parte del estropajo la que me ha parecido muy graciosa.

—Olvídese del estropajo —dijo John llevándola hacia una sofá cercano.

—Ya me he olvidado de eso —le aseguró.

Él se sentó en el extremo opuesto del sofá.

—He visto que tiene un libro de Wordsworth.

Belle miró el libro que ella misma había dejado allí antes.

—Oh, sí. Me temo que me inspira. Pero lo que quiero saber es cuándo se va a poner a escribir un poema. Sé que lo haría muy bien.

John sonrió por la alabanza.

—Mire lo que ocurrió cuando esta tarde quise ser poético. Le llamé «embrumada». No es algo que te venga a la mente si uno es un gran poeta.

—No sea tonto. A cualquiera que le guste tanto la poesía como a usted le debería ser fácil escribirla. Sólo tiene que aplicarse a ello.

John contemplaba su rostro resplandeciente. Tenía tanta confianza en él. Era una sensación que no conocía; su familia, al fin y al cabo, nunca había mostrado demasiado interés por ninguna de sus actividades. Pero le costaba mucho decirle a Belle que su confianza estaba fuera de lugar, y le horrorizaba cómo podría reaccionar cuando descubriera el tipo de hombre que era en realidad.

Pero no quería pensar en eso. Sólo quería pensar en ella. En esa mujer que olía a primavera. Y se preguntaba cuánto tiempo podría apartar de su mente las realidades de su pasado. ¿Podría hacerlo más de unos minutos? ¿Podría regalarse una tarde entera en su compañía?

—Oh, Dios —dijo Belle irrumpiendo en sus torturados pensamientos—. Olvidé pedir el té.

Se levantó y cruzó la habitación para tirar de la cuerda de la campanilla.

John se levantó al mismo tiempo y cambió el peso de su cuerpo sobre su pierna sana. Antes de que Belle se hubiera vuelto a sentar, Norwood entró en la habitación con rápidos y silenciosos pasos. Pidió té y galletas, y Norwood salió, cerrando la puerta, tan silenciosamente como había entrado.

Los ojos de Belle siguieron al mayordomo mientras salía de la habitación, después se dio la vuelta y miró a John que estaba de pie junto al sofá. Mientras lo contemplaba desde el otro lado del salón, estaba segura de que su corazón había dejado de latir. Parecía tan guapo y fuerte con su ropa de montar, y no podía evitar ver el aprecio que había en sus ojos cuando la miraba. Recordaba sus palabras del día anterior.

«No soy el hombre que crees que soy.»

¿Era verdad? ¿O era posible que no fuera el hombre que él mismo pensaba que era? A ella todo le parecía muy evidente. Se veía en su manera de recitar poesía, o su firme abrazo cuando la pasó a su caballo. Necesitaba que alguien le mostrara que era bueno y fuerte. ¿Podría atreverse a pensar que era a él a quien necesitaba?

Cruzó el salón nerviosa y se detuvo a poco más de un palmo de él.

—Creo que es usted un hombre muy bueno —dijo suavemente.

John contuvo el aliento mientras lo estremecía una oleada de deseo.

—Belle, no lo soy. Cuando pidió el té estaba intentando decírselo... —Dios ¿cómo podría decírselo?—. Quiero decir...

—¿Qué, John? —dijo ella con una voz muy suave—. ¿Qué me quiere decir?

—Belle, yo...

—¿Es por el beso?

Era una pesadilla erótica. Ella estaba ofreciéndose delante de él, y se le hacía tremendamente difícil escuchar a su conciencia y hacer lo correcto.

—Oh Dios, Belle —se quejó—. No sabe lo que dice.

—Sí, sí lo sé. Recuerdo todo el tiempo nuestro beso junto al estanque.

Sin poder contenerse John se inclinó un poco más hacia ella. Sus manos, sin que el cerebro las controlara, cogieron las de ella cálidamente.

—Oh, John —dijo ella suspirando mientras miraba esas manos que parecía que tuvieran el poder de curar todos los males del mundo.

Tanta devoción, tanta fe, tanta belleza era demasiado para él. Con un quejido que oscilaba entre el placer y la agonía, la estrechó bruscamente contra él. Sus labios se encontraron con los de ella en un beso desesperado, y bebió de ella como si llevara años sin ser alimentado. Hundió las manos en su cabello, y disfrutó de su suave y sedoso tacto mientras sus labios viajaban por toda su cara, adorando sus ojos, su nariz y la línea de su mandíbula.

Mientras se besaban John sintió que comenzaba a sanar. No desaparecía la negrura de su corazón, pero empezaba a resquebrajarse.

El peso sobre su espalda no desaparecía por completo, pero de algún modo parecía reducirse.

¿Era el efecto que ejercía ella en él? ¿Era tan buena y pura como para ser capaz de borrar las manchas de su alma? John empezó a sentirse mareado, pero la estrechó aún más hacia él y le dio una lluvia de besos alrededor de la frente.

Ella suspiró.

—Oh, John, me siento tan bien.

Y él supo que estaba contenta.

—¿Cuánto de bien? —murmuró él dándole un suave mordisco en los labios.

—Muy, muy bien —se rió Belle, y le devolvió sus besos con fervor.

Los labios de John se desplazaron por su mejilla hasta llegar al lóbulo de la oreja para mordisquearlo suavemente.

—Tiene unas orejas tan dulces —dijo con voz sensual—. Parecen melocotones.

Belle retrocedió un poco con una sonrisa de sorpresa en la cara.

—¿Melocotones?

—Ya le he dicho que no soy muy poético.

—Me encantan los melocotones —declaró ella con lealtad.

—Vuelva aquí —dijo él con un gruñido mezclado con risa.

Se sentó en el sofá y la arrastró junto a él.

—Oh, como quiera, milord. —Belle hizo su mejor imitación de una mirada lasciva.

—Qué muchacha más lasciva.

—¿Muchacha lasciva? La verdad es que no es muy poético.

—Oh, calle —y fiel a sus palabras, John la silenció con otro beso, y se inclinó hacia atrás sobre los cojines haciendo que ella quedara encima de él—. ¿Le he dicho —dijo en medio de los besos— que es usted la mujer más hermosa que he conocido nunca?

—No.

—Pues lo es. Y la más inteligente, y la más agradable, y —la mano de John había ido recorriendo todo su cuerpo y se habían detenido para acariciar y apretar sus nalgas— tiene el trasero más bonito que haya visto nunca.

Belle se apartó cual doncella con el honor mancillado y después se desplomó entre risas encima de él.

—Nadie me había dicho que besar era tan divertido.

—Claro que no. Sus padres no querían que anduviera por ahí besando a cualquiera.

Belle le tocó la mandíbula con una mano y le acarició la áspera barba incipiente de sus patillas.

—No, sólo a usted.

John pensó que sus padres tampoco querrían que lo besara a él, pero apartó el pensamiento de su mente, pues no deseaba estropear la perfección del momento.

—La mayoría de la gente no se ríe tanto cuando besa —dijo John sonriendo infantilmente y le pellizcó la nariz.

Belle le respondió pellizcando la de él.

—¿No? Qué lástima.

John la estrechó en un apretado abrazo como si quisiera unirla a él a través de su fuerza. Tal vez algo de su bondad podría penetrarlo y limpiar su alma, y… Cerró los ojos. Estaba dejándose llevar.

—No se imagina lo perfecto que me siento en este momento —murmuró entre sus cabellos.

Belle se acercó aún más.

—Lo imagino perfectamente.

—Por desgracia la tetera que pidió llegará en cualquier momento y no creo que los sirvientes tengan que saber lo bien que nos sentimos.

—¡Oh Dios mío! —dijo Belle sofocada y casi corriendo por el salón—. ¿Tengo buen aspecto? ¿Diría que he… que hemos…?

—Lo diría —dijo John con ironía intentando ignorar el dolor que le atravesaba el cuerpo al no satisfacer sus necesidades—. Pero si se peina un poco, no creo que nadie más lo pensaría.

—Está lloviendo —dijo ella temblorosa—. Norwood asumirá que por eso estoy un poco desarreglada.

Después de lo que había hecho esa tarde, Belle no estaba preparada para ser sorprendida en una situación amorosa por el mayordomo de su prima.

—Siéntese —le ordenó John—. Charlaremos como dos adultos razonables, y así Norwood no tendrá nada de qué sospechar.

—¿Cree que no? Me moriré de vergüenza.

—Siéntese, por favor, y charlaremos formalmente hasta que vuestro mayordomo regrese.

—No creo que pueda —dijo Belle casi susurrando.

—¿Por qué no?

Ella se hundió en una silla y mantuvo los ojos centrados en sus pies.

—Porque cada vez que le miro me acuerdo de cómo me abraza.

El corazón de John golpeaba con fuerza en su pecho. Respiró hondo luchando contra la necesidad cada vez más imperiosa de saltar sobre el sofá, agarrar a Belle, y poseerla allí mismo. Afortunadamente, se salvó de tener que replicar a su comentario emocional gracias a un discreto golpecillo en la puerta.

Norwood entró con una bandeja de té y galletas. Después de agradecérselo, Belle cogió la tetera y comenzó a servirlo. John advirtió que le temblaban las manos. Sin decir nada aceptó la taza que ella le ofreció y se puso a beber.

Ella también bebió un sorbo de té con la esperanza de que sus manos dejaran de temblar. No es que estuviera avergonzada de su conducta; sólo estaba impresionada por la reacción que él provocaba en ella. Nunca hubiera soñado que cada rincón de su cuerpo pudiera sentir tanto placer.

—Un penique por sus pensamientos —dijo John de pronto.

Ella lo miró por encima de la taza y sonrió.

—Ay, valen mucho más que un penique.

—¿Una libra, entonces?

Durante un segundo Belle jugó con la idea de contarle lo que realmente sentía. Pero sólo por un segundo. Su madre no la había educado para que expresara sus sentimientos con tanta sinceridad.

—Me preguntaba si quería que le echara té en la pierna ahora, o esperamos a que se enfríe un poco.

John estiró su pierna lisiada todo lo que pudo y se examinó como si fuese un asunto serio.

—Oh, creo que caliente irá bien, ¿verdad?

Belle levantó la tetera con una sonrisa maliciosa.

—Si esto funciona cambiaremos para siempre la ciencia médica.
—Inclinó la tetera sobre él, y durante un segundo John pensó que
realmente le iba a echar té sobre la pierna. En el último momento,
ella la enderezó—. La lluvia está cayendo con fuerza ahora —dijo
mirando por la ventana—. No podrá volver a su casa en un buen
rato.

—Estoy seguro de que se nos ocurrirá algo que hacer.

Belle lo miró a la cara y supo lo mucho que él deseaba que se
mantuvieran ocupados. Ella tampoco podía negar lo mucho que deseaba pasar la tarde en sus brazos, pero había muchas posibilidades
de que aparecieran Alex o Emma y lo último que necesitaba era que
ellos la vieran en una situación indiscreta.

—Creo —dijo finalmente— que tendremos que buscar una actividad diferente.

John la miró tan decepcionado que Belle apenas pudo contener
la risa.

—¿Qué sugiere que hagamos?

Ella puso su taza sobre la mesa.

—¿Puede bailar?

Capítulo 7

*J*ohn posó la taza muy, muy lentamente.

—Belle —dijo—, sabe que no puedo.

—Qué tontería. Todo el mundo puede bailar. No tiene más que intentarlo.

—Belle, me quiere gastar una broma...

—Claro que no es una broma —interrumpió enseguida—. Sé que su pierna está lisiada, pero no parece que le impida demasiado.

—He tenido que aprender a moverme con bastante rapidez, pero lo hago con una absoluta falta de gracia. —Colocó inconscientemente su mano sobre la pierna. Por su mente atravesó la pesadillesca visión de sí mismo cayéndose al suelo torpemente—. Estoy seguro de que nos podremos entretener sin que yo tenga que hacer el tonto intentando bailar. Además no tenemos música.

—Mmm, eso es un problema —Belle se puso a mirar por la habitación hasta que sus ojos se detuvieron en un piano que había en el rincón—. Parece que tenemos dos posibilidades. La primera es llamar a Emma para que toque para nosotros, pero me temo que nunca ha sido alabada por su talento musical. No le desearía eso ni a mi peor enemigo —dijo riéndose con mucha alegría—. Y mucho menos a un buen amigo.

La fuerza de su risa llegó a John directamente al corazón.

—Belle —dijo con suavidad— no creo que esto vaya a funcionar.

—No lo sabrá hasta que lo intente —se levantó y alisó su vestido—. Estamos de acuerdo en que Emma al piano no es una opción, entonces supongo que tendré que cantar.

—¿Sabe?

—¿Cantar?

John asintió.

—Probablemente tanto como bailar.

—En ese caso, milady, creo que estamos en una situación desesperada.

—Estoy bromeando. No soy una diva pero me defiendo.

¿Cuánto dolor le podría producir pretender, aunque fuera por una tarde, que ella podía ser suya, que era suya, y que incluso la merecía? Se levantó decidido a disfrutar un poco del paraíso.

—Espero que tenga la cortesía de no gritar demasiado fuerte cuando la pise.

—Oh, no se preocupe, milord, me quejaré muy bajito —y siguiendo el impulso se inclinó hacia él, besó su mejilla y susurró—: mis pies son muy fuertes.

—Por su bien, eso espero.

—Entonces, ¿qué bailes conoces?

—Ninguno.

—¿Ninguno? ¿Qué hacía en Londres?

—Nunca me preocupé por la vida social.

—Oh —Belle se mordisqueó el labio inferior—. Esto será un desafío mayor del que preveía. Pero no tengo miedo, estoy segura de que está preparado para hacerlo.

—Creo que la pregunta clave es si usted está preparada para hacerlo.

—Sí lo estoy —dijo Belle con una alegre sonrisa—. Créame, lo estoy. Por el momento podemos empezar por el vals. Los otros bailes pueden ser un poco exigentes para su pierna. Aunque tal vez no. Usted mismo ha dicho que se puede mover con bastante rapidez.

John reprimió una sonrisa.

—Un vals me encantará. Dígame qué tengo que hacer.

—Póngame la mano aquí, así —Belle cogió su mano y la puso sobre su delgada cintura—. Y después yo pongo mi mano en su hombro, ¿ve? Mmm, es muy alto.

—¿Es eso un cumplido?

—Claro que lo es. Aunque me gustaría igual aunque fuera más bajo.

—Es verdaderamente gratificante saberlo.

—¿Se está riendo de mí?

—Sólo un poco.

Belle le lanzó una mirada provocativa.

—Bueno, un poco está bien, supongo, pero no más que eso. Soy terriblemente sensible.

—Intentaré contenerme.

—Gracias.

—Aunque a veces me lo pone muy difícil.

Belle le dio un golpecito en el pecho y continuó con su lección de vals.

—Silencio. Ahora coja mi otra mano así. Fantástico. Ésta es la postura.

—¿De verdad? —John miró con dudas la posición—. Está demasiado lejos.

—Esta es la posición correcta. He hecho esto cientos de veces.

—Podríamos meter a otra persona entre nosotros.

—No imagino una razón por la que hacerlo.

John poco a poco fue cogiendo la cintura de Belle con más fuerza y la atrajo hacia él hasta poder sentir el calor de su cuerpo.

—¿No es mejor así? —murmuró.

A Belle se le cortó la respiración. John estaba apenas a unos centímetros y su proximidad hacía que se le acelerara el pulso.

—Nunca nos admitirían bailar así en ningún salón de baile respetable —dijo ella con voz ronca.

—Prefiero hacerlo en privado —John bajó la cabeza y dejó que sus labios besaran suavemente los de ella.

Belle tragó saliva nerviosa. Disfrutaba de sus besos, pero no dejaba de pensar que se estaba poniendo en una situación que no podía manejar. Así que lamentándolo mucho dio un paso atrás, e hizo que él aflojara hasta recuperar una distancia respetable entre sus cuerpos.

—No puedo enseñarle a bailar vals si no estamos en la posición correcta —explicó ella—. La clave de los valses es que están en un tiempo de tres por cuatro. La mayoría de los otros bailes están en el tiempo normal.

—¿Tiempo normal?

—Cuatro por cuatro. Los valses van «un, dos, tres, un dos, tres». El tiempo normal es «un, dos, tres, cuatro».

—Creo que entiendo la diferencia.

Belle lo miró incisiva. Entornó los ojos con humor, y sus labios dibujaron una sonrisa muy a su pesar.

—Bien. Por lo tanto un vals debe sonar así —dijo, y comenzó a tararear una canción que había sido muy popular en Londres la temporada anterior.

—No la oigo —dijo él, y comenzó a acercarse más a ella.

Belle volvió retroceder para ponerse en la posición original.

—Entonces cantaré.

Las manos de John se aferraron con más fuerza a su cintura.

—Sigo sin oírla.

—Sí, si me oye. Basta de juegos, o nunca avanzaremos en nuestra lección de vals.

—Preferiría recibir una lección de besos.

Ella enrojeció.

—Ya hemos tenido una de esas hoy, y de todos modos, Alex o Emma pueden aparecer en cualquier momento. Tenemos que volver a la lección. Yo le llevo primero, y cuando aprenda, puede llevarme usted a mí. ¿Preparado?

—He estado preparado toda la tarde.

Belle creía que no era posible ruborizarse más pero enseguida descubrió que se equivocaba.

—Muy bien, entonces, un-dos-tres, un-dos-tres —Presionó ligeramente su hombro y comenzó el lento giro del vals. Enseguida tropezó con el pie de él.

John sonrió como un niño.

—No sabe lo me alegra que sea la primera en tropezarte.

Ella lo miró con expresión de mal humor.

—No estoy acostumbrada a dirigir. Y no es muy caballeresco por su parte señalar mis defectos.

—No lo he visto como un defecto. De hecho he disfrutado agarrándola.

—Estoy segura de ello —murmuró Belle.

—¿Lo intentamos de nuevo?

Ella asintió y volvió a poner la mano sobre su hombro.

—Espere un momento. Creo que tenemos que cambiar de posición —entonces deslizó la mano hasta su cintura—. Póngame la mano en el hombro. Haremos como si yo fuera el hombre.

John miró los tentadores pechos de Belle.

—Eso —murmuró él— va a ser tremendamente difícil.

Por fortuna Belle no vio su mirada cargada de deseo, ya que sus sentidos estaban bastante desbordados.

—Entonces, ahora —dijo ella despreocupada—, si yo fuera el hombre y usted la mujer, presionaría un poco su cintura así, y después nos moveríamos así. —Mientras ella cantaba suavemente el vals, comenzaron a girar por el salón, y John movía su pierna mala con una gracia que nunca hubiera soñado—. ¡Fantástico! —dijo Belle triunfante—. Esto es perfecto.

—Lo sé —replicó John, sintiendo el tacto de ella en sus brazos—. ¿Pero cree que podré hacer de hombre un rato?

Belle cambió la mano a su hombro mientras sus ojos miraban sensualmente los de él. Separó los labios para hablar, pero se le había secado la garganta por lo que asintió con la cabeza.

—Bien. Me gusta mucho más así. —John la cogió por la cintura y la atrajo hacia él. Esta vez Belle no protestó, atrapada por el calor y la excitación de su cuerpo.

—¿Lo estoy haciendo bien? —preguntó John mientras dirigía el baile.

—Creo que sí.

—¿Sólo lo cree?

Belle se obligó a volver a la realidad.

—No, claro que no. Lo sé. Es usted un bailarín muy elegante. ¿De verdad es la primera vez que baila un vals?

—La verdad es que mis hermanas solían obligarme a ser su pareja cuando estaban aprendiendo.

—Sabía que no era un novato.

—Sólo tenía nueve años.

Belle frunció los labios pensando, sin ser consciente de que estaba tentando a John a besarla.

—No creo que la gente siquiera bailara vals cuando usted tenía nueve años.

Él se encogió de hombros.

—Éramos una familia muy avanzada.

Mientras giraban por el salón, John se preguntaba si estaba luchando en una batalla perdida. Seguía diciéndose que tenía que mantenerse apartado de Belle, pero su resolución era imposible de llevar a cabo si estaba cerca de su radiante sonrisa. Sabía que no se podría casar con ella; hacerlo no haría más que herir a la mujer que quería proteger y amar.

Se sentía un embustero al estar junto a ella después de lo que había hecho en España.

John exhaló poco a poco con una mezcla de bienestar y frustración. Se lo había prometido esa tarde. Unas pocas horas de felicidad sin recuerdos de Ana.

—Se supone que tenemos que charlar —dijo Belle de pronto.

—¿Ah, sí?

—Sí. Si no la gente pensará que no nos gustamos.

—Aquí no hay nadie como para que opine de ninguna manera —señaló John.

—Lo sé, pero le estoy enseñando a bailar el vals, y la mayoría de las veces se baila en fiestas, no en salones privados.

—Por desgracia.

Belle ignoró el comentario.

—Por eso creo que tiene que aprender a hablar mientras baila.

—¿Normalmente cuesta tanto?

—A veces. Algunos hombres tienen que contar mientras bailan

el vals para llevar el tiempo, y es muy difícil mantener una conversación cuando todo lo que dicen es: «uno, dos» y «tres».

—Bueno, entonces, hable todo lo que quiera.

—Muy bien —sonrió ella—. ¿Ha escrito alguna poesía últimamente?

—Sólo quería usted una excusa para preguntarme eso —la acusó John.

—Puede que sí, puede que no.

—Belle, ya le he dicho que no soy poeta.

—No le creo.

John se quejó y su disgusto le hizo perder un paso.

—Intentaré escribirle un poema —dijo al fin.

—¡Fantástico! —exclamó Belle—. Lo espero con ansia.

—Si yo fuera usted no esperaría gran cosa.

—Bobadas —dijo radiante—. Estoy expectante.

—¿Qué es esto? —irrumpió de pronto una voz—. ¿Un baile en mi propia casa y no estoy invitada?

John y Belle se detuvieron en medio de una vuelta y vieron cómo Emma entraba en la habitación.

—Estaba enseñando a John a bailar el vals —explicó Belle.

—¿Sin música?

—Pensé que lo mejor era no pedirte que nos acompañaras con el piano.

Emma se rió.

—Probablemente fue una idea sensata. —Miró a John—. Todavía no he conocido a nadie cuya habilidad al piano no supere la mía. Incluidos los huéspedes de nuestros establos.

—Eso me dijeron.

Emma ignoró la sonrisa irónica de John.

—¿Ha disfrutado de su lección, John?

—Mucho. Belle es una bailarina extraordinaria.

—Siempre lo he pensado. Claro que yo nunca he bailado con ella —Emma se sentó en una silla—. ¿Os importa si me quedo para tomar un té? Me he tomado la libertad de pedir a Norwood que traiga más. Estoy segura de que éste ya está tibio.

—Claro que no —dijo John muy amable—. Ésta es su casa.

Emma sonrió con complicidad cuando advirtió que John y Belle estaban todavía uno en los brazos del otro.

—No dejéis que mi presencia os disuada de seguir bailando —dijo con una sonrisa pícara.

Ambos, avergonzados, se excusaron inmediatamente, se separaron y Belle se sentó en el sofá. John murmuró algo relacionado con marcharse a casa, a lo que Emma replicó enseguida:

—¡Oh, no puede irse ahora!

Belle miró de reojo a su prima e inmediatamente se dio cuenta de que había decidido que ella y John hacían una buena pareja.

—Está diluviando —explicó Emma enseguida—. Tiene que quedarse hasta que la lluvia amaine un poco.

John no quiso señalar que la lluvia en realidad ya había amainado un poco, y que si esperaba mucho más, nuevamente empeoraría. Ofreció a las dos hermosas damas una sonrisa inescrutable y se sentó enfrente de ellas en una silla elegante aunque muy incómoda.

—No debería sentarse ahí —dijo Emma—. Es terriblemente incómoda. Me hubiera deshecho de ella si la madre de Alex no me hubiera asegurado que era valiosísima. ¿Por qué no se sienta en el sofá junto a Belle?

John la miró levantando una ceja.

—Odio cuando la gente hace eso —murmuró Emma. Sin embargo continuó brillantemente—. Se aseguro que mañana tendrá un terrible dolor de espalda si está en esa silla más de cinco minutos.

John se levantó y se sentó cómodamente junto a Belle.

—Soy su obediente servidor, su excelencia —dijo cortésmente.

Emma se ruborizó por el matiz de humor y burla de su voz.

—Oh Dios —dijo ella en voz alta—. Me pregunto qué pasa con el té. Tengo que ir a ver.

Y con notable rapidez, Emma se levantó y salió del salón.

John y Belle se volvieron a mirar de frente, ella roja hasta las mismas raíces de su cabello dorado.

—Tu prima no es una maestra en el arte de la sutileza —señaló John secamente.

—No.

—No estoy muy segura de lo que quiere hacer. Probablemente a dos pasos de este salón se tropiece con la doncella que trae el té.

Belle recordó tímidamente cuando Sophie, la hermana de Alex, y ella, se las arreglaban para dejar a Emma y a su futuro marido solos durante cinco minutos con el pretexto de ir a examinar un clavicémbalo.

—Imagino que estará pensando algo.

—Tengo unas ganas enormes de volverla a tener entre mis brazos pero no tengo ganas de ser interrumpido por su prima cuando vuelva con el té.

—Ah, yo no me preocuparía por eso —musitó Belle—. Encontrará una manera de alertarnos de su presencia. Tiene muchos recursos.

Como si fuese una señal, escucharon a Emma gritar al otro lado de la puerta cerrada.

—¡Qué sorpresa!

Belle frunció el ceño.

—Creía que nos iba a dar un poco más de tiempo.

La puerta se abrió.

—Mirad con quién me he encontrado en el vestíbulo —dijo Emma cogida de la mano de Alex—. No esperaba que volviera hasta mucho más tarde.

—Un plan tan bien urdido frustrado por un marido atento —murmuró John mientras se levantaba.

Belle contuvo la risa y dijo:

—Qué bien que hayas regresado, Alex.

—Estaba examinando los campos —replicó mientras sus facciones dibujaban una expresión perpleja.

—De todos modos, es estupendo tenerte de vuelta —dijo Emma con poca convicción.

—¿Fue a por el té? —preguntó John.

—¿El té? Oh, sí, el té. Bueno, la verdad es que no.

—Ejem.

Emma se sobresaltó al oír a Norwood aclarándose la garganta directamente detrás de ella.

—El té, su excelencia.

—Oh. Gracias, Norwood. Póngalo ahí encima de esa mesa.

—La verdad es que me apetece mucho tomarme un té pues he tenido que cabalgar bajo la lluvia toda la tarde —dijo Alex encantado—. Aunque parece que está escampando.

Belle no estaba segura, pero le pareció escuchar a Emma emitir un suave quejido.

Emma sirvió una taza de té a Alex, quien después de dar un buen trago dijo:

—Mañana hay una feria en el pueblo. He visto que había gente instalándola cuando pasé por ahí.

—¿De verdad? —respondió Emma encantada—. Me encantan las ferias. ¿Podemos ir?

—No estoy seguro —dijo Alex con cara de desaprobación—. No me gusta la idea de verte rodeada de una multitud y que te empujen.

Ese comentario fue recibido con una mirada de rebeldía por parte de Emma.

—Oh, no seas pesado —replicó ella—. No me puedes tener siempre encerrada.

—Muy bien. Pero me tienes que prometer que tendrás cuidado. —Alex se volvió hacia John y Belle que estaban observando la charla desde el sofá con expresión divertida—. ¿Y vosotros no queréis venir?

Automáticamente John pensó en negarse, pero antes de poder hablar apareció en su mente una imagen de Belle bailando en sus brazos. Bailaban un vals…. Los ojos de ella brillaban de felicidad. Su corazón estaba lleno de ternura y su cuerpo de deseo. Tal vez él podría tener un poco de alegría en su vida. Tal vez cinco años de infierno eran suficiente pago por sus pecados.

Se volvió hacia Belle. Ella inclinó la cabeza y sonrió levantando las cejas tentadoramente.

—Claro —dijo él—, pasaré por aquí después de la comida, y saldremos juntos.

—Espléndido. —Alex dio otro sorbo de té y vio por la ventana que el cielo se oscurecía amenazadoramente—. No quiero ser aguafiestas, Blackwood, pero si yo fuera tú, me iría ahora a casa pues todavía no llueve demasiado. Parece que se va poner a llover a cántaros.

—Estaba pensando lo mismo.

John se levantó y se inclinó ante las damas.

Belle lamentó verlo marcharse, por supuesto, pero la divertida imagen de Emma, desplomada en su asiento después de que su marido arruinara sin saberlo todas sus cuidadosas orquestaciones, compensaba de sobra su decepción.

Cuando John llegó a su casa, había otra nota esperándolo.

Estoy en Oxfordshire.

John movió la cabeza. Tenía que encontrar alguna manera de contactar con los antiguos propietarios de Bletchford Manor. Le habían parecido unos chiflados. El tipo de gente que tiene amigos que escriben notas tan extrañas.

No se le ocurrió en ningún momento que la nota podría estar relacionada con el disparo del bosque.

Esa noche John se sirvió un vaso de brandy antes de subir las escaleras para ir a su habitación. Iba a dar un trago pero dejó el vaso en la mesilla de noche pues sentía que no le hacía falta

¿Eso era la felicidad? Una sensación que había faltado tanto tiempo en su vida que ya no estaba seguro de reconocerla.

Se metió en la cama contento. No esperaba soñar nada.

Estaba en España. Era un día caluroso, pero la compañía estaba de buen humor; no habían tenido que luchar la última semana.

Estaba sentado en una mesa de la taberna frente a un plato vacío.

¿Qué son esos extraños golpes en el piso de arriba?

Se sirvió otra copa.

¡Pum!

—Este lugar es ideal.

John se restregó los ojos. ¿Quién ha dicho eso?

Otro golpe. Otro grito.

John subió las escaleras lentamente. ¿Qué iba mal? El ruido se hacía más fuerte a medida que avanzaba por el pasillo del segundo piso.

Y entonces lo volvió a escuchar. Esta vez con total claridad.

—¡Nooo!

Era la voz de Ana.

Irrumpió en la habitación.

—Oh, Dios, no —gritó.

Apenas podía ver a Ana pues su delgado cuerpo estaba completamente cubierto por Spencer, que se movía sin parar de arriba abajo sobre ella.

Pero escuchaba sus gemidos.

—Nooo, nooo, por favor, nooo.

John no se detuvo a pensar. Enloquecido separó a Spencer de la niña y lo arrojó contra la pared.

Se volvió para ver a Ana. Su cabello, ¿qué había ocurrido? Se había vuelto rubio.

Era Belle. Su ropa estaba desgarrada y su cuerpo magullado y lleno de moratones.

—¡Oh, Dios, esto no! —el grito parecía surgir de las profundidades del alma de John.

Se volvió hacia el hombre desplomado junto a la pared y sus manos agarraron con fuerza el arma.

—Mírame, Spencer —le exigió.

El hombre levantó la cabeza, pero ya no era Spencer. John descubrió que tenía su propia cara.

—Oh, Dios, no —dijo jadeando, y se dejó caer sobre la cama.

—Yo no. Nunca lo haría. No podría.

El otro John se reía con una risa repelente y enloquecida.

—No, nunca lo haría, sería incapaz. Oh, Belle —dijo mirando la cama, pero ella se había ido.

—¡No! ¡Belle!

John se despertó con el ruido de sus gritos. Jadeante, se agarró el estómago con las manos. Daba vueltas de un lado a otro y su cuerpo se sacudía por sus silenciosos sollozos.

Capítulo 8

*E*sa noche Belle estaba tumbada en la cama hojeando la colección de poesía de Wordsworth que nunca había encontrado tiempo para leer. Descubrió que estaba entornando los ojos más de lo normal, así que se estiró hasta la mesilla de noche para encender otra vela. En cuando se había vuelto a acomodar, llamaron a la puerta.

—Entra.

Emma irrumpió en la habitación con sus ojos color violeta brillando de emoción.

—¡Sophie ha tenido su bebé! —exclamó—. ¡Tres semanas antes! Acaba de llegar un mensajero con una nota de su marido.

—Es fantástico —dijo Belle contenta—. ¿Verdad?

—¡Oh, sí! No es bueno que el bebé venga demasiado pronto, pero tres semanas no es mucho, y de todos modos Oliver ha escrito que tal vez Sophie se haya equivocado con las cuentas.

—¿Saldréis por la mañana Alex y tú para visitarlos?

—A primera hora. Yo hubiera salido ahora mismo, pero Alex no quiere.

—Sabes que tiene razón. Las carreteras son muy peligrosas por la noche.

—Lo sé —replicó Emma decepcionada—. Pero quería que lo supieras esta noche por si querías acompañarnos. O si no quieres, tenía que contarte nuestros planes porque seguro que partiremos antes de que te despiertes.

—Creo que no iré con vosotros —dijo Belle lentamente, midiendo sus palabras con mucho cuidado. Llevaba toda la noche ansiando ir a la feria, y no le gustaba nada tener que renunciar a salir con John. Sobre todo ahora que iban a estar solos—. No creo que Sophie quiera tener la casa llena de invitados cuando acaba de dar a luz. La visitaré cuando el bebé esté un poco más grande.

—Muy bien, entonces, le daré tu enhorabuena —dijo Emma frunciendo el ceño—. Aunque no estoy segura de que te deba dejar aquí sola. No creo que sea correcto.

—¿Sola? —preguntó Belle incrédula—. Si hay más de cien sirvientes.

—No llegan a cien —la corrigió Emma—. Prometí a tu madre que iba a ser una buena dama de compañía.

—No me puedo imaginar qué tipo de locura se apoderó de mi madre cuando pensó que serías una buena dama de compañía.

—Tú sabes más de comportamiento social —esquivó Emma—. Si crees que esto no generará ningún problema…

—Sé que no. Esto no es Londres al fin y al cabo. Dudo que nadie llegue a saber que he estado sola. Y si lo hacen no creo que genere mucho jaleo pues estaré atendida por cien sirvientes.

—Muy bien —dijo Emma, finalmente de acuerdo—. Pero por favor, no invites a lord Blackwood. No quiero que nadie pueda decir que has estado aquí con él sin estar acompañada.

Belle bufó enfadada.

—Es un cambio radical después de tus maquinaciones de esta tarde.

—Eso era diferente —replicó Emma a la defensiva, aunque tuvo la deferencia de sonrojarse—. Y no me digas que no te gustaron mis maquinaciones, como las llamas. Veo cómo lo miras.

Belle suspiró y se hizo un ovillo bajo el edredón.

—No lo niego.

Emma se inclinó hacia delante muy interesada.

—¿Estás enamorada de él?

—No lo sé. ¿Cómo se puede saber?

Emma pensó un momento antes de responder.

—De algún modo uno lo sabe. Es cuando alguien te produce escalofríos. Los poetas escriben cosas sobre el amor a primera vista, pero yo no creo que funcione así.

Belle sonrió melancólica.

—Supongo que sólo en las novelas románticas.

—Sí —Emma se enderezó de pronto—. Será mejor que me vaya a la cama. Mañana tendremos que salir muy temprano.

—Que tengáis un buen viaje —dijo Belle.

—Lo tendremos. Ah, y discúlpate mañana con lord Blackwood por no poder ir a la feria con vosotros. Aunque imagino que lo pasaréis mejor sin nosotros.

—Estoy segura de que sí.

Emma hizo una mueca.

—Lo único que te pido es que no lo invites a que venga aquí cuando regreséis. Y hagas lo que hagas no vayas sola a Bellamy Park.

—Creo que no se llama así.

—¿Cómo se llama?

Belle suspiró.

—No me acuerdo. Algo con «B».

—Bueno, se llame como se llame no vayas allí. Tu madre me cortaría la cabeza.

Belle asintió y sopló una de las velas mientras Emma salía de la habitación.

Al día siguiente, poco después del mediodía, John se dirigió hacia Westonbirt, recordándose a sí mismo por enésima vez que iba a poner fin a su encaprichamiento con Belle. Se estaba volviendo tan difícil apartarse de ella... Parecía tener tanta fe en él mismo que había estado a punto de creerse que merecía la felicidad que ella le ofrecía.

Pero los sueños tienen una extraña manera de afectar en la vida diaria y John no se podía quitar de la cabeza la imagen de Belle sobre esa cama en España con el cuerpo magullado y ultrajado.

No podía estar con ella. Ahora lo sabía más que nunca. Se lo diría hoy. Se juró a sí mismo que lo haría, por más doloroso que fuera.

Lo haría… después de la feria. Una tarde triste más, seguro que no le haría daño.

Tardó sólo quince minutos en llegar a Westonbirt a caballo. Dejó a su poderoso semental en los establos, caminó hasta la escalera de la fachada y levantó la mano para llamar a la puerta.

Pero Norwood la abrió antes de que sus nudillos tocaran la madera.

—¿Cómo se encuentra, milord? —dijo—. Lady Arabella lo espera en el salón amarillo.

—No, ya no —dijo Belle alegremente saliendo de uno de los salones que rodeaban el gran vestíbulo—. Hola John. Sé que se supone que esperaría en el salón, pero estaba demasiado impaciente. No se imagina lo que ha pasado.

—Estoy seguro de que no.

—Alex y Emma tuvieron que salir corriendo esta madrugada. La hermana de Alex ha tenido un bebé.

—Enhorabuena —dijo John automáticamente—. ¿Eso significa que hemos anulado el paseo?

—Claro que no —¿acaso él no se había dado cuenta de que estaba vestida con su mejor traje de montar?—. No veo ninguna razón por la que no podamos pasar un buen rato nosotros solos.

John sonrió por sus inocentes palabras pero se dijo que eso era cruzar aguas peligrosas.

—Como quiera, milady.

La pareja cabalgó en un amigable silencio, disfrutando de las frescas brisas del tiempo otoñal. La feria estaba más cerca de la casa de John que de Westonbirt, así que traspasaron el linde entre las dos propiedades y pasaron por Bletchford Manor, y como siempre que veía la majestuosa casa antigua, John comentó:

—Maldita sea, tengo que encontrar otro nombre para este lugar.

—Estoy completamente de acuerdo —replicó Belle—. Brimstone Park evoca imágenes del infierno y cosas así.

John le lanzó una extraña mirada.

—No se llama Brimstone Park.

—¿No? Oh, claro que no. Ya lo sé —dijo Belle con una leve sonrisa—. ¿Cómo se llama?

—Bletchford Manor —replicó John haciendo una mueca de disgusto mientras decía el nombre.

—Dios mío, es incluso peor. Por lo menos Brimstone Park tiene un poco de carácter. Y además «*bletch*» rima con «*retch*» que evoca imágenes aún peores que el fuego del infierno.*

—Créame, soy muy consciente de todas las connotaciones desagradables de este nombre.

—No se preocupe, encontraremos otro nombre —Belle le dio una palmadita tranquilizante en el antebrazo—. Deme un poco de tiempo. Soy muy ingeniosa con las palabras.

Cuando llegaron, la atención de Belle se centró inmediatamente en un hombre con zancos que apareció a unos metros de ellos, y enseguida se vieron inmersos en el ritmo de la feria.

—Siempre me he preguntado cómo lo hacen —reflexionó Belle mientras miraban a un juglar vestido con vivos colores.

—Imagino que se trata de tirar las pelotas al aire en el momento oportuno.

Belle le dio un codazo en las costillas.

—No sea tan aguafiestas. Le quita la magia a todo. ¡Oh, mire esos lazos! —dijo soltándose de la mano de John y acercándose al vendedor para inspeccionar su mercancía. En el momento en que John volvió junto a ella tenía dos lazos en la mano y estaba decidiendo entre ellos—. ¿Cuál prefiere, John? ¿Éste? —dijo poniéndose uno rosa en el pelo—. ¿O éste? —preguntó reemplazando el lazo rosa por otro rojo.

John se cruzó de brazos como si estuviera pensando seriamente sobre el asunto, pero sobre la mesa descubrió uno azul y lo cogió.

—Prefiero éste. Es del mismo color que sus ojos.

Belle lo miró, descubriendo la calidez de su mirada, lo que simplemente la derritió.

—Entonces me llevaré el azul —dijo con suavidad.

Se quedaron clavados allí mirándose el uno al otro hasta que el vendedor destruyó el momento con un sonoro:

* «Bletch» es una interjección que expresa disgusto y «retch» significa tener arcadas. (N. del T.)

—¡Ejem!

Belle apartó sus ojos de John y se puso a buscar en su bolso, pero antes de que pudiera encontrar alguna moneda, John ya lo había pagado y se lo estaba entregando.

—Un regalo, milady —dijo bajando la cabeza para besarle la mano.

Belle sintió que el calor de su beso recorría su brazo derecho hasta su alma.

—Lo guardaré siempre.

El romanticismo del momento era abrumador.

—¿Tiene hambre? —preguntó John de pronto, desesperado por hacer que la conversación pasara a temas más mundanos.

—Estoy muerta de hambre.

John la condujo hacia los puestos de comida donde vendían pasteles de espinacas y tartas de fresa. Y con los platos en la mano se pusieron a buscar un lugar tranquilo en los alrededores de la feria. John puso su chaqueta en el suelo y se sentaron encima atacando vorazmente la comida.

—Me debe un poema —le recordó Belle mientras se comía su pastel.

John suspiró.

—Así es.

—Ni siquiera lo ha intentado, ¿verdad? —lo acusó Belle.

—Claro que sí. Pero aún no lo he terminado.

—Entonces recíteme lo que tiene.

—No lo sé —dijo yéndose por las nubes—. Un verdadero poeta no puede mostrar su trabajo hasta que está seguro de haberlo acabado.

—¡Por favooor! —dijo ella suplicante haciendo una mueca con una expresión más propia de una niña de cinco años.

John no se pudo resistir ante una súplica tan desenfrenada.

—Oh, bueno. ¿Qué le parece esto?:

Camina bella, como la noche
De climas despejados y cielos estrellados;
Y todo lo mejor de la oscuridad y la luz
Se reúne en su cuerpo y en sus ojos.

—Oh, John —dijo Belle suspirando encantada—. Es fantástico. Hace que me sienta tan bella.

—Usted es bella.

—Gracias —respondió automáticamente—. Pero creo que parecer bella no es tan importante como sentirse bella, y por eso su poema me conmueve tanto. Es tan romántico. Es… espere un minuto. —Ella se sentó recto y frunció el ceño mientras pensaba.

John de pronto se concentró por completo en el pastel de espinacas que tenía en la mano.

—He escuchado eso antes —continuó Belle—. Creo que lo he leído. Hace poco.

—No me imagino cómo —murmuró John aunque sabía que había sido descubierto.

—¡Eso lo escribió Lord Byron! ¡No me puedo creer que haya intentado hacer pasar un poema de Lord Byron como si fuera suyo!

—Me tenía acorralado.

—Lo sé, pero eso no excusa un plagio tan descarado. Y yo que pensaba que había escrito esas hermosas palabras para mí. Imagínese lo decepcionada que estoy.

—Imagínese usted mi decepción —murmuró John—. Estaba seguro de que no podía haberlo leído todavía. Se acaba de publicar el año pasado.

—Le tuve que pedir a mi hermano que me lo comprara. No venden los libros de Lord Byron en la librería de señoritas. Dicen que es demasiado picante.

—Y usted demasiado aventurada —dijo John refunfuñando mientras se inclinaba hacia atrás apoyándose en los codos—. Si se hubieras quedado en la librería de señoritas, que es lo que le corresponde, yo no me vería en este lío ahora.

—No me arrepiento lo más mínimo —dijo Belle socarrona—. Me parece muy tonto que no se me permita leer algo de lo que comenta todo el mundo, y sólo por ser mujer y soltera.

—Cásese —sugirió él en broma—. Y así podrá hacer usted lo que quiera.

Belle se inclinó hacia delante con los ojos brillantes de emoción.

—Lord Blackwood, eso no será un proposición, ¿verdad?

John palideció.

—Ahora sí que me está acorralando.

Belle se recostó intentando ocultar su decepción. No sabía qué la había poseído como para hablar de manera tan escandalosa, y no tenía idea de la reacción que debía haber esperado de él. Por otro lado, que la acusara de acorralarlo no era lo que quería oír.

—Sigo pensando que debería escribir un poema —dijo finalmente con la esperanza de que su tono desenvuelto tapara la tristeza que no era capaz de disimular en sus ojos.

John hizo como si estuviera pensando mucho sobre el asunto.

—¿Qué le parece este? —le preguntó con una sonrisa pícara.

Nada quiere más mi corazón
que una mujer cubierta de tarta de fresón.

Belle hizo una mueca.

—Eso es horrible.

—¿Eso cree? Pensaba que era muy romántico, sobre todo porque tiene la cara manchada de tarta.

—Mentira.

—Sí, verdad. Justo ahí.

John extendió un dedo y toco suavemente un extremo de su boca. Se entretuvo un momento con la intención de recorrer la línea de sus labios, pero de pronto retiró el dedo como si se hubiera quemado. Estaba demasiado cerca de la tentación. Todo su cuerpo revivía con sólo tenerla sentada frente a él mientras hacían un picnic.

Belle se tocó la cara para palpar instintivamente el punto donde la acababan de rozar. Le hizo gracia que todavía le hormigueara. Y le extrañó aún más que la sensación se le extendiera al resto de su cuerpo. Vio que John la contemplaba con avidez con sus ojos oscuros ardiendo de deseo insatisfecho.

—Hay… hay demasiada gente por aquí, milord —dijo ella al fin tartamudeando.

John percibía que estaba nerviosa. De otro modo ella nunca hubiera vuelto a usar el título «milord». Así que se echó para atrás y apartó su mirada consciente de que su indisimulado deseo estaba incomodándola. Respiró hondo varias veces dispuesto a terminar con sus locos deseos. Pero su cuerpo se negaba, no estaba dispuesto a ignorar a la deslumbrante mujer que estaba sentada a menos de un metro de él.

John maldecía para sí mismo. Era una locura. Un completo disparate. Estaba seduciendo a una dama con la que no tenía ninguna esperanza de futuro. Escuchó la voz de su hermano mayor Damien golpeándole en la mente. «No eres un caballero con título. No eres un caballero con título.» John recuperó su sonrisa irónica. Era divertido cómo cambiaba la vida. Él solo se había ganado un título, pero su alma era negra como el pecado.

—¿John? —preguntó Belle suavemente—. ¿Pasa algo? Está tan callado.

Él miró de frente y percibió preocupación en sus ojos.

—No, pensaba, eso es todo.

—¿En qué?

—En usted —replicó con aspereza.

—Buenos pensamientos, supongo —dijo Belle nerviosa por el tono serio de la voz de él.

John se puso de pie y le ofreció una mano.

—Venga, vamos a dar un paseo por el bosque mientras aún haya sol. Llevaremos los caballos con nosotros.

Belle se levantó sin decir nada y lo siguió al lugar donde habían dejado sus monturas. Se encaminaron lentamente a pie en dirección a Westonbirt y Bletchford Manor. Los caballos los seguían obedientes unos pasos atrás deteniéndose de vez en cuando para investigar alguna de las pequeñas criaturas que aparecían en el bosque.

Después de unos quince minutos en un silencio que no auguraba nada bueno, John se detuvo en seco.

—Belle, tenemos que hablar.

—¿De verdad?

—Sí, esto… —John luchaba por encontrar las palabras correctas pero no encontraba nada—. Esto que ocurre entre nosotros… tiene que acabar.

Un dolor profundo y oscuro se formó lentamente en la boca del estomago de Belle, y se le comenzó a extender por el resto del cuerpo.

—¿Por qué? —susurró.

Él apartó la mirada incapaz de mirarla a los ojos.

—No puede llegar a ninguna parte. Se tienes que dar cuenta de eso.

—No —dijo ella bruscamente, envalentonada por el dolor que sentía—. No, no me doy cuenta.

—Belle, no tengo dinero, mi pierna está incapacitada y apenas tengo un título.

—¿Por qué dice eso? Esas cosas a mí no me importan.

—Belle, podría tener a cualquier hombre del mundo.

—Pero le quiero a usted.

Su apasionada réplica flotó por el aire durante un largo minuto hasta que John fue capaz de decir algo.

—Lo hago por su propio bien.

Belle dio un paso atrás, casi enceguecida por el dolor y la rabia. Las palabras de John le cayeron como golpes físicos, y se preguntaba con tristeza si alguna otra vez conocería momentos de felicidad.

—¿Cómo se atreve a tratarme con condescendencia? —preguntó finalmente.

—Belle, no creo que usted haya pensado en esto lo suficiente. Sus padres no la dejarían casarse con alguien como yo.

—No conoce a mis padres. No sabe lo que quieren para mí.

—Belle, es usted hija de un conde.

—Y como ya hemos hablado, usted también es hijo de un conde, así que no sé dónde está el problema.

—Hay un mundo de diferencia y lo sabe.

Él sabía que se estaba agarrando a un clavo ardiendo. Cualquier cosa para evitar tener que decirle la verdad.

—¿Qué quiere, John? —preguntó enfadada—. ¿Quiere que suplique? ¿De eso se trata? Porque no lo haré. ¿Es ésta una manera perversa de buscar elogios? ¿Quiere que le explique con detalle las razones por las que me gustaba? ¿Todas las razones por las que pensé que era amable, noble y bueno?

John hizo un gesto de dolor ante su notorio uso del tiempo pasado.

—Intento ser noble ahora —dijo con firmeza.

—No, no lo está siendo. Está intentando convertirse en mártir, y espero que lo disfrute, porque yo no.

—Belle, escúcheme —imploró él—. Yo... yo no soy el hombre que piensa que soy.

La ronca agonía de su voz conmocionó a Belle dejándola boquiabierta y en silencio.

—He... hecho cosas —dijo volviendo la cara para no mirarla a la cara—. He herido a gente. He herido... He herido a mujeres.

—No le creo. —Sus palabras apenas se oían.

—¡Maldita sea, Belle! —John se dio la vuelta y golpeó con el puño el tronco de un árbol—. ¿Qué la convencería? ¿Qué necesita saber? ¿Los secretos más negros de mi corazón? ¿Lo que ha manchado mi alma?

Ella dio un paso atrás.

—N... no sé lo que dice. No creo que sepa lo que está diciendo.

—Le haré daño, Belle. Le haré daño sin quererlo. Le haré daño... ¿Dios, no es suficiente decirle que le haré daño?

—No me hará daño —dijo ella suavemente y extendió la mano para tocarle la manga.

—No se engañe a usted misma pensando que soy un héroe. Belle, no lo soy...

—No creo que sea un héroe —lo interrumpió—. No quiero que sea un héroe.

—Dios —dijo él con una risa oscura y sarcástica—. Es la primera cosa realista que ha dicho en todo el día.

Ella se puso rígida.

—No seas cruel, John.

—Belle —dijo él destrozado—. Tengo mis límites. No me obligue a traspasarlos.

—¿Y qué se supone que significa eso? —preguntó ella irritada.

Él la agarró por los hombros como si intentara zarandearla para hacerla reaccionar. Santo Dios, estaba tan cerca de ella que podía sentir su olor, al igual que los suaves mechones de su cabello que el viento hacía que le cayeran sobre la cara.

—Significa —dijo en voz baja— que tengo que controlarme al máximo para no acercarme a usted y besarla ahora mismo.

—Entonces ¿por qué no lo hace? —preguntó ella con la voz temblorosa—. No le detendré.

—Por que no podría quedarme en eso. Después haría que mis labios besaran su suave cuello hasta llegar a los fastidiosos botones de su traje de montar. Entonces los iría desabrochando lentamente uno a uno para abrirle la chaqueta. —Dios ¿por qué se torturaba a sí mismo?— Lleva ropa interior de seda, ¿verdad?

Belle asintió horrorizada.

John se estremeció por las oleadas de deseo que atravesaban su cuerpo.

—Me encanta el tacto de la seda —murmuró—. Y a usted también.

—¿Cómo lo sabe?

—La estuve mirando cuando se hizo la ampolla en el talón. Vi cómo se quitaba la media.

Belle estaba conmocionada por saber que la había espiado, pero extrañamente la idea la excitó.

—¿Sabe lo que haría después? —preguntó John con voz ronca sin apartar sus ojos de los de ella.

Ella negó con la cabeza sin decir nada.

—Me agacharía y la besaría a través de la seda. Cogería con la boca un pezón y lo chuparía hasta que se pusiese como un duro capullito. Y después, cuando ya no fuese suficiente, le quitaría su sedosa ropa interior arrastrándola por su piel hasta liberar sus pechos para dejarlos al aire, y después los volvería a besar.

Belle no movió un músculo pues estaba clavada en el suelo por la sensual acometida de sus palabras.

—¿Y después qué haría? —susurró intensamente consciente del calor de las manos de él en sus hombros.

—Me quiere castigar, ¿verdad? —preguntó John con aspereza apretándola con más fuerza—. Pero ya que lo pregunta... Poco a poco le iría quitando toda la ropa hasta que quedase gloriosamente desnuda en mis brazos. Y después seguiría besando cada centímetro de su piel hasta que temblase de deseo.

En algún lugar del fondo de su mente aturdida por la pasión, Belle percibió levemente que ya estaba temblando.

—Y después haría que se tumbara y cubriría su cuerpo con el mío aplastándola contra el suelo. Y entonces entraría en usted muy lentamente disfrutando de cada segundo mientras la hago mía. —La voz de John se quebró y su respiración se aceleró al flotar por su mente la imagen de Belle rodeándolo con sus largas piernas.

—¿Qué dice a eso?

Belle ignoró su ofensiva pregunta aunque su cuerpo se había llenado con las sensuales imágenes que él le explicaba. Estaba ardiendo y lo deseaba en todos los sentidos. Era ahora o nunca, lo sabía, y le aterrorizaba la idea de perderlo por completo.

—Seguiría sin detenerle —susurró.

La incredulidad y el deseo colisionaron en el cuerpo de John y bruscamente la apartó de él, pues sabía muy bien que iba a ser incapaz de resistir la tentación si la seguía tocando un segundo más.

—Por el amor de Dios, Belle, ¿sabe lo que está diciendo? —dijo pasándose la mano por el pelo y respirando hondo para intentar ignorar la dolorosa dureza de su cuerpo.

—Sí, sé lo que digo —dijo Belle —. Pero no lo quiere escuchar.

—No sabe quién soy yo. Se ha construido la imagen de un pobre héroe de guerra herido. ¿Podría ser divertido casarse con un héroe gótico de la vida real? Bien, he de decirle algo, milady, ése no soy yo. Y después de unos meses se daría cuenta de que no soy un héroe, y que no es divertido estar casada con un cojo pobre.

Una rabia que nunca había conocido se apoderó de Belle, se lanzó contra él y se puso a darle puñetazos en el pecho llena de furia.

—Desgraciado —gritó—. Es usted un desgraciado arrogante. ¿Cómo se atreve a decirme que no sé lo que pienso? ¿Me cree tan estúpida como para no poder ver lo que verdaderamente es usted? Sigue diciendo que hizo algo malo, pero no le creo. Creo que se lo está inventando para apartarme de usted.

—Oh, Belle —dijo él muy ronco—. No es eso. Es…

—¿Cree que me importa que su pierna esté lisiada? ¿Piensa que me importa que su título no tenga siglos de antigüedad? ¡No me importaría si no tuviera ninguno!

—Belle —dijo John en tono apaciguador.

—¡Basta! No diga nada más. ¡Me está hartando! Me acusa de ser mimada pero es usted el esnob. ¡Está tan obsesionado con los títulos, el dinero y la posición social que no se permite tener lo único que verdaderamente desea!

—Belle, apenas nos conocemos desde hace una semana. No consigo entender cómo ha podido decidir que soy el hombre perfecto para usted. —Pero mientras John decía esas palabras sabía que mentía, pues había llegado a la misma conclusión respecto a ella.

—Estoy empezando a preguntármelo —dijo Belle duramente con la intención de hacerle daño igual que había hecho él con ella.

—Me lo merezco, lo sé, pero pronto se dará cuenta de que he hecho lo correcto. Tal vez no mañana, pero cuando supere su rabia lo entenderá.

Belle volvió la cara pues no quería que viera cómo se limpiaba una lágrima. Respiraba de manera entrecortada y pasó un rato hasta que fue capaz de controlar sus temblorosos hombros.

—Se equivoca —dijo ella suavemente mientras se daba la vuelta para encararlo con una mirada acusadora—. Se equivoca. ¡Nunca me daré cuenta de que ha hecho lo correcto porque no es así! ¡Estás destruyendo mi felicidad! —Tuvo que controlar el nudo que se le había hecho en la garganta—. Y la suya, claro, si se detuvieras a escuchar su corazón.

John se dio la vuelta acobardado por la inquebrantable honestidad de sus ojos. Sabía que no le podía decir la verdadera razón por la que la apartaba, así que intentó apelar al innato sentido práctico de ella.

—Belle, ha crecido con todos los lujos. Yo no le podré dar todo eso. Ni siquiera podría darle una casa en Londres.

—Eso no importa. Además tengo mis propios fondos.

John se puso rígido.

—No quiero aceptar su dinero.

—No sea tonto. Estoy segura de que tendré una buena dote.

Él se dio la vuelta con la mirada dura y tremendamente seria.

—No quiero que se diga que soy un cazafortunas.

—Ah, ¿se trataba de eso? ¿Está preocupado por lo que diga la gente? Dios mío, pensaba que estaba por encima de todo eso.

Belle se dio la vuelta y se dirigió hacia su yegua que estaba comiendo hierba ociosamente. Cogió las riendas y se montó en ella rechazando la oferta de ayuda de John.

—¿Sabe algo? —preguntó Belle en tono cruel—. Tiene toda la razón. No es la persona que pensaba que era. —Pero su voz se quebró en la última palabra y supo que él había percibido su falsa bravata.

—Adiós, Belle —dijo John sencillamente sabiendo que si acudía a ella en ese momento, nunca iba a ser capaz de dejarla.

—No voy a esperarle, lo sabe —dijo Belle en voz alta—. Y algún día cambiará de opinión y me deseará. Me deseará tanto que le dolerá. Y no sólo en su cama. Me deseará en su casa, en su corazón, en su casa y en su alma. Y yo me habré marchado.

—No lo dudo ni un instante —dijo John sin estar seguro si lo había dicho o simplemente lo había pensado, pero de cualquier forma estaba claro que ella no lo había escuchado.

—Adiós, John —dijo Belle con la voz ahogada en sollozos—. Sé que es usted amigo de Alex y Emma, pero apreciaría que no vuelva a Westonbirt hasta que me haya marchado.

Con la vista nublada por las lágrimas chasqueó la fusta para que su yegua cabalgara a Westonbirt a toda velocidad.

John contempló su partida y se quedó escuchando el sonido de los cascos de la yegua después de que ya no la podía ver. Permaneció quieto un largo rato porque su mente aún se negaba a digerir lo que había ocurrido. Después de años de sentir vergüenza y repugnancia por sí mismo, finalmente había hecho lo correcto, lo honorable, pero se sentía como un villano de las novelas del señor Radcliffe.

John emitió un quejido, maldijo en voz alta mientras daba una patada a una piedra. Así había sido toda su vida. Justo cuando creía haber encontrado lo que quería, un premio mayor aparecería, aunque sabía que nunca lo obtendría. Bletchford Manor había sido un sueño para él, un sueño de respetabilidad, posición y honor, una manera de demostrar a su familia que podía hacer algo por sí mismo, que no necesitaba heredar un título o una propiedad para ser un verdadero caballero. Pero al ir a vivir a Bletchford Manor había conocido a Belle, y había sido casi como si los dioses se rieran de él diciéndole: «Mira John, nunca lo conseguirás. Esto es lo que no tendrás nunca».

Cerró los ojos con fuerza. Había hecho lo correcto, ¿verdad?

Sabía que le había hecho daño. El dolor de su mirada era evidente. Todavía podía recordar su cara. Y después a Belle se le unía Ana cuyos ojos lo condenaban en silencio. «Nooo», se quejaba. «Nooo.» Y después la voz de su madre…

«Podías haber sido tú.»

John abrió los ojos de golpe intentando borrar la imagen de la mujer de su mente. Había hecho lo correcto. Nunca podría ser el alma pura que merecía Belle. Una escena de su sueño se le apareció en la mente. Él estaba encima. Ella gritaba.

Había hecho lo correcto. Su deseo era demasiado intenso. Ella se rompería bajo la fuerza de su pasión.

Un dolor intenso y profundo se le formó en el pecho apretándole los pulmones. En un solo movimiento se montó en el caballo y partió a mucha más velocidad que Belle. Mientras atravesaba el bosque las hojas le golpeaban en la cara con rabia, pero las ignoraba y aceptaba el dolor como si fuera la penitencia que se merecía.

Capítulo 9

*B*elle no recordaba su galope a toda velocidad hasta la casa. Había cabalgado sin preocuparse por su seguridad; lo único que parecía importarle era volver a Westonbirt y poner la mayor distancia posible entre ella y John Blackwood.

Pero una vez que llegó a la casa y subió corriendo por las escaleras se dio cuenta de que Westonbirt no estaba lo bastante lejos. ¿Cómo iba a soportar quedarse con sus primos, tan cerca del hombre que le había roto el corazón?

Entró furiosa en su habitación, se quitó la chaqueta de un fuerte tirón, y se dirigió a su vestidor donde cogió tres maletas y con rabia se puso a meter vestidos dentro de ellas.

—Milady, milady ¿qué está haciendo?

Belle miró hacia arriba. Su doncella estaba junto a la puerta con expresión de horror.

—Estoy haciendo las maletas —contestó cortante—. ¿Qué le parece que estoy haciendo?

Mary corrió hacia ella e intentó quitarle la maleta.

—Pero milady, usted no sabe hacer maletas.

Belle sintió que los ojos le ardían por las lágrimas.

—¡No debe de ser tan difícil! —estalló.

—Para esos vestidos necesita baúles o si no los aplastará.

Belle soltó las maletas y de pronto se sintió cansada.

—Vale. Sí. Claro. Tiene razón.

—¿Milady?

Belle tragó saliva intentando controlar sus emociones, aunque sólo fuera hasta dirigirse a otra habitación.

—Meta en las maletas todo lo que pueda. Me marcharé en cuanto regresen el duque y la duquesa.

Después salió con prisa de la habitación y corrió por el pasillo hasta llegar al despacho de Emma donde se aisló y se quedó llorando el resto del día.

Emma y Alex no regresaron hasta una semana después. Belle no sabía qué hacer para mantenerse ocupada. La mayor parte del tiempo simplemente miraba por la ventana.

Cuando Emma regresó, se quedó perpleja al ver las maletas de Belle apiladas por orden en un pequeño almacén que había junto al vestíbulo. Enseguida se puso a buscar a su prima.

—Belle, ¿qué significa esto? ¿Y por qué llevas un vestido mío?

Belle se miró el vestido violeta que llevaba puesto.

—Metí en las maletas todos los míos.

—Vale. ¿Y por qué?

—No me puedo quedar aquí.

—Belle, no sé de qué hablas.

—Me tengo que ir a Londres. Mañana.

—¿Qué? ¿Mañana? Esto tiene que ver con lord Blackwood.

El gesto de aversión que hizo inmediatamente con la cabeza fue suficiente para que Emma supiera que no se equivocaba.

—¿Qué pasó?

Belle inspiró nerviosa.

—Me ha humillado.

—Oh, Dios mío, Belle. No habrá...

—No. Pero me hubiera gustado que lo hiciera. Así tendría que casarse conmigo, y yo... —un sollozo la interrumpió.

—Belle, no sabes lo que estás diciendo.

—¡Sé exactamente lo que estoy diciendo! ¿Por qué nadie cree que sea capaz de saber lo que pienso?

Los ojos Emma se abrieron de par en par al presenciar la perdida de compostura de su prima.

—Tal vez deberías contarme qué os pasó durante mi ausencia.

Belle le relató su historia con voz temblorosa. Y cuando terminó estaba tan emocionada, que tuvo que sentarse.

Emma se apoyó en un extremo de la mesa que estaba junto a la silla de Belle y le puso con cariño la mano en su brazo.

—Volveremos a Londres de inmediato —le dijo tranquilamente.

Por primera vez en una semana, Belle sintió una chispa de vida dentro de ella. De algún modo sabía que sería capaz de recuperarse si salía de la escena de su drama amoroso. Miró a Emma.

—Alex no querrá que vayas.

—No, no querrá, pero no me dejas mucho donde elegir, ¿verdad?

—Puede venir con nosotras. No me importaría.

Emma suspiró.

—Creo que tiene algunos asuntos importantes que resolver aquí.

Belle sabía cuánto odiaba su prima separarse de su marido, aún así estaba desesperada por marcharse.

—Lo siento —dijo sin convicción.

—Está bien —dijo Emma levantándose y enderezando los hombros—. Lo organizaremos todo para salir mañana.

Belle sintió que los ojos se le llenaban de lágrimas.

—Gracias.

Belle tenía razón en una cosa: a Alex no le había hecho ninguna gracia la idea de que su mujer se fuera a Londres. Belle sabía lo que había ocurrido entre ellos en la privacidad de su alcoba, pero cuando al día siguiente las dos damas se dirigieron a su carruaje, Alex no estaba de buen humor.

—Una semana —advirtió—. Una semana e iré a buscarte.

Emma le puso la mano en el brazo y le dijo que callara.

—Querido, sabes que mis tíos no vuelven hasta dentro de quince días. No podré regresar a casa hasta entonces.

—Una semana.

—Puedes venir a verme.

—Una semana.

Y después la besó con tanta pasión que Belle se ruborizó.

Muy pronto las dos damas estaban cómodamente instaladas en la casa de los Blydon en Grosvenor Square. Ahora que estaba a una cierta distancia de John, Belle se sentía más fuerte, pero no podía quitarse la melancolía que invadía su espíritu. Emma hacía todo lo que podía por mostrarse muy alegre, pero era obvio que añoraba a Alex. Y él no colaboraba pues le enviaba notas dos veces al día diciéndole que la echaba de menos, y que por favor volviera a su hogar como correspondía.

Belle no hizo ningún esfuerzo en avisar a nadie que había vuelto a la ciudad, pero al tercer día su mayordomo le informó de que tenía una visita.

—¿Sí? —preguntó sin mucho interés—. ¿Quién?

—Mi pidió que le permitiera sorprenderla, milady.

El corazón casi se le salió por la garganta.

—¿Tiene los ojos y el cabello castaños? —preguntó desesperada.

—Deseaba que fuera una sorpresa.

Belle estaba tan nerviosa que casi agarró al mayordomo para zarandearlo.

—¿Es así? Por favor, debe decírmelo.

—Sí, milady, así es.

Dejó caer las manos y se hundió en una silla cercana.

—Dígale que no deseo verlo.

—Pero creía que el señor Dunford ha sido siempre un muy buen amigo suyo, milady. No me gustaría decirle que se vaya.

—Oh, es Dunford —suspiró Belle aliviada aunque también decepcionada—. Dígale que lo veré enseguida.

Pasado un rato se levantó y se dirigió al espejo a comprobar rápidamente su apariencia. William Dunford era un amigo muy cercano desde hacía varios años. Se habían hecho la corte durante un corto tiempo, pero enseguida se habían dado cuenta de que no encajaban así que decidieron no arruinar su amistad llevando adelante un romance. Él también era el mejor amigo de Alex, y había desempeñado un papel importante en la difícil tarea de llevar a Alex y a Emma al altar.

—¡Oh, Dunford, qué alegría verte! —exclamó Belle mientras entraba en el salón donde él la esperaba. Ella cruzó la habitación y le dio un corto abrazo.

—Qué alegría verte de nuevo también, Belle. ¿Disfrutaste del embrujo de tu retiro en el campo con los recién casados?

—Westonbirt estaba precioso —respondió Belle con rapidez y se sentó en el sofá—. Aunque llovió mucho.

Dunford se dejó caer perezosamente sobre un cómodo asiento.

—Bueno, al fin y al cabo esto es Inglaterra.

—Sí —replicó Belle, pero su mente estaba a miles de kilómetros.

Después de esperar un minuto completo, Dunford finalmente dijo:

—¿Hola? ¿Belle? ¡Yuju!

Belle volvió de golpe al presente.

—¿Qué? Oh, lo siento, Dunford. Estaba pensando.

—Y evidentemente no en mí.

Ella sonrió con timidez.

—Lo siento.

—Belle, ¿te pasa algo?

—Todo va bien.

—Todo no va bien, está clarísimo —hizo una pausa y sonrió—. Es por un hombre, ¿verdad?

—¿Qué?

—¡Ajá! Veo que tengo razón.

Belle sabía que no lo engañaría, pero sentía que debía al menos intentarlo.

—Tal vez.

—¡Ja! —Dunford se rió—. Esto sí que es bueno. Después de años en que los hombres han caído postrados a tus pies llenos de amor y devoción, la pequeña Arabella por fin ha sucumbido.

—Eso no es gracioso, Dunford.

—*Au contraire*. Es muy divertido.

—Me haces parecer una princesa cruel e inhumana.

—No, claro que no, Belle —dijo él inmediatamente arrepentido—. Tengo que admitir que siempre has sido insólitamente simpática con todos aquellos, aunque tuvieran la cara llena de granos, que te hayan pedido un baile.

—Gracias por el cumplido.

—Y por eso probablemente tantos chicos con granos te pedían que bailaras con ellos.

—Dunford —dijo Belle en tono de advertencia.

—Es que es divertido verte colada por alguien después de Dios sabe cuántas proposiciones, ninguna de las cuales tuviste la menor intención de aceptar. —Después de su larga explicación Dunford se echó para atrás, y como Belle no hacía ningún comentario, añadió—: Es por un hombre, ¿verdad?

—No iba a ser por una mujer —soltó Belle—. Claro que es un hombre.

—Bueno, podía estar metiendo la pata y que se te hubiera muerto tu spaniel favorito.

—No tengo ningún spaniel —dijo Belle malhumorada—. Es un hombre.

—¿No te corresponde?

—No —dijo con voz acongojada.

—¿Estás segura?

—Tengo razones para creer que —Belle eligió sus palabras con cuidado— le importo, pero siente que no puede corresponder a esa emoción.

—Suena como si fuera un hombre que tiene demasiado honor.

—Algo así.

—Por curiosidad, Belle, ¿qué tiene ese hombre que ha hecho que te enamores de él?

Su expresión se endulzó.

—No lo sé, Dunford. De verdad que no. Tiene un maravilloso sentido del honor. Y también del humor. Bromea conmigo, no de manera maliciosa, claro, y me deja que yo le tome el pelo. Y tiene algo muy bueno. Él no lo puede ver, pero yo sí. Oh, Dunford, él me necesita.

Dunford se quedó en silencio un momento.

—Estoy seguro de que no todo está perdido. Podemos hacer que reaccione.

—¿Cómo que podemos?

Él le lanzó una sonrisa pícara.

—Me parece lo más divertido que he hecho en años.

—No estoy segura de que valga la pena el esfuerzo.

—Claro que sí.

—No estoy segura de querer que vuelva.

—Claro que sí. ¿No has escuchado tus propias palabras hace treinta segundos?

—Me gustaría tener tanta confianza como tú.

—Mira, Belle, llevas dos años diciendo que quieres un matrimonio por amor. ¿Lo vas a tirar todo por la borda por un poco de orgullo?

—Puedo encontrar a alguien agradable para casarme —dijo Belle muy poco convencida—. Estoy segura de que puedo. Los hombres me lo piden todo el tiempo. Y no sería infeliz.

—Tal vez no. Pero tampoco serías feliz.

Belle encorvó la espalda.

—Lo sé.

—Esta noche pondremos en marcha mi plan.

—¿Y de qué trata exactamente ese plan?

—Tal como yo lo veo, si ese hombre... ¿cómo se llama?

—John.

Dunford sonrió socarrón.

—De verdad, Belle, podrías ser de más ayuda.

—No, es verdad —protestó—. Su verdadero nombre es John. Se lo puedes preguntar a Emma.

—Muy bien entonces, si realmente le importas a ese John, se pondrá ciegamente celoso cuando sepa que estás planeando casarte, incluso si está intentando ser noble al dejarte.

—Un plan interesante, pero ¿con quién me voy a casar?

—Conmigo.

Belle le lanzó una mirada de absoluta incredulidad.

—Oh, por favor.

—No me refiero a que nos casemos de verdad —replicó Dunford. Y después añadió a la defensiva—: la idea no debiera disgustarte tanto. Se me considera un muy buen partido, ya lo sabes. Sólo quiero decir que podemos difundir el rumor de que planeamos casarnos. Si John te quiere, el truco funcionará.

—No lo sé —dijo Belle esquiva—. ¿Y si en realidad no me quiere? ¿Qué pasaría?

—Pues me dejas plantado, claro.

—¿No te importaría?

—Claro que no. En realidad podría ser estupendo para mi vida social. Vendrán montones de jovencitas monas a ofrecerme consuelo.

—Creo que prefiero dejarte fuera del lío. Tal vez simplemente podemos lanzar el rumor de que me voy a casar sin nombrar a nadie en particular.

—¿Y hasta dónde llegaría esa historia? —contraatacó Dunford—. Todo el mundo en Londres está planeando casarse. Tu amigo nunca lo sabrá, sobre todo si está encerrado en el campo.

—No, pero por eso mismo, probablemente nunca escuchará ningún rumor por más sustancioso que sea. No está al tanto de las idas y venidas de la sociedad. La única manera de que se entere de que planeamos casarnos sería a través de un anuncio en el *Times*.

Dunford palideció al pensarlo.

—Así es —replicó Belle—. La única manera de que le llegue un rumor es enviándole deliberadamente una información. —Ella tragó nerviosa, apenas capaz de creerse que estaba considerando tal plan—. Tal vez podamos incluir a Emma en nuestro plan. Podría mencionar casualmente a John que estoy planeando casarme. No quiero que use tu nombre. No quiero que mencione ningún nombre... sólo que le diga que estoy a punto de anunciar mi compromiso.

—¿No le parecerá raro que ella vaya a verle?

—Son vecinos. No tiene nada de sospechoso que pase a saludar.

Dunford se echó hacia atrás, sonrió con regocijo enseñando su perfecta dentadura.

—Una estrategia excelente, Arabella. Y me evita tener que fingir que me he enamorado de ti.

Ella movió la cabeza.

—Eres imposible.

—Si tu galán no aparece en escena con un caballo blanco y una armadura reluciente para llevarte a ver la puesta de sol, entonces tendré que decir que no valía la pena.

Belle no estaba completamente segura de eso, pero de todos modos asintió.

—Y mientras tanto tendremos que sacarte por ahí. ¿Cómo decías que se apellidaba tu amigo John?

—No te lo he dicho.

Dunford levantó una ceja pero no la presionó para que le diera detalles.

—Lo que iba a decir es que tu mentira no va a parecer muy convincente si descubre que has estado escondida en este mausoleo desde que llegaste.

—No, supongo que no, pero ahora casi no hay nadie en la ciudad. No hay mucho que hacer.

—Pues justo esta noche me han invitado a una velada musical sumamente espantosa, y como el anfitrión es un pariente lejano no tengo manera de disculparme.

Los ojos de Belle se entornaron.

—¿No será uno de tus primos Smythe-Smith, verdad?

—Me temo que sí.

—Pensé que te había dicho que nunca más asistirías a sus recitales. Después del último, estoy convencida de que sé exactamente cómo suena Mozart interpretado por un rebaño de ovejas.

—¿Qué se puede esperar cuando te han maldecido con un nombre como Smythe-Smith? En cualquier caso no tienes demasiada elección. Ya hemos decidido que saldrías, y no veo que tengas ninguna otra invitación.

—Qué amable por tu parte recordármelo.

—Lo tomo como un sí, así que seré tu acompañante esta noche. Y quítate es aspecto triste. Sospecho que tu galán vendrá a la ciudad en cualquier momento y te salvará de futuras carnicerías musicales.

—No aparecerá hasta dentro de por lo menos dos semanas, pues Emma está siendo mi dama de compañía hasta que mis padres regresen de Italia. No puede estar en dos lugares al mismo tiempo, y de todos modos, dudo que crea que me he enamorado tan rápidamente de otro hombre. Me temo que tendrás que ser mi acompañante durante quince días. A condición, claro, de que no tenga que asistir a más veladas musicales.

—Nunca sería tan cruel. Hasta esta noche entonces, Belle.

Dunford se levantó con una sonrisa coqueta, hizo una reverencia elegante, y abandonó la habitación. Belle se quedó sentada en el sofá durante un buen rato después de que se hubiese ido, preguntándose por qué no se había enamorado de él en vez de hacerlo de John. Todo hubiese sido más sencillo. O tal vez no, pues Dunford no estaba enamorado de ella lo más mínimo, y no la quería más de lo que quiere un amigo a otro.

Belle se levantó y subió las escaleras preguntándose si estaba emprendiendo las acciones correctas. Una equivocación podría ser sumamente dolorosa, pero sabía que no sería capaz de vivir con ella misma sin por lo menos intentar forjarse una vida con John. Simplemente tenía que esperar un par de semanas.

Capítulo 10

*F*inalmente Belle no tuvo que esperar dos semanas para poner en marcha el plan de Dunford. Junto una semana después de que ella y Emma llegaran a Londres, apareció Alex con gran determinación en la puerta principal acompañado de una dama de mediana edad un poco rolliza.

Belle pasaba por el vestíbulo cuando irrumpió en la casa.

—Oh, Dios mío… —exclamó divertida observando la escena.

—¿Dónde está mi mujer? —preguntó Alex.

—Arriba, creo —replicó Belle.

—¡Emma! —la llamó—. Emma, baja.

En unos segundos, Emma apareció en lo alto de la escalera.

—¿Alex? —dijo incrédula—. ¿Qué diablos haces aquí? ¿Y quién es tu invitada?

—Ya ha pasado una semana —declaró sencillamente—. Te voy a llevar a casa.

—Pero…

—Y ella es… —Alex la interrumpió con brusquedad y se dirigió a la dama que tenía a su lado— mi tía abuela Persephone que se ha ofrecido amablemente para ser la dama de compañía de Belle.

Belle examinó la desaliñada apariencia de Persephone y su expresión de agobio, y se preguntó si la dama había tenido alguna opción para decidir aquello. Después de comprobar el rostro decidido de Alex se dio cuenta de que seguramente Persephone no se habría podido negar.

—¿Persephone? —repitió Emma en voz baja.

—A mis padres les gustaba la mitología —dijo la dama con una sonrisa.

—Como ves —dijo Alex— sus padres eran aficionados a la mitología. Eso lo explica todo.

—¿Ah, sí? —preguntó Belle.

Alex le lanzó una mirada tan fulminante que Belle cerró la boca con resignación.

—Emma —dijo él con dulzura mientras subía tranquilamente las escaleras—. Ya es hora de irse a casa.

—Lo sé, yo también te echaba de menos, pero sólo me iba a quedar otra semana más, y no me puedo creer que hayas arrastrado a tu tía hasta aquí haciéndola cruzar medio país.

Persephone sonrió.

—La verdad es que he cruzado el país entero. Soy de Yorkshire.

Belle contuvo la risa y decidió que Persephone y ella eran muy compatibles.

—Haz las maletas, Emma.

Belle y Persephone miraban a la pareja con franco interés hasta que se fundieron en un abrazo y los labios de Alex atraparon los de Emma en un ardiente beso. En ese momento Persephone se dio la vuelta, y Belle se quedó mirando de reojo hasta sonrojarse, que era lo que correspondía.

Pero siguieron besándose y besándose hasta que se hizo incómodo para Belle, Persephone y los seis sirvientes que había en el vestíbulo principal. Intentando comportarse de la mejor manera en una situación extraña, Belle sonrió radiantemente a Persephone y le dijo:

—¿Qué tal está? Soy lady Arabella Blydon, aunque supongo que ya lo sabe.

La anciana asintió.

—Soy la señorita Persephone Scott.

—Encantada de conocerla, señorita Scott.

—Oh, por favor, llámame Persephone.

—Y a mí todos me llaman Belle.

—Estupendo. Creo que nos vamos a llevar muy bien. —Persephone la miró rígidamente por encima del hombro y se aclaró la garganta—. ¿Todavía están en eso? —le preguntó susurrando.

Belle miró hacia arriba y asintió.

—Ya sabe que será sólo una semana.

—¿Van a hacer eso una semana?

—No —Belle se rió—. Quiero decir que mis padres están de vuelta en una semana. Después podrá hacer lo que quiera.

—Espero hacerlo. Alex me ha pagado una auténtica fortuna para hacerme venir aquí.

—¿De verdad?

—Sí. Claro que de todos modos habría venido aunque solo me hubiese pagado los gastos del viaje. No vengo a Londres muy a menudo. Para mí es toda una aventura. Pero antes de que dijera nada se adelantó ofreciéndome esa enorme cantidad de dinero. Lo acepté enseguida.

—¿Quién no lo haría?

—¿Verdad que sí?

Persephone hizo un extraño movimiento con la cabeza.

—Todavía se están besando —dijo Belle interpretando su señal correctamente.

—Su comportamiento no es muy, eh, cortés. Sobre todo habiendo una dama joven y soltera en los alrededores. —Miró a Belle y sonrió—. No he sido nunca antes dama de compañía. ¿Qué tal lo hago?

—No parece lo bastante severa.

—¿Ah, no?

—No, pero la prefiero así. Y no se preocupe por ellos —Belle miró por encima del hombro a la apasionada pareja que estaba en el descansillo del segundo piso—. Normalmente son mucho más comedidos. Imagino que se debe a que se echaban mucho de menos. Han estado separados una semana, ya lo sabe.

—Bueno, creo que tendremos que excusarlos. Es evidente que se quieren de verdad.

—Sí, se quieren —dijo Belle con suavidad, y entonces supo que estaba haciendo lo correcto en relación a John pues anhelaba con toda su fuerza que alguien la quisiera y deseara tanto como para besarla durante cinco minutos delante de ocho testigos. Y lógicamente, claro, que el hombre en cuestión fuese alguien que ella también desease desesperadamente devolverle el beso, sin importarle los espectadores que hubiera.

Belle suspiró. Tenía que ser John. Pero de pronto se dio cuenta de que todavía no le había contado el plan a Emma.

—Oh, Dios mío... —exclamó.

Tenía que encontrar un momento a solas con ella antes de que Alex la arrastrara a Westonbirt, y al ritmo que llevaban, no iban a separar los labios en todo el camino de vuelta.

—¿Algún problema? —preguntó Persephone.

—Oh, Dios mío —dijo, y subió corriendo las escaleras para coger la mano de Emma que estaba en el pelo de Alex—. Lo siento Alex, te parecerá una broma, pero tengo que hablar con Emma. Es muy importante.

Tiró de Emma con fuerza, y gracias a que Alex había caído en una especie de nebulosa pasional, estaba lo suficientemente débil como para soltarla. Unos segundos después las dos mujeres se encontraban a resguardo en la habitación de Emma. Belle cerró la habitación con llave rápidamente.

—Necesito que hagas algo por mí —dijo Belle.

Emma se quedó mirándola sin comprender, todavía aturdida por el apasionado beso de Alex.

Belle chasqueó los dedos un par de veces frente a la cara de su prima.

—¿Hola? ¡Despierta! Ya no te están besando.

Belle le expuso su plan sin perder un minuto. Emma no estaba segura de que funcionase pero le dijo que representaría su papel.

—Sólo una cosa —añadió—. ¿Piensas que va a creer que lo has olvidado tan rápidamente?

—No lo sé, pero si viene a Londres, enseguida se dará cuenta de que no he estado aquí sentada sin hacer nada. Dunford me ha estado presentando a una serie de respetables solteros disponibles. La semana pasada tres condes y un marqués, creo. Es sorprendente la cantidad de gente que hay en Londres fuera de temporada.

—Espero que sepas lo que estás haciendo.

—No tengo idea de lo que hago —le confesó Belle con un suspiro—. Pero no sé qué otra cosa hacer.

John se había volcado en su trabajo en Bletchford Manor, supervisando las reformas de la casa e incluso echando una mano en ellas. Curiosamente el trabajo físico lo relajaba; y en ocasiones incluso conseguía no pensar en Belle.

El trabajo en la casa y en los campos de alrededor lo mantenían ocupado durante el día, y por la tarde se dedicaba a sus asuntos financieros, ansioso por recuperar el dinero que había empleado para comprar Bletchford Manor. Pero cuando empezaba a oscurecer no podía dejar de pensar en la rubia doncella que en esos momentos se encontraba a más de tres horas, en Londres. Si se había propuesto alejarse de él lo más posible, lo había logrado.

No paraba de recordar cada momento que había pasado en su compañía, y cada escena que reproducía su cabeza era como una pequeña daga que se le clavaba en el corazón. Casi cada noche se despertaba duro y excitado, y sabía que había estado soñando con ella. Pensó en dirigirse al pueblo de al lado a buscar a una mujer que mitigara su dolor, pero abandonó la idea al darse cuenta de que ninguna mujer podía hacer que se sintiera mejor. Al menos ninguna mujer que no fuera Belle.

Se llevó una sorpresa cuando Buxton le anunció que había venido la duquesa de Ashbourne. No le preguntarás por Belle, se dijo a sí mismo mientras se dirigía al salón azul para saludarla.

—Buenos días, excelencia —dijo cortésmente.

Emma parecía de buen humor y su cabello daba la impresión de estar especialmente brillante.

—Creía que le había dicho que me llamara Emma —lo regañó.

—Lo siento. Supongo que es la costumbre.

—¿Cómo está?

—Muy bien. ¿Y cómo está Belle?

Si hubiera podido darse una patada a sí mismo sin que lo advirtiera la duquesa, lo hubiera hecho. Una buena patada.

Emma sonrió con picardía cuando se dio cuenta de que el plan de Belle iba a ser un éxito rotundo.

—La verdad es que se encuentra muy bien.

—Bien. Me alegro por ella. —Y así era, supuso, aunque le hubiera gustado que lo añoraba un poco al menos.

—Está pensando en casarse.

—¿Qué?

Emma hubiera deseado tener alguna forma de registrar la expresión de John porque sinceramente no tenía precio.

—He dicho que está pensando en casarse.

—Ya la he oído —replicó John.

Emma volvió a sonreír.

—¿Y quién es el afortunado?

—No me lo ha dicho. Sólo me dijo que era alguien que había conocido en Londres la semana pasada. Creo que es un conde, o tal vez un marqués. Ha estado yendo a muchas fiestas.

—Ya veo —dijo John sin evitar cierto sarcasmo en su voz.

—Parece que se está divirtiendo.

—La verdad es que no ha perdido tiempo buscando a un hombre —dijo él malhumorado.

—Bueno, ya sabe cómo es la cosa.

—¿Qué cosa?

—Bueno, el amor a primera vista y todo eso.

—Sí —dijo John con voz lúgubre.

—A propósito… —dijo Emma inclinándose hacia él.

—¿Qué?

«Soy genial», pensó Emma. «Absolutamente genial».

—A propósito —repitió—, me dijo que le recordaba un poco a usted.

Furia, celos, indignación y un montón de emociones desagradables se apoderaron de John en proporciones absolutamente insanas.

—Me alegro por ella —dijo con mordacidad.

—Sabía que sería así —dijo Emma despreocupadamente—. Al fin y al cabo han sido muy buenos amigos.

—Sí, lo fuimos.

—Me aseguraré de que le envíe una invitación para la boda. Estoy convencida que para Belle será muy importante tenerle allí.

—Seguro que estaré muy ocupado.

—Pero si no sabe cuándo será la boda. Todavía no han puesto una fecha.

—Seguro que estaré muy ocupado —repitió secamente.

—Ya veo.

—Sí, no lo dudo —John se preguntaba si la esposa de Alex era extraordinariamente cruel o sólo muy ingenua—. Ha sido muy agradable que se pasara por aquí con noticias de Belle, pero me temo que tengo asuntos de los que me tengo que ocupar de inmediato.

—Sí, claro —dijo Emma levantándose con una gran sonrisa—. Le diré a Belle que le desea que le vaya bien. —Y puesto que él no comentó nada lo miró con inocencia y le preguntó—: ¿Quiere que le vaya bien, verdad?

John se limitó a gruñir.

Emma retrocedió conteniendo la risa.

—Entonces le diré que le envía un saludo. Y por favor, venga a hacernos una visita pronto. Estoy segura de que a Alex le encantará verle.

Mientras bajaba las escaleras para dirigirse a su carruaje pensó que debería enviar a Belle una nota diciéndole que John llegaría a Londres muy, muy pronto.

John se quedó observando a Emma marcharse por el camino que salía de su casa. En cuanto desapareció de la vista, se puso a soltar todo tipo de blasfemias y para no quedarse corto dio una patada a un muro de la casa. Después se dirigió rápidamente a su estudio donde se sirvió un gran vaso de whisky.

—Maldita sea esta mujer inútil y voluble —murmuró después de dar un gran trago. El licor le quemó la garganta pero apenas lo sintió.

—¿Se va a casar? —dijo en voz alta—. ¿A casar? ¡Ja! Espero que sea infeliz.

Se bebió lo que quedaba en el vaso y se sirvió otro. Desgraciadamente el whisky no amortiguaba el dolor que le apretaba el corazón. Cuando le dijo a Belle que estaría mejor sin él, nunca hubiera soñado que sería tan doloroso pensar que estaba en los brazos de otro hombre. Ah, se imaginaba que algún día se casaría, pero era una imagen borrosa y desenfocada. Ahora no podía sacarse de la cabeza la imagen de ella y su conde, o lo que fuera, sin rostro. Veía su pícara sonrisa mientras se empinaba para besarlo. Y una vez que se hubieran casado, Dios, era terrible. Se imaginaba a Belle desnuda a la luz de una vela extendiendo sus brazos a ese extraño. Y entonces su marido cubría su cuerpo con el suyo y…

John apuró su segundo vaso de whisky. Por lo menos desconocía el aspecto de ese hombre. La verdad es que no le hacía ninguna falta imaginar los detalles más vívidos de la escena.

—Maldición, maldición, maldición, maldición —murmuró acentuando cada «maldición» con una patada a su escritorio. Pero el mueble ganó la batalla fácilmente pues estaba hecho de un roble muy sólido, y sin duda su pie se resentiría al día siguiente.

¿Iba a ser así el resto de su vida? Había estado un día en el pueblo y todas las mujeres le recordaban a Belle. Una tenía los ojos casi tan azules como ella. Otra era más o menos de su altura. ¿Iba su corazón a recibir una sacudida cada vez que viera a una rubia entre la muchedumbre?

Se fue desplomado poco a poco en el suelo mientras se apoyaba contra el escritorio.

—Soy un imbécil —se lamentó—. Soy un imbécil.

Y esa letanía resonó en su mente hasta que finalmente se durmió.

John caminaba por una casa. Era suntuosa y opulenta. Intrigado, se adentró aún más.

¿Qué eran esos extraños golpes?

Procedía de una habitación al final del pasillo. Se acercó aterrorizado por lo que creía que se podría encontrar allí.

Más y más cerca. Al final no era un golpe. John sintió que empezaba a perder el miedo. Estaba... bailando. Alguien bailaba. Podía oír la música.

Abrió la puerta. Era un salón de baile. Cientos de parejas bailaban el vals y giraban con naturalidad. Y en el centro...

Su corazón se detuvo. Era Belle.

Estaba tan guapa... Echaba la cabeza hacia atrás y se reía. ¿La había visto alguna vez tan contenta?

John se acercó. Intentaba mirar quién era su pareja de baile, pero los rasgos del hombre siempre eran borrosos.

Una a una, las otras parejas salían de la escena hasta que sólo quedaban tres personas en la habitación. John, Belle y Él.

Tenía que irse de allí. No soportaba ver a Belle y a su amante. Intentó moverse pero tenía los pies pegados al suelo. Intentó apartar la vista pero su cuello se negaba a volverse.

La música se hizo más rápida. La pareja de bailarines giraban fuera de control hasta que... dejaron de bailar.

John entornó los ojos para ver mejor. ¿Qué estaba ocurriendo?

La pareja discutía. Belle parecía que intentaba explicar algo al hombre. Y entonces él la golpeó. La abofeteó con el dorso de la mano, y sus anillos dejaron una marca roja en su pálida piel.

John gritó su nombre, pero la pareja no parecía escucharlo. Intentó acercarse a ella pero sus pies, que se habían negado a sacarlo de la habitación, tampoco querían caminar en la dirección opuesta.

El hombre la volvió a golpear y ella cayó al suelo con los brazos levantados para proteger su cabeza. John estiró sus brazos hacia ella pero no eran lo bastante largos. La llamó por su nombre, una y otra vez, y entonces, afortunadamente, la pareja desapareció de su visión.

John se despertó la mañana siguiente sin sentir demasiada lástima de sí mismo, aunque tenía un dolor de cabeza que merecía compasión, de sí mismo o lo que fuera. No estaba del todo seguro de lo que había soñado la noche anterior, pero fuese lo que fuese, estaba convencido de que no se iba a quedar sentado viendo cómo Belle malgastaba su vida con un conde disoluto.

Que no tuviera la certeza de que su posible prometido fuese un conde, o que fuese disoluto, no parecía importarle. ¿Y si le pegaba? ¿Y si le prohibía leer? John sabía que no era lo suficientemente bueno para ella, pero tampoco estaba seguro de que alguien lo fuera. Él, por lo menos, intentaría hacerla feliz. Le daría todo lo que tuviera y le entregaría todas las partes de su alma que aún estaban intactas.

Belle debía estar con alguien que apreciara su inteligencia y sabiduría tanto como su gracia y su belleza. Se la imaginaba teniendo que leer a escondidas de un marido aristócrata. Probablemente ni siquiera le consultaría las decisiones importantes, pues consideraría que las mujeres no eran lo bastante inteligentes como para tener opiniones que valiesen la pena.

No, Belle lo necesitaba a él. Tenía que salvarla de un matrimonio desastroso. Y luego, supuso, se casaría con ella.

John era consciente de que estaba a punto de llevar a cabo una gran hazaña. Y sólo le quedaba esperar que Belle comprendiera que se había dado cuenta de que ella había tenido razón desde el principio. La gente se equivoca, ¿o no? Al fin y al cabo él no era un héroe de cuento infalible.

—No, Persephone, creo que no le queda bien el color lila.

Belle y su dama de compañía habían salido de compras. Persephone estaba ansiosa por derrochar el montón de dinero que le había dado Alex.

—De todos modos, siempre me ha gustado el lila. Es uno de mis colores favoritos.

—Bueno, entonces buscaremos un vestido con algunos toques con tonos lavanda, pero me temo que ese color no le sienta tan bien como otros.

—¿Qué me sugerirías?

Belle sonrió a la anciana mientras tocaba un rollo de terciopelo verde oscuro que se llevó a la mejilla. Estaba disfrutando con la tía soltera de Alex aunque parecía a veces que sus papeles se intercambiaban. Persephone le pedía constantemente su opinión sobre cualquier asunto, desde la comida hasta la moda o la literatura. Rara vez salía de Yorkshire, le explicó, y no tenía idea de cómo desenvolverse en Londres. Aún así tenía un agudo ingenio y un subestimado sentido del humor que divertía a Belle muchísimo.

Pero esa tarde no era la compañía de Persephone lo que había puesto a Belle una sonrisa en la cara. Acababa de recibir un mensaje urgente de Emma aconsejándole que estuviera preparada porque John podía aparecer en cualquier momento. Parecía que no se había tomado bien la noticia de su inminente matrimonio.

«Bien», pensó Belle con bastante suficiencia. Le estremecía pensar cómo hubiera reaccionado ella si alguien le trajera una noticia así de John. Probablemente le hubiera querido sacar los ojos a la culpable. Y eso que por lo general no era una persona violenta.

—¿De verdad crees que este verde me irá bien? —preguntó Persephone mirando la tela con mala cara.

Belle salió de su ensoñación.

—¿Mmm? Oh, sí. Usted tiene unas manchitas verdes muy bonitas en los ojos. Creo que las resaltará.

—¿Eso crees? —Persephone levantó el rollo de terciopelo y se miró al espejo ladeando la cara de una manera muy femenina.

—Sí, mucho, y si le gusta tanto el lavanda, tal vez tendría que pensar en sustituirlo por este violeta intenso. Pienso que le quedará estupendo.

—Mmm, tal vez tengas razón. Me encantan los violetas. Siempre me pongo perfume de violetas.

Cuando Persephone estaba concentrada en su tela, Belle se dirigió a madame Lambert, la dueña de la tienda, que se las daba de francesa.

—Ah, lady Arabella —dijo entusiasmada—. Me alegrar de volver a verla. No venido pog aquí desde hace varios meses.

—He estado en el campo —replicó Belle con simpatía—. ¿Podría hacerle una pregunta personal?

Los ojos azules de madame Lambert brillaron emocionados, sin duda por la perspectiva de que Belle quisiera algo que le hiciera ganar mucho dinero.

—¿Sí?

—Necesito un vestido. Un vestido muy especial. En realidad dos vestidos especiales. O tal vez tres —Belle frunció el ceño mientras consideraba su futura compra. Necesitaba estar deslumbrante para cuando John viniera a Londres. Desgraciadamente no tenía idea de cuándo llegaría, o siquiera, no quería ni pensarlo, si lo haría.

—Esó no será un pgoblema, milady.

—Necesito vestidos distintos a los que normalmente compro. Algo más… seductor.

—Ya veo, milady. —Madame Lambert sonrió con complicidad—. Tal vez desee atraeg a un caballego en especial. La dejaré deslumbrante. ¿Y cuando necesita los vestidos?

—¿Esta noche? —la réplica de Belle era más una pregunta que una respuesta.

—¡Dios mío! —chilló madame Lambert olvidando por completo su acento—. ¡Soy buena pero no puedo hacer milagros!

—¿Puede hablar más bajo? —susurró Belle enseguida mirando nerviosa alrededor. Le gustaba Persephone, pero no creía necesario que supiera que la joven a la que acompañaba estaba planeando seducir a alguien—. Esta noche sólo necesito uno. Los otros pueden esperar. Por lo menos hasta mañana. No será tan difícil. Ya tiene todas mis medidas. Y le aseguro de que no he engordado desde la última vez que vine.

—Me pide mucho, milady.

—Si no estuviera completamente convencida de que puede hacerlo, no se lo hubiera pedido. Además podría haber ido a madame Laroche.

Belle sonrió y dejó que sus palabras quedasen flotando en el aire.

Madame Lambert suspiró con dramatismo y dijo:

—Tengo un vestido. Era para otra dama. Bueno, no exactamente una dama. —Ante la expresión de horror de Belle, se apresuró en añadir—. Pero tiene un gusto exquisito, se lo aseguro. Perdió su fuente de ingresos y no poder pagar. Con algunos arreglos creo que le irá pegfectamente.

Belle asintió y avisó a Persephone que se iba al cuarto de atrás un momento. Siguió a Madame Lambert hasta que la condujo a un armario.

—Si quiere atraer a un hombre sin parecer vulgar —dijo la modista— esto es lo que necesita.

Con gran estilo sacó un vestido de terciopelo color azul medianoche que destacaba por su simplicidad. Al no llevar adornos resaltaba su elegante corte.

Belle pasó un dedo por el suave terciopelo admirando la manera en que el corpiño estaba ribeteado con hilos de plata.

—Es maravilloso —dijo—. Pero no es demasiado diferente de los que ya tengo.

—Pog delante es igual que los demás, pero mire pog atrás... Madame Lambert dio la vuelta al vestido, y Belle se dio cuenta de que mostraba la mayor parte de la espalda—. Tendrá que ponerse el cabello en un moño alto —continuó— así no tapagá el efecto.

Belle apartó de mala gana la vista del vestido y miró a la modista.

—Me lo llevo.

John llegó a Londres en poco tiempo, sobre todo considerando que no se lo había notificado con tiempo a Wheatley. El eficiente ayuda de cámara había preparado su equipaje con gran rapidez. John esperaba no tardar demasiado en recuperar el favor de Belle, pues dudaba si tenía suficientes trajes elegantes para más de quince días. Siempre había sido riguroso con la calidad, pero la calidad era cara, así que no tenía demasiada ropa.

Respiró hondo mientras subía los peldaños de la casa de la ciudad de su hermano mayor. No había visto a Damien desde hacía años, aunque había recibido una breve nota de felicitación al obtener su título de nobleza. Damien posiblemente no se emocionaría al verlo, pero no se puede dar la espalda a un hermano, ¿verdad? Y además John no tenía más opciones. No había tiempo para encontrar una residencia que se alquilase. Y por lo que sabía, Belle ya podría estar comprometida.

Volvió a respirar hondo, levantó la pesada aldaba de latón y la dejó caer contra la puerta. Casi al instante apareció un mayordomo.

—¿Se encuentra el conde en casa? —preguntó John con cortesía.

—¿A quién debo anunciar?

John le pasó una reluciente tarjeta de visita blanca. El mayordomo anotó su apellido y levantó una ceja.

—Soy su hermano —aclaró.

El mayordomo condujo a John a un espacioso salón a un lado del pasillo principal. Pocos minutos después Damien entró en la habitación evidentemente sorprendido. Como siempre, a John le llamó la atención el parecido que había entre ellos. Damien era una versión mayor y un poco más suave de sí mismo, aunque no aparentaba sus treinta y nueve años. Siempre había sido bastante guapo, en sentido clásico, mientras que John tenía el rostro demasiado fino y anguloso como para ajustarse a las directrices de la elegancia aristocrática.

—Ha pasado una eternidad —dijo Damien finalmente extendiendo la mano—. ¿Qué te trae a la ciudad?

John cogió la mano de su hermano y la estrechó con fuerza.

—Tengo asuntos urgentes en Londres, y me temo que no he tenido tiempo para procurarme alojamiento. Esperaba poder abusar de tu hospitalidad mientras me ocupo de mis negocios.

—Claro que sí.

John sabía que Damien aceptaría. Dudaba si su hermano recibiría la petición con entusiasmo o siquiera remotamente contento, pero Damien daba mucha importancia a la educación y a las buenas maneras por lo que de ninguna manera negaría su hospitalidad a su propio hermano. Por supuesto mientras no abusara de ese privilegio.

—Te lo agradezco —replicó John—. Te aseguro que si veo que no puedo resolver mis asuntos en quince días, buscaré otro alojamiento.

Damien inclinó graciosamente la cabeza.

—¿Has traído a alguien contigo?

—Sólo a mi ayuda de cámara.

—Excelente, ¿entonces doy por hecho que has traído trajes de noche?

—Claro.

—Bien. Me han invitado a una pequeña fiesta esta noche y la anfitriona me ha enviado una nota hace una hora preguntándome si podía llevar a algún caballero. Alguien se ha puesto enfermo, parece, y van demasiadas mujeres.

A John no le apetecía en absoluto la idea de salir a una reunión social, pero aceptó porque así podría averiguar con quién se pensaba casar Belle.

—Fantástico —replicó Damien—. Le enviaré enseguida una nota a lady Forthright. Ah, y podrás conocer a la dama que pretendo cortejar. Ya sabes que es hora de que encuentre esposa. Necesito un heredero.

—Por supuesto —murmuró John.

—Creo que es una muy buena elección aunque tengo que conocerla un poco más. Muy bien educada y encantadora. Inteligente, pero no hace alarde de ello.

—Parece un dechado de virtudes.

Damien se volvió de pronto hacia él.

—Tal vez la conozcas. Recientemente pasó alrededor de un mes visitando a sus parientes cerca de tu nueva casa. ¿Cómo se llama? No me acuerdo.

John sintió que se le formaba una desagradable sensación en el estómago que se le extendió por todo el cuerpo.

—Se llama Bletchford Manor —dijo fríamente.

—Un nombre horrible. Tendrías que cambiarlo.

—Eso quiero. Estabas a punto de decir algo…

—Ah, sí. Se llama lady Arabella Blydon.

Capítulo 11

John se sentía como si hubiera recibido un golpe. El aire le parecía sofocante y la cara de Damien había adquirido una inmerecida expresión siniestra.

—Conozco a lady Arabella —consiguió articular al fin con el placer agridulce de que su voz sonara normal.

—Qué bien —dijo Damien afablemente—. Estará en la fiesta esta noche.

—Será un placer saludarla.

—Bien. Te dejaré para que te instales. Lightbody te mostrará tu habitación. Pasaré más tarde para ponerte al tanto de los detalles para esta noche. —Dijo Damien sonriendo sosamente y salió de la habitación.

El mayordomo entró enseguida con silenciosa eficiencia e informó a John que sus pertenencias habían sido trasladadas a la habitación de invitados de la segunda planta. Todavía aturdido, John siguió al mayordomo a la habitación y se tumbó en la cama donde se quedó mirando el techo, dejando que la furia se apoderara de todo su ser.

¿Su hermano? ¿Su hermano? Nunca hubiera imaginado que Belle fuera capaz de algo tan malicioso. Quería obligarse a quitársela de la cabeza; estaba demasiado disgustado y era evidente que ella no lo merecía.

Pero no lo consiguió. Cada vez que lograba pensar en comida o caballos o cualquier cosa neutral, aparecía la conocida cabeza rubia y su sonrisa radiante. Después la sonrisa se convertía en una risa altiva mientras la veía seducir a su hermano.

¡Maldita mujer!

Cuando llegó la hora de prepararse para la fiesta, John eligió con extraordinario cuidado un traje de etiqueta negro sólo aliviado por la limpia blancura de la camisa y la corbata. Él y su hermano intercambiaron una conversación trivial en el carruaje, pero John estaba demasiado preocupado con la idea de tener que ver a Belle prestando toda su atención a Damien. No culpaba a su hermano de haberse enamorado de ella; conocía de sobras sus encantos. Pero estaba furioso con ella por llevar a cabo deliberadamente una venganza tan sucia.

Cuando llegaron a la mansión Forthright, John permitió que el mayordomo le quitara su abrigo y de inmediato miró alrededor para localizar a Belle. Ella estaba en una esquina charlando animadamente con un hombre alto y guapo de cabello y ojos oscuros. Era evidente que había estado muy ocupada desde su último encuentro dos semanas antes, pensó con amargura. La atención de Damien se centró pronto en un amigo suyo, y dado que la anfitriona no se encontraba en ninguna parte, John consiguió evitar presentaciones largas y pesadas. Así que se dirigió hacia donde estaba Belle, deseando poder controlar su tremenda rabia.

—Buenas noches, lady Arabella —le dijo situado a sus espaldas sin estar seguro de qué más podía ocurrir.

Belle se dio la vuelta y se emocionó tanto al verlo que pasó por alto la frialdad de su voz.

—¡John! —dijo asombrada y con los ojos brillantes de indisimulada alegría—. Qué sorpresa.

Había venido. Había venido. Sintió un gran alivio y alegría, seguido de irritación hacia sí misma. Maldición, no se había puesto el atrevido vestido azul. Nunca hubiera imaginado que iba a llegar a Londres tan pronto.

—¿Ah, sí?

Belle miró parpadeando.

—¿Perdone?

—Tal vez debería presentarme a su amigo.

Lo único que quería era hablar con ella a solas, pero no veía manera de ignorar al hombre que tenía a su lado.

—Oh, claro —dijo Belle tartamudeando—. Lord Blackwood, le presento a mi buen amigo el señor William Dunford.

Dunford sonrió hacia ella de una manera demasiado familiar para el gusto de John.

—No sabía que conocías mi primer nombre, Belle —bromeó.

—Ah, calla, Dunford. La próxima vez te voy a llamar Edward para molestarte.

John sufrió un ataque de celos por la confianza con que se trataban Belle y Dunford. Sin embargo, se apresuró a tenderle una mano. Dunford la estrechó, murmuró un saludo y después se excusó educadamente. Y una vez que se retiró, John permitió que afloraran sus verdaderas emociones.

Belle se sintió sofocada y dio un paso atrás ante la tremenda furia que irradiaba de sus ojos.

—John, ¿qué pasa?

—¿Cómo ha podido, Belle? —dijo con despecho—. ¿Cómo ha podido?

Ella parpadeó. Esperaba darle celos, pero no desatar una rabia incontrolable.

—¿Cómo pude qué?

—No se haga la inocente. No le va ese papel.

—¿De qué habla? —repitió Belle con la voz cada vez más alterada.

Él sólo la miraba.

Entonces se acordó de la mentira que Emma le había contado por encargo suyo para hacerlo venir a Londres. Tal vez pensaba que Dunford y ella…

—¿Es por Dunford? —preguntó ella enseguida—. Si es eso, no hay nada de qué preocuparse. Es un viejo amigo mío, y eso es todo. Además es el mejor amigo de Alex.

—No es por él —dijo John susurrando—. Es por mi hermano.

—¿Quién?

—Ya me ha oído.

—¿Su hermano?

John asintió con brusquedad.

—Ni siquiera conozco a su hermano.

—Si sigue mintiendo, Belle, va a terminar teniendo un tropiezo. Y créame, no voy a estar para recogerla cuando caiga.

Belle dio un suspiro.

—Creo que lo mejor será que continuemos esta conversación en privado.

Con la barbilla muy levantada, salió de la habitación y se dirigió a la terraza. Al llegar a su destino su confusión se había convertido en rabia, y cuando volvió a mirarlo a la cara sus ojos destellaban violencia.

—Muy bien entonces, lord Blackwood. Ahora que ya no estamos delante de nadie supongo que me podrá explicar de qué se trataba esta escenita.

—No está en posición de hacerme exigencias, milady.

—Le aseguro que no soy consciente de tales limitaciones a mi conducta.

John no podía más. Quería agarrarla por los hombros y zarandearla. Zarandearla, zarandearla y zarandearla, y después... Oh, Dios, quería besarla. Pero no tenía la costumbre de besar de rabia a nadie así que se limitaba a mirarla fijamente.

—Soy consciente de que mi comportamiento con usted no ha sido siempre impecable, pero que haya seducido a mi hermano es mezquino e infantil. Por no llamarlo asqueroso. Casi le dobla la edad.

Belle todavía no estaba segura de qué hablaba exactamente, pero no estaba de humor como para ofrecerle ninguna explicación así que levantó la barbilla y replicó:

—Es muy común que las mujeres de clase alta se casen con hombres mayores. Creo que las mujeres maduran más rápido y a veces nos encontramos con que hombres de nuestra edad, e incluso ocho o diez años mayores —dijo remarcando esta parte—, son infantiles y pesados.

—¿Me está llamando infantil y pesado? —dijo él muy serio y en voz baja.

—No lo sé. ¿A usted qué le parece? Ahora, si me excusa, me parece que esta conversación es extremadamente infantil y pesada, y tengo mejores cosas que hacer.

John la agarró con fuerza.

—No la excuso, muchas gracias, y no tengo mejores cosas que hacer. Quiero preguntarle algo y que me responda. —Hizo una pausa y con su silencio obligó a Belle a mirarlo a los ojos—. ¿Siempre ha sido tan deliberadamente cruel?

Belle dio un tirón brusco con los brazos para soltarse.

—Le abofetearía —susurró— pero me temo que su mejilla me contaminaría la mano.

—Estoy seguro de que le encantará saber que me hace daño. Pero, milady, sólo ha sido durante un momento. Me he dado cuenta de que no quiero nada de una mujer que es capaz de caer tan bajo como para casarse con mi hermano para vengarse de mí.

Belle finalmente dio rienda suelta a su exasperación.

—Por última vez, John, no tengo idea de quién es su hermano.

—Vaya, eso es interesante, porque él sí sabe quién es usted.

—Mucha gente sabe quién soy.

John acercó su cara a la de ella.

—Está pensando en casarse con usted.

—¿Qué?

—Lo que ha oído.

Belle parpadeó sorprendida mientras parte de su enfado se disipaba con la confusión del momento.

—Supongo que muchos hombres han pensado en casarse conmigo —dijo ella pensativa—. Pero eso no significa que me lo hayan pedido. Ni tampoco que haya correspondido a sus sentimientos.

Por un momento John quiso creer lo que decía pero se acordó de las palabras de Emma. «Está pensando en casarse... Un conde, creo... me dijo que le recordaba un poco a ti».

—No intente confundirme con sus palabras, niña —le advirtió.

—¿Niña? ¡Niña! No me importa que me contamine, ¡le voy a abofetear!

Belle levantó la mano pero John se la cogió fácilmente.

—No tiene mis reflejos, Belle —dijo él con suavidad—. Nunca podrá ganar una batalla entre nosotros.

Su actitud condescendiente fue la chispa que convirtió su enfado en furia genuina.

—Déjeme decirle un par de cosas, lord Blackwood —dijo encolerizada mientras retiraba su mano—. Lo primero es que no sé quién es su hermano, y lo segundo es que si decido casarme con él, no veo por qué le importa tanto, pues me dejó muy claro que no quería tener nada que ver conmigo. Lo tercero es que no entiendo por qué tengo que darle explicaciones de lo que haga. Y lo cuarto...

—Quédese en lo tercero —dijo John con sorna—. He perdido el interés.

Belle le miró con desprecio, levantó una mano como si volviera a intentar abofetearlo, y una vez que distrajo su interés le dio un enorme pisotón. John ni siquiera hizo un gesto de dolor. Era de esperar pues sus zapatos eran bastante delicados. Aún así su ánimo mejoró ante esa pequeña victoria.

—Está perdiendo reflejos, John —dijo burlándose.

—Si quiere hacerme daño de verdad póngase zapatos más duros, Belle. Y se evitarán hacerse ampollas la próxima vez que salga de excursión.

Belle tragó saliva al recordar lo atento que había sido John cuando le curó el pie. Era difícil reconciliar a ese ser amable y delicado con el hombre sardónico y ofensivo que tenía delante. Haciendo una inspiración que indicaba hastío lo miró a los ojos y le dijo:

—Quiero volver a la fiesta. Así que si se aparta por favor...

John no se movió.

—¿Con quién se va a casar?

Belle se lamentó de que sus mentiras de nuevo la atormentaran.

—No es asunto suyo —le espetó.

—Le he preguntado que con quién se va a casar.

—Y yo le he dicho que no es asunto suyo.

John se inclinó hacia delante.

—¿No será con el conde de Westborough por casualidad?

Los ojos de Belle casi se salieron de sus órbitas.

—¿Es su hermano?

Belle realmente no sabía que eran parientes. Nadie podría haber fingido la expresión que puso. Pero John quería estar completamente seguro.

—¿Y su apellido no le dio una pista?

—Lo conocí hace sólo una semana. No conozco su apellido, me lo presentaron como conde de Westborough. Y antes de acusarme de más delitos atroces, déjeme decirle que supe que su padre era conde porque Alex me lo dijo. No tenía ni idea.

John no dijo nada y se limitó a juzgarla en silencio. Belle consideró que su comportamiento era insufrible.

—Aunque ahora que lo menciona se parece un poco a usted. Tal vez un poco más guapo, y además no cojea.

John ignoró su insulto, y lo reconoció por lo que era: una pulla tonta de una animal herido a otro.

—¿De verdad que no sabía que era mi hermano?

—¡No! ¡Se lo juro! —Pero Belle sintió que se estaba comportando como si le estuviera rogando su perdón a pesar de no haber hecho nada malo, así que le dijo—: Pero eso no cambia mis planes.

—¿Planes? ¿De casarse con él?

—Le informaré de mis planes cuando lo considere conveniente.

«Te informaré de mis planes cuando lo considere conveniente», pensó Belle alocadamente, «porque no tengo idea de lo que estoy diciendo».

Las manos de John agarraron sus hombros con fuerza.

—¿Con quién se va a casar?

—No se lo diré.

—Parece una niña de tres años.

—Me trata como si lo fuera.

—Sólo se lo voy a preguntar una vez más —le advirtió John suavemente acercando su cara a la suya.

—No tiene derecho a hablarme así —susurró Belle—. No después de que…

—Por el amor de Dios, Belle, no me lo vuelva a echar en cara. Ya he admitido que la traté mal. Pero lo tengo que saber. ¿No lo entiende? ¡Lo tengo que saber! —los ojos de John ardían de pasión—. ¿Con quién se va a casar?

Belle vio tal desesperación en su rostro que su determinación se quebró.

—¡Con nadie! —estalló—. ¡Con nadie! ¡Era una mentira! Una mentira para hacerle venir a Londres porque le echaba de menos. —Las manos de John aflojaron ante la sorpresa y ella, al soltarse, se dio la vuelta—. Y ahora me siento muy humillada. Espero que esté satisfecho.

John se quedó mirando su espalda con la boca abierta mientras digería sus palabras. Ella todavía lo quería. Saberlo era un bálsamo para su corazón herido. Pero no le gustaba la tortura que le había inflingido, y quiso que lo supiera.

—No me gusta que me manipulen —dijo en voz baja.

Belle se dio la vuelta furiosa.

—¿No le gusta que le manipulen? ¿Es todo lo que va a decir? No le gusta que le manipulen. Bien, pues déjeme decirle algo. No me gusta que me insulten. Y considero que su comportamiento ha sido muy ofensivo.

Belle pasó por su lado dispuesta a marcharse con la espalda tiesa como un palo y la cabeza erguida con una dignidad que no sentía.

John todavía estaba tan asombrado por su increíble confesión que su movimiento lo cogió por sorpresa, y cuando quiso detenerla apenas pudo tocarla con las yemas de los dedos.

—Belle —dijo con la voz quebrada por la emoción—. Por favor, no se vaya.

Belle se apresuró a salir de la terraza; él ya no la sujetaba. Pero algo en la ronca voz de John hizo que se diera la vuelta, y una vez que lo hizo se vio hechizada por la enorme melancolía de sus ojos. Se le secó la boca y casi no podía respirar. No tenía idea de cuánto tiempo se quedaría allí con la mirada atrapada por ese hombre que significaba tanto para ella.

—John —susurró—. No sé qué quiere.

—Le quiero a usted.

Sus palabras flotaron en el aire mientras el corazón de Belle suplicaba a su cabeza que le dejara creer en él. ¿Qué quería decir que la quería? ¿Sólo quería tocarla, o besarla? Ya sabía que ella le gustaba mucho; nunca había sido capaz de esconderlo, y también era evidente que ella sentía lo mismo.

¿O la quería en su vida? Como su amiga, su compañera, e incluso su esposa. A Belle le aterrorizaba preguntárselo. Ya le había roto el corazón una vez; y no tenía demasiadas ganas de que volviera a hacerlo.

John vio las dudas en sus claros ojos azules y se odió a sí mismo por haber sido tan receloso. Sabía que ya era hora de decirle lo mucho que le importaba. Pero sus miedos lo refrenaban y en cambio le dijo:

—¿Puedo besarla?

Belle asintió lentamente y dio un paso adelante mientras John se acercaba y le cogía la mano. Pero una timidez abrumadora se apoderó de ella y bajó la vista.

—No baje la mirada —le susurró él llevando la mano a su barbilla. Levantó su cara suavemente y se acercó más a ella—. Es usted tan, tan bella. Y tan simpática, buena, inteligente, divertida y…

—Pare.

La nariz de él ya reposaba sobre la de ella.

—¿Por qué?

—Es demasiado —replicó ella temblorosa.

—No. No lo es. Nunca será demasiado.

Él se inclinó para que sus labios rozaran los de Belle, y ella sintió que la atravesaba un escalofrío de deseo. Continuaron así un largo minuto, con los labios apenas tocándose, hasta que John no pudo soportarlo más, y la estrechó con fuerza contra él.

—Oh Dios, Belle, he sido tan, tan estúpido —se lamentó. No la besaba, simplemente la abrazaba con fuerza como si quisiera que el cuerpo de ella se imprimiera sobre el de él. Y la seguía apretando con la esperanza de que se le pegara algo de la bondad y el valor de ella.

—Lo siento, no quería hacerle daño —susurró destrozado—. Es lo único que nunca quisiera hacer.

—Shhh —lo interrumpió Belle. No soportaba escucharlo torturarse—. Béseme. Por favor. Llevo un montón de días pensando en ello, y yo...

John no necesitaba que lo animaran demasiado y ese beso fue tan intenso como dulce el primero. La devoró con hambre y bebió de ella mientras murmuraba palabras sin sentido de amor y deseo. Sus manos recorrían todo su cuerpo, y era lo que Belle quería. Lo deseaba más de lo que nunca hubiera imaginado, más de lo que siquiera podía comprender. Ella hundió las manos en su espesa cabellera maravillada por su textura mientras los labios de él se deslizaban hasta su cuello y la base de su garganta.

—No me lo puedo creer —gimió.

—¿Qué? —consiguió preguntar John.

—Esto. Todo. La manera como me hace sentir. El... ¡Oh! —Belle dio un gemido de placer al sentir la boca de él sobre la sensible piel justo detrás de su oreja.

—¿Qué otra cosa no se puedes creer? —preguntó él malicioso.

—Que quiero que siga besándome —respondió con la voz enfebrecida—. Y que todavía haya una fiesta en la habitación de al lado.

Las palabras de Belle tuvieron un efecto no intencionado pues John se apartó de ella haciendo un gran esfuerzo y maldiciendo en voz baja.

—Casi lo olvido —murmuró—. Alguien nos podría descubrir en cualquier momento.

Belle sintió un frío increíble al no tener los brazos de John en torno a ella, y no pudo evitar acercarse más a él.

—Por favor —susurró—. Le he echado tanto de menos.

Era una tentación enorme, pero John se mantuvo firme

—No he venido a Londres a arruinar su reputación.

—Espero que lo haga —murmuró ella.

—¿Qué ha dicho?

—Nada.

—Entonces volveremos por separado.

Belle sonrió por lo preocupado que estaba John.

—No se preocupes. Estoy segura de que Dunford nos está cubriendo estupendamente. —Y como John levantó una ceja, añadió—: Le he contado algunas cosas de usted.

Él le lanzó tal mirada que ella se vio obligada a darle más explicaciones.

—Pero lo justo, así que no se preocupes de que haya revelado sus secretos.

John contuvo la culpa que latía dentro de él. Ella no sabía su mayor secreto y en algún momento se lo tendría que contar. Pero no tenía que ser ahora.

—Su cabello está alborotado —dijo en cambio—. Debería arreglártelo. Iré yo primero a la fiesta. Estoy seguro de que mi hermano me está buscando.

Belle asintió y caminaron juntos hasta el salón a media luz. Antes de separarse, sin embargo, ella le cogió la mano.

—John —dijo con dulzura—. ¿Qué pasará ahora? Tengo que saberlo.

—¿Qué pasará ahora? —repitió con una risa desenfadada—. Pues que la cortejaré. ¿No es eso lo que se supone que tiene que ocurrir después?

Ella le respondió con una sonrisa y se separó.

Cuando John volvió al salón no se sorprendió de que su hermano lo mirara con expresión de curiosidad.

—¿Dónde te has metido? —preguntó Damien.

—Quería tomar un poco de aire fresco. —Si Damien se dio cuenta de que lady Arabella había salido de la habitación al mismo tiempo que él, no lo mencionó—. ¿Por qué no me presentas a algunos de tus amigos? —le sugirió John.

Damien asintió educadamente. Poco después, mientras estaba ocupado presentando a John, Belle volvió a aparecer y fue derecha a hablar con Dunford.

—Ha sido un verdadero mutis —dijo él con una sonrisa.

Belle se ruborizó.

—Nadie se ha dado cuenta, ¿verdad?

Dunford negó con la cabeza.

—No lo creo. Estaba atento por si necesitabas que te rescataran. En el futuro, sin embargo, si yo fuera tú no tendría citas secretas de más de cinco minutos.

—Oh Dios. ¿Cuánto tiempo estuve, bueno, estuvimos fuera?

—Más de lo que pretendías, estoy seguro. Dije que te había pasado algo en el vestido. Todas las damas se sintieron muy identificadas.

—Eres impagable, Dunford —dijo Belle con una gran sonrisa.

—Exactamente, lady Arabella.

Belle se dio la vuelta y vio que lord Westborough se acercaba a ella. John estaba a su lado con una sonrisa de complicidad.

—Qué agradable verlo de nuevo, milord —murmuró educadamente.

—Y creo que ya conoce a mi hermano —añadió Damien—. Lord Blackwood.

—Sí, claro. Nos conocemos bien.

Belle rió para sus adentros por el doble sentido y se negó a mirar a John a la cara pues estaba segura de que le devolvería una sonrisa malévola. De todos modos la llegada de la anfitriona, lady Forthright, la salvó de una conversación embarazosa.

—Ah, Westborough —dijo con voz estridente—. No te he visto llegar. Lady Arabella, siempre es un placer verte.

Belle sonrió e hizo una reverencia.

—Y él debe de ser tu hermano —continuó lady Forthright.

Damien asintió y los presentó. Entonces vio a otro amigo y se excusó dejando a John y a Belle en las garras de la no tan amable anfitriona.

—¿Lord Blackwood? ¿Es usted barón? —lo interrogó—. Mmm, no me suena el título.

Belle disimuló su irritación. Lady Forthright siempre había sido una entrometida que intentaba tapar su propia inseguridad insultando a los demás.

—Es un título bastante nuevo, milady —dijo John con expresión deliberadamente impasible.

—¿Cuán nuevo es «bastante»? —sonrió con arrogancia y después miró a Belle para ver si también despreciaba a este recién llegado a su clase.

Pero Belle le respondió frunciendo el ceño más aún al darse cuenta de que la habitación se había silenciado bastante los últimos momentos. Por Dios ¿la gente no tenía nada mejor que hacer que escuchar los comentarios banales de lady Forthright? ¿Y dónde se había ido Damien? ¿No iba a defender a su hermano?

—Pocos años —replicó John tranquilamente—. Fui honrado con el título por mis méritos militares.

—Ya veo —lady Forthright se irguió y enderezó los hombros pavoneándose ante su audiencia—. Estoy segura de que debe de ser muy valiente, pero no puedo aprobar esta temeraria repartición de títulos. Hará que la nobleza sea demasiado, digamos, poco selectiva.

—Lord Blackwood es hijo de un conde —dijo Belle muy tranquila.

—Oh, no estoy criticando su linaje —replicó la anfitriona—. Pero no podemos comportarnos como los rusos que dan títulos de nobleza a todo el mundo. ¿Sabéis que en Rusia si eres duque, todos tus hijos lo son? Dentro de poco todo el país estará plagado de duques. Será una anarquía. Recordad mi palabras… ese país va a arruinarse por todos esos duques.

—Una hipótesis interesante —dijo Belle en tono gélido.

Lady Forthright no parecía darse cuenta de la irritación de ella.

—No veo bien todos estos títulos nuevos, ¿y tú?

Belle oía la respiración de quienes estaban a su alrededor mientras todos los que escuchaban a hurtadillas esperaban su respuesta. Damien volvió a su lado y ella sonrió.

—Lo siento, lady Forthright —dijo dulcemente—. Me temo que no entiendo lo que quiere decir. ¿Su marido es el quinto vizconde Forthright, verdad?

—El sexto —contestó cortante—. Y mi padre es el octavo conde de Windemere.

—Ya veo —dijo Belle—. ¿Entonces ninguno de los dos hizo nada más que nacer para obtener su título?

—Estoy segura de que estoy malinterpretando lo que quieres decir, lady Arabella. Y perdóname que te recuerde que el condado de tu familia se remonta a varios siglos.

—Oh, no hace falta, le aseguro de que soy muy consciente de ese hecho, lady Forthright. Y para la familia el condado es un importante honor. Pero mi padre es un hombre bueno porque lo es, no porque posea un título antiguo. Y en cuanto a lord Blackwood, considero que su título es interesante porque representa la nobleza del hombre que tiene delante, no la de un antepasado muerto hace muchos años.

—Un bonito discurso, lady Arabella, especialmente para alguien que evidentemente disfruta de todos los beneficios de su posición. Pero no del todo apropiado para una dama bien educada. Te has vuelto demasiado intelectual.

—¡Por fin! Un cumplido. Nunca hubiera esperado escuchar uno de sus labios. Si me excusa, me estoy cansando de esta fiesta. —Belle dio la espalda con toda intención a la anfitriona muy consciente del escándalo que suponía un comportamiento tan descortés—. John, me ha encantado volver a verle. Espero que me visite pronto, tengo que encontrar a Dunford para que me acompañe a casa. Buenas noches.

Honró a John con su sonrisa más radiante. Él aún estaba conmocionado por su apasionada defensa, y al marcharse ella se quedó frente a una furiosa lady Forthright que tras mirarlo con cara de «desaprobación» se perdió entre la gente.

John no pudo evitarlo y se puso a reír.

Más tarde, esa noche, mientras los hermanos Blackwood volvían a casa, Damien sacó el tema de la evidente amistad que tenían Belle y John.

—No sabía que te llevaras tan bien con lady Arabella —dijo frunciendo el ceño.

John sonrió con ironía.

—Dijo que nos conocíamos bien, ¿verdad?

—La defensa apasionada que hizo de tu posición indicaría que os conocéis muy, muy bien.

—Bueno, sí, es verdad.

Damien dejó el tema unos minutos pero al final le pudo la curiosidad.

—¿Pretendes cortejarla?

—Eso es lo que le he dicho a la dama en cuestión.

—Ya veo.

John suspiró. Se estaba comportando con demasiada brusquedad con su hermano y no se lo merecía.

—Discúlpame si esto trastoca tus planes. Te aseguro que no sabía que tenías sentimientos amorosos hacia Belle antes de llegar aquí. Tienes que saber que ella es la razón por la que he venido a la ciudad.

Damien reflexionó unos instantes.

—No diría que tenga sentimientos amorosos hacia ella. Simplemente pensé que podría ser una buena esposa para mí.

John lo miró con extrañeza. Se preguntó si las emociones de su hermano alguna vez eran algo más que aprecio o leve antipatía.

—De todos modos es evidente —continuó Damien— que no encajamos para nada. Sin duda posee una gran belleza, pero no podría tener una esposa que expresa ideas tan radicales en público.

John hizo un gesto nervioso con los labios.

—Espero que a ti no te moleste mi título.

—Claro que no —Damien parecía ofendido por la acusación—. Te lo ganaste. Pero tienes que admitir que muchos plebeyos están accediendo a la aristocracia, ya sea por dinero o por casamiento. Sólo Dios sabe lo que será de nosotros.

—A Belle le gusta leer —dijo John, simplemente para que no reapareciera el interés de su hermano por ella—. Ha leído las obras completas de Shakespeare.

Damien movió la cabeza.

—No imagino en qué estaba pensando. Las damas demasiado cultas son una verdadera molestia, por más guapas que sean. Son demasiado exigentes.

John sonrió.

—No es mi tipo, para nada —continuó Damien—. Pero tú deberías intentarlo con ella si es eso lo que deseas. Es un muy buen partido para un hombre de tu posición. Aunque te tengo que advertir que su familia probablemente no aprobaría vuestra unión. Creo que si quisiera se podría casar con un duque.

—Imagino que podría —murmuró John—. Si eso es lo que quisiera, por supuesto.

El carruaje se detuvo frente a la casa de Damien. Cuando entraron al vestíbulo principal, Lightbody los saludó entregándoles una nota que habían dejado expresamente para lord Blackwood. John desdobló el papel con curiosidad.

Estoy en Londres

John frunció el ceño recordando los otros dos mensajes parecidos a ése que había recibido unas semanas antes. Había pensado que eran para los anteriores propietarios de Bletchford Manor, pero ahora se daba cuenta de que se equivocaba.

—¿Alguien que conoces? —preguntó Damien.

—No estoy seguro —replicó John lentamente—. No estoy del todo seguro.

Capítulo 12

John llegó a casa de Belle a la mañana siguiente cargado de chocolates y de flores. Le sorprendía lo fácil que era dejar que ella iluminara su corazón. Llevaba toda la mañana sonriendo.

Ella no pudo evitar que sus ojos lucieran encantados cuando bajó a saludarlo.

—¿A qué debo el placer de su compañía? —le preguntó con una sonrisa radiante.

—Dije que iba a cortejarla, ¿no? —respondió John entregándole las flores—. Considérese cortejada.

—Qué romántico —dijo con un poco de sarcasmo.

—Espero que le gusten los chocolates.

Belle contuvo una sonrisa. Él estaba haciendo un gran esfuerzo.

—Me encantan.

—Excelente —dijo él con una sonrisa desenfadada—. ¿Me da uno?

—Por supuesto.

Entonces Persephone apareció por las escaleras.

—Buenos días, Belle —dijo—. ¿Me presentas a tu invitado?

Belle hizo los honores, y mientras John decidía qué chocolate comer, Persephone se acercó a ella y le susurró:

—Es muy guapo.

Belle asintió.

—Y parece muy viril.

Belle abrió mucho los ojos.

—Persephone —susurró—. Creo que debo informarle que éste no es el tipo de conversaciones que deben tener una dama de compañía y la señorita que tiene a su cargo.

—¿Ah no? Debería ser lo normal. Ah, me temo que nunca haré bien lo de ser dama de compañía. Te ruego que no le cuentes mis fallos a Alex.

—Me gusta tal como es —dijo Belle honestamente.

—Es muy bonito que me digas eso, querida. Bueno, me marcho. El cochero me ha prometido sacarme a dar una vuelta por Londres, y quiero asegurarme de que crucemos las zonas más peligrosas antes de que oscurezca.

—No es tan severa como otras damas de compañía —comentó John.

—No.

—¿Vamos al salón? Estoy desesperado por besarla, y no lo puedo hacer aquí en el vestíbulo.

Belle se sonrojó y lo condujo a un salón cercano.

John cerró la puerta de una patada y la cogió en sus brazos.

—Sin dama de compañía todo el día —murmuró él mientras la besaba—. ¿Existe un hombre más afortunado?

—¿Existe una mujer más afortunada? —replicó Belle.

—Creo que no. Venga al sofá para que pueda mimarla con chocolates y flores —la cogió de la mano y cruzaron así la habitación.

Belle soltó una risilla mientras dejaba que él la llevara al sofá. Nunca lo había visto tan desenfadado y sin preocupaciones. Todavía le quedaba un cierto velo de tristeza, pero nada comparado con el aspecto atormentado que tenía en Oxfordshire.

—A la única persona que estásmimando con estos chocolates es a usted mismo. Ya se ha comido tres.

John se sentó e hizo que ella lo hiciera junto a él.

—No tiene sentido dar un regalo comestible a una dama si no te gusta a ti también. Venga, cómase uno. Están muy buenos.

Cogió un chocolate y se lo puso delante de la boca.

Belle sonrió, le dio un bocado y se lamió los labios con intencionada sensualidad.

—Es delicioso —murmuró.

—Sí —y no se refería al chocolate.

Belle se inclinó hacia delante para coger el resto del bombón con la boca y chupó los dedos de John con audacia.

—Con el sabor de tu piel —dijo ella inocentemente tuteándola.

—Y con el de la tuya también —se acercó a ella y le lamió la comisura de los labios, lo cual le provocó un estertor de deseo que le llegó hasta los pies. Luego le pasó la lengua por su labio superior.

—Se me olvidó un poquito aquí —murmuró—. Y aquí —dijo mordisqueando el labio inferior.

Belle casi se queda sin respiración.

—Creo que me gusta que me cortejen —susurró.

—¿Nunca te lo habían hecho? —dijo John dándole un mordisquito en la oreja.

—Nunca así.

—Bien —dijo él sonriendo en actitud posesiva.

Belle arqueaba el cuello mientras él hacía correr los labios por la suave piel de ella.

—Espero que nunca hayas cortejado a nadie con este sistema tan especial de, eh, persuasión.

—Nunca —le prometió.

—Bien —la sonrisa de ella también era posesiva—. Pero tienes que saber —casi sin respiración pues una mano de él se había posado en uno de sus pechos furtivamente—. No sólo sé cortejar... con flores y chocolate.

—Mmm. También se puede besar —dijo John apretándole el pecho a través del vestido lo que hizo que ella gimiera encantada.

—Claro —suspiró Belle—. No me olvidaba de eso.

—Hago todo lo que puedo para que lo tengas presente.

John intentaba imaginar cuál era la mejor manera de liberar sus pechos perfectos de los confines de su vestido.

—Está bien. Pero tienes que recordar que no me olvido de que me debes un poema.

—Eres una muchacha muy cabezota ¿no crees? —John finalmente había decidido que lo mejor era bajarle el vestido pues gracias a Dios la moda del momento no requería infinitas filas de botones.

—No especialmente —dijo Belle riendo—. Pero todavía quiero el poema.

John desvió por un momento la atención de ella al llevar a cabo sus planes. Sonrió y dio un gemido de placer masculino al contemplar sus pezones oscuros, duros de placer. Se pasó la lengua por los labios.

—¿John... no irás a...?

El asintió y se puso a hacerlo.

Belle sintió que sus piernas se quedaban sin fuerza y que se hundía en el sofá arrastrando a John con ella. Él veneró su pecho durante todo un minuto y después se fue moviendo de uno a otro. Ella estaba indefensa ante su sensual acometida y no podía evitar que se le escaparan chillidos de placer.

—Di algo —dijo ella al final con un quejido.

—¿Podría compararte con un día de verano? —citó— Tú eres más...

—Oh, John, por favor, —dijo Belle apartando la cara de él de sus pechos para poder mirar sus risueños ojos azules—. Si vas a plagiar, por lo menos ten la sensatez de no elegir algo tan famoso.

—Si no dejas de hablar ahora mismo, Belle, tendré que comenzar una acción drástica.

—¿Acción drástica? Eso suena muy interesante.

Hizo que él acercara su boca a la de ella y lo besó con ansia.

Justo entonces escucharon una voz familiar que procedía del pasillo.

—Soy una boba, se me olvidó ponerme unos guantes calentitos —dijo Persephone—. Hace mucho frío afuera.

Belle y John se separaron de inmediato. Como a Belle no le daba tiempo para arreglar su aspecto, John se hizo cargo de la situación y dio un tirón al vestido hacia arriba, prácticamente hasta su barbilla. Mientras intentaban arreglar su aspecto, escucharon el suave murmullo de otra voz, probablemente la del sirviente con el que hablaba Persephone.

—¿Sería tan amable? —dijo Persephone—. Esperaré en el salón con Belle y su amigo mientras me los trae.

Belle acababa de trasladarse a la silla que había frente al sofá cuando entró su dama de compañía.

—Persephone, qué sorpresa.

Persephone le dirigió una mirada bastante perspicaz. Habían montado un gran revuelo y ella no era tonta.

—Estoy segura.

John se levantó cuando entró Persephone.

—¿Quiere un chocolate? —le preguntó ofreciéndole la caja.

—Uy, pues sí, quiero uno.

Belle se sonrojó al recordar lo que había ocurrido con ella cuando John le había ofrecido un chocolate. Por suerte, Persephone estaba demasiado ocupada intentando elegir entre los chocolates como para darse cuenta.

—Me gustan los de nueces —dijo sacando uno de la caja.

—¿Hace mucho frío afuera? —preguntó Belle—. La oí decir que necesitaba unos guantes calentitos.

—Bueno, ha enfriado mucho desde ayer. Aunque aquí dentro hace bastante calor.

Belle contuvo una sonrisa, y cuando miró a John se dio cuenta de que se había puesto a toser.

—Sus guantes, señora.

—Excelente. —Persephone se levantó y se dirigió al lacayo que acababa de entrar en la habitación—. Entonces ahora sí que me voy.

—Páselo bien —le dijo Belle.

—Oh, lo haré, querida. Seguro que sí. —Persephone salió del salón aunque se detuvo cuando se disponía a cerrar la puerta—. En realidad —dijo ruborizándose un poco— creo que voy a dejar la puerta abierta, si no os importa. Así circulará mejor el aire.

—Claro —dijo John. Y en cuanto Persephone se hubo marchado se inclinó hacia delante y dijo susurrando—: Cuanto salga de la casa cierro la puerta.

—Calla —lo reprendió Belle.

Y cuando escucharon que se cerraba la puerta principal, John se levantó y cerró la puerta del salón.

—Esto es ridículo —murmuró—. Tengo casi treinta años. Tengo mejores cosas que hacer que estar escondiéndome de una dama de compañía.

—¿Ah sí?

—Es muy poco digno.

Volvió al sofá y se sentó.

—¿Te está molestando la pierna? —preguntó Belle con los ojos preocupados—. He notado que cojeas más de lo habitual.

John se sorprendió por el cambio de tema y miró su pierna.

—Creo que sí. No me había dado cuenta. Me parece que me he acostumbrado al dolor.

Belle se pasó al sofá.

—¿Mejorará si le doy un masaje? —dijo poniendo sus manos en la pierna dispuesta a dar un masaje al músculo justo encima de la rodilla.

John cerró los ojos y se inclinó hacia atrás.

—Esto es maravilloso —y dejó que ella siguiera con sus atenciones hasta que dijo—: Belle… respecto a anoche…

—Sí —dijo mientras seguía dando un masaje a su pierna.

John abrió los ojos y cogió la mano de ella. Belle parpadeó seria por la expresión tan grave de él.

—Nadie me ha… —su boca se abría y cerraba mientras buscaba las palabras precisas—. Nadie me ha defendido nunca así.

—¿Ni siquiera tu familia?

—No les vi demasiado mientras crecía. Siempre estaban muy ocupados.

—¿De verdad? —dijo Belle con tono desaprobatorio.

—Siempre me dejaron muy claro que tendría que encontrar mi propio camino en el mundo.

Belle se levantó de pronto y se dirigió a un florero y se puso a ordenar nerviosa las flores.

—Nunca le diría algo así a un hijo —dijo preocupada—. Nunca. Un niño debe ser querido y atendido y… —Se dio la vuelta—. ¿Verdad?

Él asintió solemnemente hechizado por la pasión y el fuego de los ojos de ella. Era tan... buena. Ninguna palabra florida podía ser más descriptiva.

Él nunca sería digno de ella. Lo sabía. Pero podría amarla y protegerla, e intentar procurarle la vida que se merecía.

—¿Cuándo regresan tus padres? —dijo aclarándose la garganta.

Belle inclinó la cabeza ante el cambio de tema.

—Se supone que deben regresar cualquier día de estos, pero hace poco Emma me ha reenviado una carta de ellos en la que cuentan que se lo están pasando tan bien que se piensan quedar un poco más. ¿Por qué me lo preguntas?

Él le sonrió.

—¿Me podrías masajear la pierna un poco más? No la había sentido tan bien desde hace años.

—Claro —dijo Belle, y regresó a su lado. Como él no continuaba con la conversación, ella se la recordó—: Mis padres...

—Ah, sí. Es que quería saber cuándo le podría pedir tu mano a tu padre y así terminar con esto —dijo John, y se rió con descaro—. Besarte en rincones oscuros es bastante emocionante, pero preferiría tenerte por completo y hacer lo que quiera en la privacidad de nuestro hogar.

—¿Hacer lo que quieras? —preguntó Belle incrédula.

John abrió los ojos y le sonrió con coquetería.

—Sabes a qué me refiero, querida. —La acercó a él y se acurrucó en su cuello—. Sólo que me gustaría estar contigo sin temer que alguien nos pueda sorprender en cualquier momento. —Se puso a besarla de nuevo—. Me gusta poder acabar lo que empiezo.

Belle, sin embargo, no le correspondió y se apartó de él.

—John Blackwood ¿ha sido esto una proposición de matrimonio?

Todavía echado hacia atrás la miró con los ojos entornados y sonrió.

—Me parece que sí. ¿Qué te parece?

—Me parece que sí. ¿Qué te parece? —respondió Belle imitándolo—. Digo que es la proposición de matrimonio menos romántica que haya escuchado nunca.

—¿Te han hecho muchas?

—La verdad es que sí.

Eso no era lo que John se esperaba escuchar.

—Pensaba que se suponía que eras la práctica y pragmática de tu familia y que no te gustaría que dijera frases sentimentales y todo eso.

Belle le dio una palmada en el hombro.

—¡Claro que me gustan! Como a todas las mujeres. Especialmente cuando son de un hombre al que quieren aceptar. Así que invéntate unas cuantas frases sentimentales y yo…

—¡Ajá! ¡Entonces aceptas! —John se rió victorioso y la atrajo hacia él.

—He dicho que quiero aceptar. No dije que aceptaba.

—Un tecnicismo menor —y de nuevo se puso a besarla apenas capaz de creerse que ella pronto sería completamente suya.

—Un tecnicismo mayor —replicó Belle enfadada—. No me puedo creer lo que me acabas de decir. ¿Quieres casarte conmigo para acabar con esto? Dios mío, eso es horrible.

John se dio cuenta de que había metido la pata pero estaba demasiado aliviado como para enmendarse.

—Bueno, pero aunque a mi propuesta le faltara gracia, la he hecho con sinceridad.

—Espero que haya sido sincera —Belle lo miró disgustada—. Aceptaré cuando me lo pidas correctamente.

John se encogió de hombros y la atrajo hacia él.

—Quiero seguir besándote.

—¿No me quieres pedir algo primero?

—No.

—¿No?

—No.

—¿Qué quieres decir?

Belle intentó apartarse pero John la sujetaba con fuerza.

—Me refería a besarte.

—Ya lo sé, tonto. Lo que quiero saber es por qué no me pides algo primero.

—Ah, mujeres —dijo John suspirando dramáticamente—. Si no es una cosa es otra. Si...

Belle le dio un puñetazo en el brazo.

—Belle —dijo él con paciencia—. Tienes que ser consciente de que me has arrojado el guante. No me vas a decir que sí hasta que lo haga correctamente, ¿verdad?

Belle asintió.

—Entonces concédeme por lo menos un pequeño periodo de gracia. Esas cosas llevan su tiempo si uno quiere ser creativo.

—Ya veo —dijo Belle apenas insinuando una sonrisa.

—Si quieres que sea romántico, verdaderamente romántico, te advierto que tendrás que esperar unos días.

—Creo que podré arreglármelas.

—Bien. ¿Ahora podrías venir aquí y volver a besarme?

Ella así lo hizo.

John volvió a visitarla esa misma semana. En cuanto estuvo a solas con Belle, la estrechó entre sus brazos y le dijo:

> *Dos o tres veces te habré amado*
> *antes de conocer tu rostro o tu nombre;*
> *así en una voz, así en una llama informe...*

—«A menudo nos afectan los ángeles, y los adoramos.» —terminó la estrofa Belle—. Me temo que tienes mala suerte. A mi institutriz le encantaba John Donne. Conozco casi todos sus poemas de memoria. —Y ante la expresión de disgusto de John, añadió—: Pero he de elogiar tu apasionada manera de recitarlo. Muy conmovedora.

—Evidentemente no lo bastante. Apártate, por favor. Tengo mucho trabajo.

John salió de la habitación cabizbajo.

—¡Y no recurras a Donne! —le gritó Belle—. Nunca me engañarás con un poema suyo.

No estaba segura, pero creyó escuchar que él profería una palabra poco elegante al cerrar la puerta.

John no mencionó su inminente propuesta en toda la semana siguiente, a pesar de que acompañó a Belle a algunos lugares y pasó a visitarla casi todas las mañanas. Tampoco ella sacó a relucir el tema. Sabía que él lo negaría, pero estaba disfrutando con sus planes, y no quería estropear su diversión. De vez en cuando él la miraba de reojo analizándola y ella sabía que tramaba algo.

Una mañana se cumplieron sus sospechas cuando llegó a la mansión de los Blydon con tres docenas de rosas perfectas, que enseguida puso a sus pies en medio del gran vestíbulo. Apoyó una rodilla en el suelo y le dijo:

> *Bebe a mi salud sólo con los ojos,*
> *y yo brindaré con los míos;*
> *o deja un beso en la copa*
> *y no buscaré vino.*
> *La sed que del alma surge*
> *pide una bebida divina:*
> *si pudiera sorber del néctar de Júpiter,*
> *no lo cambiaría por el tuyo.*

John casi lo estaba consiguiendo. Los ojos de Belle estaban empañados de lágrimas y cuando dijo la parte del beso en la copa, su mano derecha se había apoyado involuntariamente en el corazón.

—Oh, John —suspiró ella.

Entonces llegó el desastre.

Persephone bajaba las escaleras.

—¡John! —chilló encantada—. ¡Es mi favorito! ¿Cómo lo has sabido?

John bajó la cabeza y apretó los puños junto a su cuerpo. Belle trasladó su mano del corazón a la cadera.

—Mi padre solía recitárselo a mi madre todo el tiempo —continuó Persephone con las mejillas sonrosadas—. Siempre le hacía feliz.

—Lo imagino —murmuró Belle.

John la miró con expresión tímida.

—Y además era muy apropiado —añadió Persephone— pues se llamaba Celia, Dios la tenga en su gloria.

—¿Apropiado? —preguntó Belle sin apartar sus ojos de los de John, que prudentemente mantenía la boca cerrada.

—Se llama «Canción para Celia». Es de Ben Jonson —dijo Persephone con una sonrisa.

—¿Ah, sí? —dijo Belle irónica—. ¿John, quién es Celia?

—Pues, la madre de Persephone, claro.

Belle se admiraba de que él no se riera.

—Bueno, me alegra saber que Jonson escribió esos versos. No me gustaría nada pensar que has escrito poesías a una mujer llamada Celia, John.

—No lo sé, me parece que Celia es un nombre bonito.

Belle le ofreció una mirada empalagosamente dulce.

—Creo que descubrirás que Belle es más fácil de rimar.

—Estoy seguro de que lo es, pero prefiero los desafíos. Por ejemplo, Persephone... ése sería un poema digno de mi intelecto.

—Oh, déjalo —se rió Persephone.

—Persephone... Mmm, veamos, podemos usar «antílope», pero no sería muy elegante.

Belle no pudo evitar contagiarse del buen humor de John.

—¿Y con «pirámide»? —le propuso.

—Tiene grandes posibilidades. Debo ponerme a trabajar en ellos enseguida.

—Basta de bromas, querido joven —dijo Persephone cogiendo maternalmente el brazo de John—. No me imaginaba que admirara a Ben Jonson. Me gusta mucho. ¿Le gustan sus obras de teatro? Me encanta *Volpone*, aunque es bastante malvado.

—Yo también me he sentido bastante malvado últimamente.

Persephone se rió tapándose la boca con la mano y dijo:

—Ah, bien. Pues he visto que anunciaban que la estaban representando. Estaba deseando encontrar a alguien que quisiera acompañarme.

—Iré encantado, por supuesto.

—Aunque quizá no deberíamos llevar a Belle. No estoy segura de que sea adecuado para damas solteras, y me ha dicho que no soy lo suficientemente severa como dama de compañía.

—¿Belle le ha dicho eso?

—Sin tantas palabras, claro. Dudo que quiera estropear algo tan bueno. Sé por dónde sopla el viento.

—No iréis al teatro sin llevarme —señaló Belle.

—Supongo que tendremos que llevarla —dijo John, y suspiró afectado—. Puede ser muy testaruda cuando quiere.

—Oh, calla —replicó Belle—. Y ponte a trabajar. Tienes algo importante que escribir.

—Supongo que sí —respondió John haciendo un gesto con la cabeza a Persephone que abandonaba el vestíbulo—. «Persephone y el antílope» seguro que será mi obra maestra.

—Si no te pones a trabajar en ello enseguida se va a llamar «Belle te manda al infierno».

—Me tiembla todo el cuerpo de pensarlo.

—Pues deberías temblar.

John la saludó y después dio un paso adelante y extendió los brazos.

—Persephone en la pirámide… me canta indomable —dijo sonriendo como un niño—. ¿Qué piensas?

—Creo que es maravilloso.

John inclinó la cabeza y la besó en la nariz.

—¿Te he dicho que en estas semanas me he reído más que en toda mi vida?

Sin palabras, Belle asintió con la cabeza.

—Es así, lo sabes. Es por ti. No sé bien cómo lo has hecho, pero me has quitado la rabia. Años de dolor y cinismo me dejaron destrozado, y ahora vuelvo a sentir el sol.

Antes de que Belle pudiera decirle que eso ya era suficiente poema para ella, la besó nuevamente y se marchó.

Pocas noches después, Belle estaba acurrucada en su cama con varias antologías de poesía desparramadas a su alrededor. «No me va a engañar con otra "Canción para Celia"», se dijo a sí misma. «Estaré preparada.»

Estaba un poco preocupada de que pudiese engañarla con alguno de los poetas más nuevos. Su institutriz sólo le había enseñado los clásicos, y porque Lord Byron era muy famoso había leído «Camina bella».

Esa tarde había hecho una rápida visita a la librería y se había comprado las *Baladas líricas*, de William Wordsworth y Samuel Colleridge, así como las *Canciones de Inocencia y experiencia* de un poeta bastante oscuro llamado William Blake. El librero le había asegurado que Blake algún día sería muy famoso e intentó venderle *El matrimonio del cielo y le infierno*, pero Belle se cerró en banda pues no veía manera de que John encontrara algo romántico en ese libro.

Con una sonrisa Belle abrió las *Canciones* y comenzó a pasar las páginas leyendo en voz alta de vez en cuando.

> *¡Tigre! ¡Tigre! luz llameante*
> *en los bosques de la noche,*
> *¿qué ojo o mano inmortal*
> *pudo idear tu terrible simetría?*

Apretó los labios y levantó la vista. «Las cosas modernas son muy extrañas.» Movió la cabeza y volvió al libro.

¡Pum!

Belle contuvo la respiración. ¿Qué era eso?

¡Pum!

Sin duda alguien estaba detrás de su ventana. Ella se aterrorizó y salió de la cama a gatas y de ese modo se arrastró hasta su tocador. Mirando de reojo la ventana agarró un candelabro de peltre de Boston que le había regalado Emma en su cumpleaños unos años antes.

Siempre cerca del suelo, Belle se apartó de la ventana, y con mucho cuidado de no estar en el campo de visión del intruso se subió en una silla que estaba apoyada contra la pared justo al lado izquierdo de la ventana. Temblando de miedo esperó.

La ventana crujió y enseguida comenzó a subir. Una mano con guante negro apareció en el alféizar.

Belle dejó de respirar.

Una segunda mano se situó al lado de la primera y después entró un robusto cuerpo sin hacer ruido que dio una voltereta al tocar el suelo.

Belle levantó el candelabro para golpear en la cabeza al merodeador, y de pronto él se dio la vuelta y la miró.

—¡Dios mío! ¿Quieres matarme?

—¿John?

Capítulo 13

—¿Qué haces aquí? —dijo Belle sofocada.

—¿Quieres bajar esa cosa?

Belle bajó el candelabro y le ofreció una mano. Él la cogió y se puso de pie.

—¿Qué haces aquí? —repitió ella mientras el corazón le comenzaba a latir de manera extraña al verlo en su habitación.

—¿No es evidente?

Bueno, podía estar allí para raptarla y llevársela a Gretna Green, o podía estar allí para abusar de ella, o podía estar allí simplemente para saludarla.

—No —dijo ella—. No es evidente.

—¿Te das cuenta de que la semana pasada te he visto cuatro veces con Persephone, dos veces con mi hermano, una vez con tu amiguito Dunford, y tres veces en situaciones públicas en las que sólo podía hablar contigo en presencia de una mujer de más de sesenta años?

Belle contuvo una sonrisa.

—Hemos pasado algunos ratos juntos cuando has venido a visitarme.

—Yo no cuento que sea estar solo cuando la señorita Antílope puede irrumpir en cualquier momento.

John tenía una expresión tan malhumorada que Belle lo veía como un niño de ocho años enrabietado por alguna terrible injusticia.

—Vale, vale —dijo Belle riendo para sí misma—. Persephone no es tan mala.

—Es muy buena en relación a cómo son las damas de compañía, pero eso no quita el hecho de que su sentido de la oportunidad sea absolutamente repelente. La mitad de las veces casi me da miedo besarte.

—No he notado que bajara la frecuencia de tus intentos.

John le lanzó una mirada que expresaba que él no apreciaba demasiado su sentido del humor.

—Lo único que digo es que estoy harto de compartirte.

—Oh. —Belle pensó que era lo más hermoso que había escuchado nunca.

—Así que me subí a este árbol, hice equilibrios en una rama temblorosa y después salté hasta tu ventana que está a una altura bastante peligrosa. Y todo esto, he de añadir, con una pierna lisiada —dijo John quitándose los guantes para sacudirse la ropa—. Sólo por estar a solas contigo.

Belle tragó saliva mientras lo miraba registrando vagamente el hecho de que al fin se estaba refiriendo a su lesión sin amargura y desesperación.

—Querías una proposición romántica —continuó—. Créeme, nunca voy a ser más romántico que esto.

Entonces se sacó del bolsillo una rosa roja mustia.

—¿Quieres casarte conmigo?

Sobrecogida de emoción, Belle pestañeó sintiendo que los ojos se le llenaban de lágrimas. Abrió la boca pero no pudo decir nada.

John dio un paso adelante y cogió las manos de ella entre las suyas.

—Por favor —dijo.

Y esas sencillas palabras eran tan prometedoras que Belle asintió enérgicamente.

—¡Sí, oh, sí! —dijo arrojándose en sus brazos y hundiendo la cara en su pecho.

John la abrazó con fuerza unos minutos saboreando el calor que emanaban sus cuerpos al estar tan juntos.

—Te lo debí haber pedido hace tanto tiempo —murmuró con la cara pegada al cabello de Belle—. En Westonbirt te quise apartar con todas mis fuerzas.

—¿Pero por qué?

A él se le hizo un nudo en la garganta.

—John, ¿estás enfermo? Parece como si te hubiera sentado mal algo.

—No, Belle, yo... —Le costaba encontrar las palabras precisas pues no quería decepcionarla. No podía aceptar un matrimonio basado en mentiras—. Cuando te dije que no era el hombre que creías que era...

—Me acuerdo —lo interrumpió—. Y todavía no comprendo a qué te referías. Yo...

—Calla —dijo él poniéndole un dedo en los labios—. Hay algo de mi pasado que debes conocer. Ocurrió en la guerra.

Sin decir nada ella lo cogió de la mano y lo llevó hasta la cama. Se sentó y le hizo un gesto para que él hiciera lo mismo, pero estaba demasiado nervioso.

John se dio la vuelta bruscamente, se acercó a grandes pasos a la ventana y se apoyó con fuerza en el alféizar.

—Violaron a una muchacha —soltó agradecido de que no le pudiera ver la cara—. Y fue por culpa mía.

John le explicó los detalles y acabó diciendo:

—Y eso fue lo que ocurrió. Por lo menos así lo recuerdo pues estaba borracho. —Y soltó una risa corta y sorda.

—John, no fue culpa tuya. —Las palabras de Belle eran suaves y estaban cargadas de amor y confianza.

Él se dio la vuelta.

—Tú no estabas allí.

—Lo sé. Si hubieras podido prevenirlo no hubieras dejado que ocurriera algo así.

Él se volvió para mirarla de frente.

—¿No me has escuchado? Estaba borracho. Si hubiera estado en mi juicio habría cumplido la promesa que hice a la madre de Ana.

—Él hubiera encontrado alguna manera de abusar de ella. No podías hacerte cargo de la muchacha todo el tiempo.

—Hubiera podido... hubiera... —se quebró—. No quiero hablar de esto.

Belle se puso de pie y cruzando la habitación le puso cariñosamente la mano en el brazo.

—Tal vez deberías hacerlo.

—No —dijo él enseguida—. No quiero hablar de ello. No quiero pensar en ello. Yo... —se le atascaron las palabras—. ¿Todavía me aceptas?

—¿Cómo puedes siquiera preguntarlo? —susurró ella—. Te am... —no continuó por miedo a desbaratar el precioso equilibrio que habían alcanzado y expresar sus verdaderos sentimientos—. Te quiero mucho. Sé cuán noble y honorable eres, aunque tú no lo creas.

Él la cogió y la estrechó bruscamente entre sus brazos. Y agarrado así a ella le llenó la cara de besos.

—Oh, Belle, te necesito tanto. No sé cómo he podido sobrevivir sin ti.

—Y yo sin ti.

—Eres un tesoro, Belle. Un regalo para mí.

De pronto dio una vuelta con ella, haciéndole dar un espléndido giro de vals. Y así siguieron, girando y girando hasta que colapsaron en la cama riendo sin aliento.

—Mírame —dijo John jadeando—. No recuerdo la última vez que me permití ser tan feliz. Ahora sonrío todo el tiempo sin saber por qué. Me subí a un maldito árbol, salté hasta tu ventana, y aquí estoy, riéndome. —Se puso de pie y la levantó con él—. Es medianoche y todavía estoy contigo. Bailando a medianoche, llevando la perfección entre mis brazos.

—Oh, John —dijo Belle suspirando incapaz de pensar en ninguna palabra que expresara sus sentimientos.

Él le tocó la barbilla con los dedos y la acercó aún más.

Belle casi se quedó sin respiración cuando los labios de él bajaron buscando los de ella. Fue un beso distinto a todos los anteriores. Tenía una intensidad desconocida por el sentimiento de posesión. Y Belle tenía que admitir que era recíproco. Lo besaba apasionadamente agarrada a los vigorosos músculos de su espalda, mostrándole que él sólo le pertenecía a ella.

Las manos de John bajaron por su espalda transfiriendo su calor a través de la fina tela de su camisón, y se detuvieron en su trasero. Lo agarró haciendo que ella se acercara aún más a él, hasta llegar a sentir la dura evidencia física de su excitación.

—¿Te das cuenta de lo mucho que te deseo? —dijo John con voz áspera—. ¿Te das cuenta?

Belle no podía hablar pues sus labios estaban pegados a los de él. Tampoco podía asentir con la cabeza ya que las manos de John habían llegado sigilosamente hasta tu espesa cabellera y le mantenían la cabeza inmovilizada. Así que le respondió de la única manera que podía: cogerle las nalgas y estrecharlo aún más hacia ella. La respuesta de John fue un gran gemido de placer, y Belle sintió una emoción muy femenina al sentir el poder que tenía sobre él.

Después él se puso de rodillas quemándole la piel con sus labios a través del camisón mientras descendía por el valle que separaba sus pechos, hasta llegar a su ombligo.

—¿John? —preguntó ella jadeando—. ¿Qué…?

—Shh, déjame ocuparme de todo —contestó descendiendo aún más hasta que sus manos rodearon sus tobillos—. Eres tan suave —murmuró—. Tu piel es como la luz de la luna.

—¿La luz de la luna? —dijo ella con un hilo de voz, pues las poderosas sensaciones que le recorrían el cuerpo habían hecho que casi la perdiera.

—Suave y tierna aunque con un toque de misterio.

Las manos de él se habían trasladado a sus pantorrillas e iban levantando el camisón con ellas. Cuando estaba a medio camino, la rodeó y dio sendos besos en la parte trasera de sus rodillas. Belle lanzó un gemido perdiendo el equilibrio por lo que tuvo que agarrar la cabeza de John para poder sostenerse.

—¿Te gusta esto, verdad? Tengo que acordarme.

Él siguió hacia arriba maravillado por la delicada piel de sus muslos. Y con una sonrisa maliciosa metió la cabeza bajo el dobladillo del camisón y le plantó un beso en la curva que hay entre la pierna y la cadera.

Belle sintió que se iba a desmayar.

El camisón subió aún más, por encima de las caderas, y Belle sintió un pequeño alivio pues John había pasado de sus muslos directo al estómago saltándose su zona más privada.

Mientras John iba subiendo la tela se volvió a poner de pie y se entretuvo desnudando sus pechos.

—¿Recuerdas que el otro día te dije que eran perfectos? —murmuró con voz ronca a su oído.

Belle asintió con la cabeza.

—Redondos y maduros con dos preciosos capullos rosados. Los podría chupar todo el día.

—Oh Dios.

Las piernas de Belle de nuevo perdieron su fuerza.

—No he acabado aún, mi amor.

Dejó el dobladillo del camisón justo por debajo de los pechos y después lo apretó contra la piel de Belle. Mientras lo levantaba así desde la parte baja de sus pechos, ella sintió un espasmo de placer cuando el dobladillo rozó sus pezones. Después quedaron al aire. Y antes de que se diera cuenta, estaba completamente desnuda y su piel blanca brillaba suavemente bajo la tenue luz de las velas.

John se quedó sin aliento.

—Jamás en mi vida he visto algo tan glorioso —susurró con reverencia.

Belle se sonrojó encantada con sus palabras, pero de repente pareció darse cuenta de que estaba desnuda.

—Oh, Dios mío —dijo con la voz ronca.

La timidez se apoderó de ella como un viento frío y sus manos recorrieron su cuerpo para cubrirse.

Todo lo que pudo.

Aunque no pareció conseguirlo.

John se rió para sí mismo y la levantó en sus brazos.

—Mi amor, eres perfecta. No tienes de qué avergonzarte.

—No me avergüenzo —replicó dulcemente—. No contigo. Es muy extraño. No estoy… acostumbrada a esto.

—Espero que no.

John empujó los libros fuera de la cama y la depositó sobre las suaves sábanas blancas. Belle dejó de respirar un momento mientras observaba cómo él comenzaba a desnudarse. Comenzó por la camisa, y descubrió un pecho musculoso que evidenciaba años de duros ejercicios. Al verlo sintió una sensación cálida que le hormigueaba en el vientre. Sin pensarlo intentó tocarlo, pero él estaba demasiado lejos.

John sonrió y gimió a la vez al ver la curiosidad de ella. Cada vez le era más difícil controlarse, especialmente teniéndola recostada en su cama mirándolo con sus enormes ojos azules. Se sentó al borde de la cama y se dispuso a sacarse las botas, después se volvió a levantar y se quitó los pantalones.

Belle se sofocó al ver su masculinidad, enorme y… no, eso no podía funcionar. Debía de ser más grande de lo normal, o tal vez ella era más pequeña de lo normal, pero… nuevamente se sofocó.

Su rodilla.

—Dios mío —susurró.

Estaba cubierta de cicatrices y parecía como si le hubieran sacado de la articulación un trozo de carne. La tensa piel estaba decolorada y sin pelo. Su sola presencia era un triste recordatorio de los horrores de la guerra.

John hizo un gesto de malestar con la boca.

—No tienes que mirarla.

La mirada de Belle se movió enseguida a su cara.

—No te preocupes —le aseguró—. No es en absoluto fea. —Y para demostrárselo se bajó de la cama, se arrodilló frente a él y le besó las cicatrices—. Me da rabia pensar lo que te debe haber dolido —susurró—. Y lo cerca que estuviste de perder la pierna. Eres tan vital y fuerte. No me quiero imaginar lo que hubiera sido perderla.

Y la volvió a besar dejando un rastro de amor en su piel.

Eran emociones que John nunca hubiera soñado que pudiera sentir, y que ahora salían con fuerza de su interior. La empujó con fuerza hacia arriba para incorporarla.

—Oh Dios, Belle —dijo con voz ronca—. Te deseo tanto.

Cayeron en la cama de manera que el duro cuerpo de John cubrió el de ella. Belle casi no podía respirar pero el peso de él era glorioso, diferente a nada que hubiera experimentado antes. La besó y la besó hasta que ella pensó que se iba a derretir. Entonces levantó la cabeza y la miró profundamente a los ojos.

—Primero te voy a dar placer a ti —dijo—. Así sabrás que no hay nada de qué temer, que esto es algo bello y maravilloso.

—No tengo miedo —susurró ella. Pero entonces recordó lo grande que le había parecido—. Bueno, tal vez un poco nerviosa.

John sonrió tranquilizándola.

—No tengo experiencia con inocentes, pero quiero que sea perfecto para ti. Creo que será más fácil si te relajas.

Belle no tenía idea de lo que hablaba, pero de todos modos asintió.

—Parece como si hubieras pensado mucho en esto.

—Créeme —dijo con su voz ronca—. No he dejado de pensar en este momento.

Sus manos se deslizaron por todo el cuerpo de Belle.

Ella le tocó la mejilla y le dijo dulcemente:

—Confío en ti.

John rozó sus labios con los suyos para distraerla mientras sus dedos buscaban el lugar más íntimo de ella. Se pondría nerviosa y no quería sobresaltarla demasiado.

Pero así fue y Belle casi se cayó de la cama.

—¿Estás seguro de que es esto lo que se supone que hay que hacer? —le preguntó sofocada.

—Estoy seguro.

Después su boca se unió a sus dedos, y Belle creyó que se moría. Nada más podía ser tan perverso… y tan agradable.

—¡Oh, John! —dijo jadeando incapaz de que su alma dejara de girar en espirales fuera de control—. No creo… no puedo…

Y entonces lo hizo. Fue como si cada terminación nerviosa de su cuerpo convergiera en su abdomen. Se tensó y después explotó. Tardó varios minutos en regresar de vuelta a la tierra, y todo lo que pudo decir fue:

—Dios mío todopoderoso.

Escuchó cómo John se reía, y cuando abrió los ojos vio que la miraba con expresión divertida. Se inclinó hacia ella y le besó la nariz.

—¿Eso ha sido normal? —le preguntó en voz baja.

Él asintió.

—Mejor.

—¿De verdad?

John volvió a asentir.

—¿Tú...? —dejó que sus palabras se apagaran. Ella era nueva en eso y no tenía mucha idea de cómo proceder.

Él movió la cabeza con dulzura.

—Cuando tenga mi descarga te enterarás.

—¿Y será tan bueno como lo que yo...? —no pudo terminar la frase.

Los ojos de John se oscurecieron de deseo y asintió nuevamente.

—Bien —dijo Belle suspirando—. No me gustaría que tú no sientas tanto placer como yo. Y si no te importa me gustaría abrazarme a ti un ratito.

Su tensa masculinidad no estaba de acuerdo con sus palabras, pero John dijo:

—No hay nada que me gustaría más.

Llevaban abrazados unos minutos cuando escucharon un ruido terrible.

Era la voz de Persephone.

Llamó a la puerta.

—¿Belle? —dijo susurrando—. ¿Belle?

Belle dijo directamente:

—¿Persephone?

—¿Puedo pasar un momento?

Ella sintió pánico.

—¡Eh, espera un segundo! —Gracias a Dios la puerta estaba cerrada con llave—. ¡Escóndete! —le susurró a John.

—Lo estoy haciendo —le replicó susurrando.

Saltó de la cama y maldijo el frío aire nocturno. Recogió su ropa, rogando haberla encontrado toda e irrumpió dentro del vestidor.

Belle cogió su albornoz, se lo puso y se dirigió a la puerta. Giró la llave y la abrió maravillada de que sus temblorosas piernas la sostuvieran.

—Buenas noches, Persephone.

—Siento molestarte pero no puedo dormir. Sé que hoy fuiste a la librería, y pensé que me podrías prestar algo para que lea.

—Claro —Belle se apresuró a recoger algunos libros—. Todo es poesía, pero yo ya he acabado con ellos esta noche.

Persephone advirtió las pantorrillas desnudas que se asomaban por debajo de su albornoz y le dijo:

—¿No usas camisón?

Belle se sonrojó y agradeció en silencio el manto oscuro de la noche por esconder su vergüenza.

—Tenía calor.

—No entiendo por qué. La ventana está abierta. Te vas a resfriar.

—No lo creo.

Belle puso los libros en las manos de Persephone.

—Gracias —Persephone arrugó la nariz y olió—. ¿Qué es ese olor? Es muy peculiar.

Belle rogó que la fama de tía solterona de Persephone fuese absolutamente acertada pues la habitación olía a sexo. Y no le quedaba más que esperar que no reconociera ese olor.

—Mmm, creo que viene de afuera.

—Pues no imagino qué puede ser, pero tienes que acordarte de cerrar la ventana antes de dormirte. Si quieres te puedo dar un poco de mi perfume de violetas. Seguro que este olor se irá si rocías un poco en la habitación.

—Tal vez por la mañana —dijo Belle regresando a la puerta.

—Buenas noches, entonces. Te veré por la mañana.

—Buenas noches.

Belle enseguida cerró la puerta con llave, se apoyó en ella y suspiró.

La puerta del vestidor se abrió y emergió John con la parte de arriba del cuerpo enredada con los vestidos de Belle.

—Dios mío, tienes un montón de vestidos.

Belle lo ignoró.

—He pasado tanto miedo.

—Y yo me he sentido como un maldito imbécil. Te lo advierto, no voy a aguantar esto mucho tiempo —dijo John y metió con rabia la pierna mala en el pantalón.

—¿No vas a aguantar? —preguntó Belle débilmente.

—No es posible. Soy un hombre adulto. He luchado en una guerra sangrienta, casi pierdo una pierna, he estado cinco años haciendo inversiones para tener suficiente dinero para comprarme una maldita casa. ¿Te crees que me gusta esconderme en armarios?

Belle realmente no sabía qué podía responder.

—Pues claro que no. No me gusta nada tener que hacerlo.

Él se sentó en una silla que tenía cerca para poder meter la pierna buena en el pantalón. Belle supuso que su pierna herida no era lo suficientemente fuerte como para sostenerlo en pie mucho tiempo.

—Y te digo algo más —añadió John enfadado—. En lo que a mí respecta tú eres mía. ¿Lo comprendes? No quiero que me hagan sentir como un ladrón por disfrutar de lo que es mío.

—¿Qué vas a hacer?

Él recogió la camisa.

—Nos casaremos enseguida. Y después te llevaré a Bletchford Manor y te meteré en una cama y te dejaré ahí una semana. Sin tener que preocuparnos de que pueda aparecer la señorita Antílope a estropearnos el momento.

—Tienes que buscar un nuevo nombre para tu casa.

—Nuestra casa —corrigió, y frunció el ceño ante el intento de Belle de cambiar de tema—. He estado demasiado ocupado seduciéndote como para pensar en eso.

—Yo te ayudaré —dijo Belle sonriendo.

Él la amaba. No se lo había dicho, pero se veía en sus ojos.

—Bien, ahora si me excusas, tengo que salir por tu ventana, bajar un árbol y volver a casa de Damien para dormir un poco. Después veré la manera de conseguir una licencia especial.

—¿Una licencia especial?

—No voy a aguantar este disparate más de lo necesario. Con suerte nos habremos casado esta misma semana.

—¿Esta misma semana? —repitió Belle—. ¿Estás loco? No nos podemos casar esta semana. Ni siquiera podré estar oficialmente comprometida hasta que no regresen mis padres.

John gruñó mientras recogía sus botas y pronunció una palabrota que Belle no conocía para nada.

—¿Cuándo regresan? —preguntó en voz muy baja.

—No estoy segura.

—¿Sería posible que me dijeras una fecha aproximada?

—No más de un par de semanas, imagino —Belle se abstuvo de señalar que tendrían que esperar un mes o dos después de que regresaran sus padres para que se pudieran casar. Su madre insistiría en que tuvieran una gran boda. De eso estaba segura.

John volvió a maldecir.

—Si no llegan en quince días Alex te puede apadrinar. O llama a tu hermano de Oxford. No me importa quién sea.

—Pero…

—No hay peros que valgan. Si tus padres hacen preguntas, simplemente les dices que nos tuvimos que casar.

Belle tragó saliva y asintió. ¿Qué otra cosa podía hacer?

—Te … —no pudo terminar la frase porque le faltó valor.

Él se dio la vuelta.

—¿Sí?

—Yo… nada. Ten cuidado al bajar del árbol. Es bastante alto.

—Tres pisos, para ser exacto.

Su sonrisa irónica era contagiosa, pues Belle sintió que sus labios hacían el mismo gesto mientras lo acompañaba a la ventana.

—Un beso de despedida —murmuró John inclinándose, y sus labios la besaron apasionadamente por última vez.

Belle apenas tuvo tiempo de devolverle el beso antes de que se apartara para ponerse los guantes y desaparecer. Corrió a la ventana, miró hacia afuera y observó sonriente cómo John se las arreglaba para descender por el árbol.

—Podía haber salido por la puerta —murmuró para sí misma—. La habitación de Persephone está al otro lado.

Pero bueno, así era más divertido y romántico. Siempre que John no se rompiera el cuello intentándolo. Belle se asomó un poco más por la ventana y suspiró aliviada cuando vio que sus pies tocaban el suelo. John se agachó para frotarse la pierna lisiada, y ella hizo un gesto de empatía.

Belle se quedó mirando apoyada en el alfeizar hasta que él desapareció de la vista con expresión soñadora en la cara. Pensó que Londres era hermoso a veces. Como ahora, con las calles vacías, y...

Un movimiento captó su atención. ¿Era un hombre? Era difícil afirmarlo. Se preguntó qué podría estar haciendo alguien andando de un lado a otro de la calle a esa hora de la noche.

Belle se rió. Tal vez todos los caballeros de Londres habían decidido cortejar a sus damas de manera poco convencional esa noche.

Respiró hondo, cerró la ventana y volvió a la cama. Hasta que no estuvo acurrucada bajo una montaña de mantas no se acordó de que John no se había satisfecho.

Sonrió con ironía. No le extrañaba que estuviera tan irritable.

John se dirigió a la casa de su hermano con la mano apoyada en la pistola todo el tiempo. Londres se estaba volviendo cada vez más peligroso, y siempre había que tomar precauciones. Aún así, no había querido ir a casa de Belle en un carruaje. Alguien lo hubiera podido ver y no quería ser objeto de rumores malévolos. Además estaba a pocas manzanas de la casa de Damien. Le parecía que toda la clase alta se apretujaba en esa pequeña parte de la ciudad. Dudaba que la mayoría de ellos supieran que Londres continuaba más allá de Grosvenor Square.

Iba a mitad de camino cuando escuchó unas pisadas.

Se dio la vuelta. ¿Había alguien detrás de él?

Nada excepto sombras. Siguió su camino. Seguramente lo había imaginado. Todavía tenía paranoias de la guerra, donde cualquier sonido podía significar hombre muerto.

Cuando doblaba en la última esquina escuchó de nuevo las pisadas. Y después una bala silbó junto a su oído.

—¿Qué diablos es esto?

Otra bala zumbó a su lado y esta vez le rozó la piel haciéndole sangre. Sacó su pistola rápidamente y se dio la vuelta. Vio una figura entre la sombras al otro lado de la calle que recargaba su arma con rabia. John disparó enseguida y entonces el delincuente cayó al suelo pues la bala le había herido el hombro.

¡Maldición! Había errado el objetivo. Con la pistola todavía en la mano corrió a alcanzar a su posible asesino. El hombre lo vio venir, se agarró el hombro y se puso de pie. Miró a John con aprensión, pero tenía la cara cubierta con media máscara así que John no lo pudo reconocer. El villano lo volvió a mirar brevemente y salió corriendo.

Mientras cruzaba la calle maldijo su pierna por no dejarle ir más rápido. Nunca se había enfadado tanto con los efectos de su lesión. Era imposible que pudiese atrapar al atacante. Aceptando su derrota, suspiró y se dio la vuelta. Tenía un problema.

No tenía derecho a arrastrar a Belle.

Su mano reposaba en el arma cuando se dio cuenta de que sangraba. De todos modos, apenas sentía el dolor. Su rabia bloqueaba todas las otras sensaciones. Alguien iba tras él, y no sabía por qué. Algún lunático le enviaba notas crípticas y lo quería matar.

Y fuera quien fuera, probablemente no dudaría en implicar a Belle si se daba cuenta de todo lo que significaba para él. Y si lo había estado siguiendo toda la semana anterior, habría advertido que pasaba todo su tiempo libre en su compañía.

John siguió maldiciendo mientras subía la escalera de la puerta de entrada de la casa de Damien. No pondría a Belle en peligro, aunque ello significara tener que posponer sus planes de boda.

Maldición.

Capítulo *14*

—*D*iscúlpeme, milady, le ha llegado un mensaje.

Belle levantó la vista hacia el sirviente que entraba en la habitación. Estaba sentada en estado de total ensoñación, recordando por millonésima vez la noche anterior con John. Cogió la carta, la abrió con cuidado y leyó su contenido.

> Belle:
> Lamento darte esta noticia, pero no podré acompañaros al teatro a ti y a Persephone esta noche.
>
> Atentamente,
> John Blackwood

Belle se quedó mirando la nota más de un minuto, extrañada por su tono tan formal. Se encogió de hombros pensando que algunas personas siempre escriben formalmente y que no tenía que disgustarse porque pusiera «atentamente» en vez de «amor». Y que no era importante que hubiera incluido su apellido además de su nombre. Guardó la nota y se dijo a sí misma que no tenía que ser tan caprichosa.

Se volvió a encoger de hombros. Tal vez Dunford quisiera acompañarlas a Persephone y a ella.

A Dunford le apetecía ir al teatro y se lo pasó muy bien con Belle y Persephone. Sin embargo los pensamientos de Belle muy a menudo se perdían recordando al hombre que había entrado a escondidas en su habitación la noche anterior. Suponía que al día siguiente se lo explicaría todo.

Pero él no vino al día siguiente, ni al otro.

Belle estaba más que extrañada. Estaba terriblemente enfadada. Le habían advertido que había hombres que usaban a las mujeres para obtener placer, y después las dejaban, pero no podía colocar a John en esa categoría. En primer lugar se negaba a creer que se hubiera enamorado de un hombre deshonesto, y por otro lado había sido ella la que había gemido de placer la noche anterior, no él.

Después de dos días esperando y deseando saber de él, Belle decidió finalmente tomar cartas en el asunto y le envió una nota pidiéndole que la visitara.

No hubo respuesta.

Belle refunfuñó enfadada. Sabía que no podía ir a verlo. Estaba en casa de su hermano y ambos eran solteros. Era completamente inadecuado que una joven soltera visitara una casa sola. Especialmente en Londres. Su madre pediría su cabeza si se enterara de algo así, lo que era muy posible pues tenía que volver en cualquier momento.

Le envió otro mensaje, esta vez mucho más concienzudo, preguntándole si había hecho algo que le hubiera disgustado, y que por favor fuera tan amable de responder. Belle se rió con ironía para sí misma mientras escribía. Le costaba no darle un toque de sarcasmo al tono de la nota.

A pocas calles, John se lamentó mientras leía la misiva. Era evidente que estaba enfadada. No la podía culpar. Después de estar quince días recibiendo flores, chocolates, poesías, y finalmente pasión, tenía derecho a esperar verlo.

Pero ¿qué otra cosa podía hacer? Al día siguiente del ataque había recibido otro mensaje anónimo que simplemente decía: «La próxima vez no fallaré». John no dudaba de que Belle se tomaría como algo personal velar por su seguridad si se enteraba de que alguien intentaba matarlo. Y no veía cómo lo podría proteger, y además si se implicaba en algo tan complicado podría ser ella misma la que terminara malherida.

Suspiró de desesperación y se llevó las manos a la cabeza. Ahora que finalmente tenía la felicidad a su alcance, ¿cómo podría pasar el resto de su vida preocupado de que una bala lo cogiera desprevenido? Hizo un gesto de disgusto. Las palabras «el resto de su vida» de pronto adquirían un nuevo significado. Si el asesino lo seguía intentando, tarde o temprano iba a dar en el blanco. John iba a tener que idear un plan.

Pero al mismo tiempo, iba a tener que mantener a Belle apartada, lejos de las balas que querían matarlo por la espalda. Con un insoportable pesar en el corazón cogió una pluma y la mojó en el tintero.

Querida Belle:
No podré verte durante un tiempo. No te puedo explicar la razón. Por favor, ten paciencia conmigo.

Siempre tuyo,
John Blackwood

Sabía que lo que debía hacer era cortar la relación, pero no podía. Ella era lo único en la vida que le había proporcionado verdadera alegría, y no quería perderla. Cogió el ofensivo trozo de papel como si le pudiera transmitir una enfermedad, bajó las escaleras y se la entregó a un sirviente. Belle la recibiría en menos de una hora.

Ni siquiera quería pensar en ello.

La respuesta de Belle tras leer su breve misiva fue parpadear de asombro. No podía ser verdad.

Parpadeó nuevamente. Las palabras no desaparecían.

Ocurría algo terrible. Estaba intentando dejarla otra vez. No sabía el motivo, ni tampoco la razón por la que él pensaba que podría conseguirlo. Pero no podía permitirse pensar que no la quisiera.

¿Cómo podría no quererla con todo lo que lo amaba? Dios no podía ser tan cruel.

Belle apartó enseguida de su mente esos pensamientos tan depresivos. Tenía que confiar en su instinto, y éste le decía que John la amaba. Mucho. Tanto como ella a él. Decía que por favor tuviera paciencia con él. Eso parecía indicar que estaba resolviendo algo que lo afligía. Debía de tener algún problema y no quería involucrarla. Muy propio de él.

Refunfuñó. ¿Cuándo iba a aprender que el amor significaba compartir las cargas personales? Arrugó el papel apretándolo hasta formar una dura bolita. Esa tarde iba a recibir su primera lección pues pensaba hacerle una visita enviando al diablo las reglas del decoro.

Y había otra cosa. Sus insultos mentales habían adquirido proporciones épicas los últimos días. Estaba incluso sorprendiéndose a sí misma. Belle apartó la nota y se restregó las manos. Y se deleitó un poco dirigiéndole todos los insultos que conocía.

Como no se iba a molestar en ponerse un vestido elegante, Belle cogió una capa y se dirigió dignamente a buscar a su doncella. La encontró en el vestidor examinando sus vestidos por si tenían algún desperfecto.

—Oh, buenas tardes, milady —dijo Mary enseguida—. ¿Sabe qué vestido se va a poner esta noche? Habría que plancharlo.

—No importa —dijo Belle enérgica—. No creo que vaya a salir esta noche. Pero esta tarde voy a salir a dar un paseo y quiero que me acompañes.

—Muy bien, milady. —Mary cogió su chaqueta y bajó las escaleras junto a Belle—. ¿Y dónde vamos?

—No muy lejos —dijo Belle crípticamente. Su boca se cerró con determinación, abrió la puerta de la entrada y bajó las escaleras.

Mary tuvo que apresurarse para seguirle el paso.

—Nunca la he visto caminar tan rápido, milady.

—Siempre camino rápido cuando estoy enfadada.

Mary no tenía respuesta a eso así que sólo suspiró y aceleró su paso. Después de haber andado unas cuantas manzanas, Belle paró en seco y Mary casi chocó con ella.

—Mmm —dijo Belle.

—¿Mmm?

—Aquí es.

—¿Qué hay aquí?

—La casa del conde de Westborough.

—¿El conde qué?

—El hermano de John.

—Oh —dijo Mary, que había visto a John varias veces las últimas semanas—. ¿Por qué estamos aquí?

Belle respiró hondo y levantó la barbilla tercamente.

—Hemos venido de visita.

Y sin esperar la respuesta de Mary subió las escaleras y golpeó tres veces la puerta con la aldaba.

—¿Qué? —dijo Mary casi chillando—. No puede venir de visita a esta casa.

—Puedo y lo hago.

Belle volvió a golpear la puerta con impaciencia.

—Pero… pero… si aquí sólo viven hombres.

Belle puso los ojos en blanco.

—Mary, no deberías hablar de ellos como si fueran una especie aparte. Son iguales a ti y a mí. —Se ruborizó—. Bueno, casi.

Acababa de levantar la mano para volver a coger la aldaba cuando el mayordomo abrió la puerta. Le dio su tarjeta de visita y le dijo que quería ver a lord Blackwood. Mary estaba tan avergonzada que no podía levantar la vista más arriba de las rodillas de Belle.

El mayordomo condujo a las dos mujeres a un pequeño salón justo al lado del vestíbulo principal.

—La señorita Persephone me va a poner en la calle —susurró Mary moviendo la cabeza.

—No lo hará, y de todos modos, tú trabajas para mí, así que no te puede despedir.

—Creo que esto no le gustará.

—No veo ninguna razón por la que tenga que enterarse —dijo Belle muy resuelta.

Pero por dentro temblaba. Eso era muy irregular, y si había algo que su madre le había enseñado, era a no ser irregular. Bueno, ya había visitado a John sola en el campo, pero allí las normas de etiqueta eran más flexibles.

Justo cuando sus nervios estaban a punto de romperse, volvió el mayordomo.

—Lord Blackwood no recibe visitas, milady.

Belle se sintió sofocada por el insulto. John se negaba a verla. Se puso de pie y salió dando grandes pasos de la habitación con la espalda erguida con toda la dignidad que le habían infundido desde su nacimiento. No se detuvo hasta que había llegado a la mitad de la calle, y entonces, incapaz de controlarse, miró hacia atrás.

John la miraba fijamente desde una ventana del tercer piso.

En cuanto vio que ella se volvía, dio un paso atrás y dejó que las cortinas ocuparan su lugar.

—Mmm —dijo Belle, todavía mirando por la ventana.

—¿Qué? —dijo Mary siguiendo la mirada de Belle pero no encontró nada de interés.

—Hay un hermoso árbol delante del edificio.

Mary levantó las cejas convencida de que su patrona estaba embobada.

Belle se tocó la barbilla.

—Está inusualmente cerca del muro exterior. —Sonrió—. Vamos Mary, tenemos cosas que hacer.

—¿Sí?

Pero Belle no escuchó la respuesta pues ya iba varios pasos por delante.

Cuando llegó a casa Belle se fue directamente a su habitación, sacó algunos instrumentos de su escritorio y escribió una nota a Emma, que había sido mucho más masculina que ella cuando eran pequeñas.

Queridísima Emma:
¿Cómo se sube a los árboles?

Con todo cariño,
Belle

Después de enviar la nota a su prima, Belle se las tuvo que arreglar de la mejor manera posible con su pena y su rabia. Decidió salir de compras.

Para ello se llevó a Persephone. La anciana dama nunca se cansaba de visitar las tiendas de Londres. Siempre contaba que había más donde elegir que en cualquier tienda de Yorkshire. Y además se divertía gastándose el dinero de Alex.

Ninguna de las dos necesitaba realmente ropa nueva después de su última salida de compras, pero ya se acercaban las vacaciones así que se decidieron por las tiendas de baratijas en busca de regalos. Belle encontró un curioso telescopio pequeño para su hermano, y una preciosa caja de música para su madre, pero sólo deseaba comprar algo para John. Suspiró. Debía confiar en que al final todo iría bien. No debía permitirse pensar en nada más. Lo contrario sería demasiado doloroso.

Como estaba muy perdida en sus pensamientos no se dio cuenta de que mientras caminaban, dos personajes de aspecto desagradable acechaban en un callejón. Antes de advertir lo que ocurría, uno de ellos la agarró de un brazo y tiró de ella empujándola al interior del callejón.

Belle gritó y luchó todo lo que pudo. Pero el malhechor la había arrastrado bastante y los paseantes de la calle principal no podían verla. Y como Londres se había vuelto tan ruidoso era comprensible que nade prestara atención a sus gritos.

—Dejadme, canallas —gritaba.

Sintió como si le sacaran el brazo de la articulación pero bloqueó el dolor y siguió intentando escapar.

—Te digo que es ella —escuchó que decía uno de los matones—. Es la que quiere ese tipo raro.

—Cállate y tráela aquí —dijo el otro acercándose a Belle cuyo terror iba en aumento.

No había manera de que pudiese con la fuerza de los dos hombres.

Pero justo cuando parecía que estaba todo perdido, inverosímilmente se pudo salvar gracias a Persephone que se había distraído contemplando una atractiva vitrina cuando desapareció en el callejón, y se había quedado desconcertada al ver que su protegida no estaba en ninguna parte. Cuando la llamó por su nombre y no obtuvo respuesta, se preocupó en serio y se puso a buscarla con desesperación.

—¿Belle? —volvió a llamarla, esta vez mucho más alto.

Se puso a correr mirando para todas partes. Entonces, mientras pasaba junto al callejón vio un movimiento extraño y la conocida cabellera rubia de Belle.

—¡Dios santo! —chilló lo bastante fuerte como para que la gente que pasaba se detuviera y se quedara mirando—. ¡Dejadla, bestias! —Corrió por el callejón levantando su sombrilla—. ¡Dejadla, os digo! —Dijo golpeando con furia con su arma la cabeza de uno de los asaltantes.

—¡Cállate, vieja bruja! —gritó aullando de dolor.

La respuesta de Persephone fue un fuerte golpe horizontal en la parte baja del estómago que le cortó la respiración haciéndolo caer al suelo.

El otro bandido se vio atrapado entre su enorme pánico y la codicia pues no quería perder el dinero que la habían prometido si secuestraba a la dama de cabello rubio. Hizo un último intento desesperado, apenas consciente de la gran cantidad de gente que había en el callejón atraída por los gritos de angustia de Persephone.

—¡Te he dicho que la sueltes! —gritó con rabia Persephone.

La anciana cambió la táctica de ataque y se puso a pincharlo con rabia con el extremo de la sombrilla. Una vez que le dio con fuerza en la entrepierna, finalmente soltó a Belle y salió corriendo encorvado de dolor.

—Persephone, muchas gracias —dijo Belle y, con retraso, se le llenaron los ojos de lágrimas de miedo.

Pero Persephone no la escuchaba. Toda su atención estaba centrada en el hombre que yacía en el suelo. Él hizo un movimiento para incorporarse, pero le dio una estocada en la barriga.

—No tan rápido, amigo —dijo ella.

Los ojos de Belle estaban abiertos como platos. ¿Quién hubiera imaginado que la querida anciana Persephone tuviera un lado tan violento?

El matón vio como lo rodeaba una gran cantidad de personas así que cerró los ojos y desistió de escapar. Para alivio de Belle, enseguida llegó un agente de policía a quien contó lo ocurrido. El policía comenzó interrogando al atacante, pero el hombre se negaba a decir nada. Y así siguió hasta que le recordó los posibles castigos que tendría por atacar a una dama de la posición de Belle.

El hombre cantó como un canario.

Lo habían contratado para raptarla. Sí a ella, no a cualquier rubia guapa, sino a ella en particular. El caballero que lo había contratado hablaba con acento elegante y seguro que era de alta cuna. No, no sabía su nombre, ni lo había visto antes, pero tenía el pelo liso y rubio y los ojos azules, y por si era de ayuda, contó que llevaba el brazo en un cabestrillo.

Después de acabar el interrogatorio, el agente se lo llevó y le dijo a Belle que tuviera mucho cuidado. Tal vez tendría que contratar a algún guardia de Bow Street para que la protegiera.

Belle sintió un escalofrío de miedo. Tenía un enemigo que probablemente la quería ver muerta.

En cuanto la multitud comenzó a dispersarse, Persephone se volvió hacia ella y le preguntó solícita:

—¿Estás bien, querida?

—Sí, sí —replicó Belle—. Estoy bien. —Sus ojos se fijaron en el brazo del que la había agarrado ese hombre espantoso. Entre ambos se había interpuesto una chaqueta y un vestido, pero aún así Belle se sentía sucia.

—De todos modos, creo que necesito un baño.

Persephone asintió.

—Estoy de acuerdo contigo.

La mañana siguiente un lacayo le trajo la respuesta de Emma.

Queridísima Belle:

No imagino por qué repentinamente quieres aprender a subirte a los árboles cuando es algo que nunca te gustó cuando éramos niñas.

Lo primero es encontrar un árbol con ramas lo suficientemente bajas. Si no te puedes subir a la primera rama, no podrás subir más…

La carta continuaba otras dos páginas pues a Emma le gustaban mucho los detalles. Y era bastante suspicaz, como mostraba el final de su carta.

Espero que esto te sea de ayuda, aunque me pregunto si vas a subirte a los árboles en Londres. Te confieso que creo que esto tiene algo que ver con John Blackwood. Como es muy sabido el amor hace que las mujeres hagan cosas extrañas. Hagas lo que hagas ten cuidado, y no dejo de sentir alivio de no tener que ser tu dama de compañía en ese momento. Dios bendiga a Persephone.

Cariñosamente,
Emma

Belle se rió. Si Emma fuese su dama de compañía, probablemente insistiría en acompañarla. Emma siempre fue conocida por imprudente.

Belle volvió a leer la carta, y prestó mucha atención a la parte sobre la manera de subirse a los árboles. ¿De verdad pensaba hacerlo? Cuando estuvo examinando el árbol delante de la casa de Damien, en realidad no pensaba intentar subir por él. No era una mujer tan audaz como para subirse a un árbol y entrar en la casa de un conde por una ventana del tercer piso. Además, no le gustaban las alturas.

Pero como había señalado sabiamente Belle, el amor hace cosas extrañas con las mujeres. Igual que el peligro. Su desagradable experiencia con los dos bandidos en el callejón la habían convencido de que ya era hora de actuar con decisión.

O mejor dicho, con temeridad.

Belle movió la cabeza. No importaba. Estaba decidida. Tenía miedo y necesitaba a John.

Pero esos bandidos le complicaban un poco sus planes. No podía ir sola a casa de John a mitad de la noche mientras alguien quería secuestrarla. Y Mary, por supuesto no era suficiente protección. Persephone y su sombrilla eran otra historia, pero dudaba que aceptara ir con ella. Era bastante indulgente en relación a cómo eran las damas de compañía, pero seguro que se cerraría en banda ante la idea de que Belle se metiera en la habitación de un hombre.

¿Qué hacer? ¿Qué hacer?

Levantó la pluma y escribió una nota a Dunford.

—¡Por supuesto que no!

—No seas pesado, Dunford —dijo Belle—. Necesito que me ayudes.

—No necesitas ayuda, necesitas un arnés. Y no estoy siendo pesado, estoy siendo sensato. Palabra que pareces haber olvidado el significado.

Belle se cruzó de brazos con terquedad y se hundió en su asiento. Dunford, que estaba de pie, se paseaba y movía los brazos al hablar. Nunca lo había visto de tan mal humor.

—Lo que piensas es una locura estúpida, Belle. Si no te rompes el cuello, y eso es muy posible considerando que toda tu experiencia subiéndote a los árboles es lo que te ha contado una prima en una carta, muy probablemente podrías ser arrestada por violar un domicilio.

—No me arrestarán.

—¿De verdad? ¿Y cómo sabes que vas a dar con la habitación correcta? Con la suerte que tienes bien podrías terminar en la habitación del conde. Y he visto cómo te mira. Creo que agradecerá tener tan buena fortuna.

—No lo hará. Sabe que quien me interesa es su hermano. Y no voy a «terminar» en su habitación como has dicho tan delicadamente. Sé cuál es la habitación de John.

—No voy a preguntarte cómo lo sabes.

Belle estuvo a punto de empezar a defender su reputación, pero prefirió no decir nada. Si Dunford pensaba que ya había estado en la habitación de John no tendría que estar tan reacio a ayudarla a volver allí de nuevo.

—Mira, Belle, mi respuesta sigue siendo no. ¡Rotundamente, no! Con tres signos de exclamación —añadió.

—Si fueras mi amigo… —murmuró Belle.

—Exacto. Como soy tu amigo no te quiero dejar hacerlo. Soy un muy buen amigo. No hay nada que puedas decir para que te ayude.

Belle se levantó.

—Bueno, gracias entonces, Dunford. Estaba deseando que me ayudaras, pero veo que voy a hacerlo sola.

Dunford emitió un quejido.

—Por nada del mundo. Belle, no puedes ir allí sola.

—No tengo otra elección. Mi necesidad de verlo es muy urgente y no quiere recibirme. Supongo que contrataré una calesa para que me lleve el corto trecho que hay de aquí hasta su casa y no tener que caminar sola por la calle tan tarde por la noche, pero…

—Muy bien, muy bien. —Le concedió Dunford con expresión disgustada—. Te ayudaré, pero quiero que sepas que lo desapruebo por completo.

—No te preocupes, ya lo has dejado muy claro.

Dunford se hundió en su asiento cerrando los ojos de angustia.

—Que Dios nos ayude —imploró—. Que Dios nos ayude.

Belle sonrió.

—Creo que lo hará.

Capítulo 15

—¿Cómo diablos se te ocurrió una idea tan loca?

—No importa —dijo Belle mirando a su reticente compañero de aventura.

Dunford no estaba en absoluto contento de estar con ella delante de la casa del hermano de John a las tres de la madrugada, y no tenía ningún reparo en mostrar su enfado.

—No me iré hasta que no te vea salir de la casa. Y preferiría que fuera por la puerta principal —dijo frunciendo el ceño mientras la ayudaba a subirse al árbol.

Belle no lo miró pues ya se estaba agarrando a la primera rama.

—Quiero que te vayas. No sé cuánto tiempo estaré dentro.

—Eso es lo que me preocupa.

—Dunford, John me va a acompañar a casa aunque me deteste. Es de ese tipo de hombres. No te tienes que preocupar por mi bienestar mientras esté con él.

—Tal vez, pero ¿qué hay de tu reputación?

—Bueno, eso es mi problema, ¿no crees? —Belle alcanzó la siguiente rama—. Es mucho más fácil de lo que parece. ¿Te has subido alguna vez a un árbol?

—Claro que sí —replicó irritado.

Ella ya iba por las ventanas del segundo piso. Dunford se maldijo a sí mismo una vez más por haber dejado que lo convenciera de participar en un plan tan absurdo. Pero si no la hubiera ayudado, probablemente lo hubiera hecho sola, lo cual era una locura aún mayor. Nunca antes había visto a Belle así. Por su bien, deseaba que su amigo Blackwood sintiera lo mismo que ella.

—Ya casi estoy llegando, Dunford —le avisó mientras probaba la resistencia de la rama que tendría que soportar su peso cuando se acercara horizontalmente a la ventana—. ¿Me prometes que te irás en cuanto entre?

—No lo prometo.

—Por favor —le rogó—. Ahí abajo te congelarás.

—Sólo me marcharé si Blackwood aparece por la ventana y me da su palabra de caballero de que te acompañará a tu casa —dijo Dunford y suspiró.

No había sido capaz de defender la virtud de Belle, si quedaba aún algo por defender, lo cual sinceramente deseaba, pero por lo menos haría que volviera segura a su casa.

—Muy bien —aceptó Belle, y comenzó a avanzar por la gruesa rama hacia la ventana.

Después de unos tres segundos a gatas, se le ocurrió algo mejor, y gracias a que se había puesto unos pantalones que había encontrado en el armario de su hermano, se pudo poner a horcajadas sobre la rama. Después fue avanzando poco a poco usando las manos para apoyarse. Cuando llegó a la ventana, la rama se combó peligrosamente, pero enseguida pudo escalar hasta la amplia cornisa. Escuchó las pisadas de Dunford abajo pues se había acercado a toda prisa a la casa convencido de que tendría que cogerla al vuelo si se caía.

—Estoy bien —dijo Belle no demasiado alto, y se dispuso a subir por la ventana.

John se despertó con el sonido de la ventana chirriando contra el marco. Los años como soldado acostumbrado a tener el sueño muy ligero, y el reciente ataque que había sufrido había hecho que sus sentidos se agudizaran aún más. Con un movimiento muy fluido, cogió la pistola que estaba en la mesilla de noche, rodó por el suelo, y se agazapó detrás de la cama. Le dolió la pierna al moverla de manera tan brusca. Cuando se dio cuenta de que el intruso estaba teniendo problemas para abrir la ventana, aprovechó su tardanza para ponerse el albornoz. Con la espalda contra la pared se deslizó por todo el perímetro de la habitación hasta ponerse justo al lado de la ventana. Esta vez no lo iban a sorprender.

Con un esfuerzo considerable, Belle consiguió levantar la ventana, y una vez que hubo suficiente espacio para su cuerpo, hizo una seña a Dunford y se deslizó reptando en la habitación.

En el momento en que sus pies tocaron el suelo, un brazo firme la agarró por detrás, y sintió el frío del cañón de una pistola apretado contra su cuello. El miedo congeló su cuerpo y su mente, y se quedó tiesa como una tabla.

—Muy bien —siseó una voz furiosa detrás de ella—. Empieza a hablar. Quién eres y qué quieres de mí.

—¿John? —susurró temerosa.

Y enseguida se dio la vuelta.

—¿Belle?

Ella asintió.

—¿Qué diablos haces aquí?

Ella inspiró nerviosa.

—¿Puedes bajar el arma?

John se dio cuenta de que todavía tenía el arma levantada y la dejó sobre una mesa cercana.

—Por el amor de Dios, Belle, te podría haber matado.

Ella sonrió temblorosa.

—Menos mal que no lo hiciste.

John se pasó una mano por su espesa cabellera y por fin la pudo mirar bien. Estaba vestida de negro de los pies a la cabeza. Su cabello claro, que sin duda hubiera relucido bajo la luz de la luna, quedaba bajo un sombrero, y además parecía que se había puesto unos pantalones de hombre. O más bien pantalones de niño, pues su bien formado cuerpo se percibía perfectamente bajo su disfraz tan poco convencional. Dudaba de que hubiera pantalones de hombre lo suficientemente pequeños como para ceñir su trasero de manera tan encantadora.

—¿Qué te has puesto? —dijo John dando un suspiro.

—¿Te gusta? —Belle le sonrió decidida a defenderse con descaro. Se sacó el sombrero y dejó que le cayera la cabellera por la espalda—. La idea me la dio Emma. Por algo que hizo una vez. Ella, mmm, se vistió de chico, y…

—Ahórrame la historia. Estoy segura de que Ashbourne se puso tan furioso como yo estoy ahora.

—Creo que sí. Yo no estaba allí. Pero al día siguiente…

—¡Basta! —dijo levantando una mano—. ¿Cómo diablos llegaste hasta aquí?

—Subí por el árbol.

—¿De dónde sacaste una idea tan descabellada?

—No me tendrías que preguntar eso.

John le lanzó una mirada que expresaba que no le gustaba que le echaran en cara su propio comportamiento.

—Podrías haberte roto el cuello.

—No me diste demasiada elección.

Se acercó a él y le puso una mano en el brazo.

John se echó hacia atrás.

—No me toques. No puedo pensar si me tocas.

Belle pensó que eso era alentador y volvió a acercarse.

—¡Te he dicho que lo dejes! ¿No te das cuenta de que estoy furioso contigo?

—¿Por qué? ¿Por haberme arriesgado para venir a verte? Esto no hubiera sido necesario si no fueras un idiota chiflado negándote a verme.

—Tengo una muy buen razón para no querer verte —replicó John.

—¿De verdad? ¿Y cuál es?

—No es de tu incumbencia.

—Veo que sigues siendo tan infantil como siempre —dijo Belle con desdén—. ¡Ay! —exclamó apartándose al notar que una piedra le había golpeado en el brazo.

—¿Qué es eso? —susurró John agarrando de nuevo su pistola y apartándola de la ventana.

—¿Por qué estás tan paranoico? Es Dunford, que seguro que

está muy enfadado conmigo por tardar tanto en avisarle de que he llegado bien.

Belle se soltó y se dirigió a la ventana abierta. Dunford miraba hacia arriba. No podía verle con claridad, pero sabía que tendría grabada en la cara una expresión preocupada.

—Estoy bien, Dunford —gritó hacia abajo.

—¿Va a acompañarte a casa?

—Sí, claro. No te preocupes.

—Quiero que me lo diga él.

—Qué hombre tan testarudo —murmuró Belle—. ¿John? Dunford no se quiere marchar hasta que no le des tu palabra de que me acompañarás a casa.

John frunció el ceño y se acercó a la ventana.

—¿En qué diablos estabas pensando?

—Me gustaría saber cómo la hubieras detenido tú —respondió refunfuñando—. La vas a acompañar a su casa o si no me quedo aquí y…

—Sabes bien que lo haré. Tendremos que hablar mañana. Eres estúpido o estás borracho o las dos cosas como para dejarla…

—¿Dejarla? ¿Dejarla? Oh, Blackwood, cuando seas su marido vas a ver lo que es bueno. Yo no la he dejado hacer nada. Napoleón mismo no la hubiera podido detener. Te deseo muy buena suerte. La vas a necesitar.

Dunford se dio la vuelta y se dirigió al carruaje que había dejado a una manzana de la casa.

John se volvió hacia Belle.

—Espero que tengas una muy buena razón para haber hecho algo así.

Belle se acercó a él.

—Ya te lo he dicho, necesitaba verte. ¿Qué mejor razón? ¿Y podrías cerrar la ventana? Aquí hace frío.

John la cerró de mala gana.

—Muy bien. Empieza a hablar.

—¿Quieres que empiece a hablar? ¿Por qué no empiezas a hablar tú? Todavía me estoy preguntando por qué un hombre entra un día a hurtadillas en mi habitación y me hace el amor, y al siguiente se niega a verme.

—Es por tu propio bien, Belle —contestó John apretando los dientes.

—¿Y dónde he escuchado yo eso antes? —preguntó destilando sarcasmo en cada palabra.

—No me eches en cara eso ahora, Belle. Es una situación completamente distinta.

—Si es así lo entenderé... pero cuéntame de qué se trata. Mientras has estado sumergido en tus asuntos, yo he tenido una pequeña aventura.

—¿A qué diablos te refieres?

—Me refiero a que un hombre intentó secuestrarme hace un par de días. —Belle se había dado la vuelta así que no vio cómo John palidecía. Respiró hondo y decidió arriesgarlo todo—. Si realmente me quieres tendrías que hacer algo para protegerme. Preferiría no tener que pasar esto sola.

John la agarró con fuerza por los hombros e hizo que se diera la vuelta. La expresión de su cara le demostraba que todavía la quería, y eso la hubiera alegrado si no hubiese sido porque parecía absolutamente angustiado.

—Cuéntame qué ocurrió —insistió con expresión tremendamente preocupada—. Cuéntamelo todo.

Enseguida le contó el incidente del callejón.

—¡Maldita sea! —explotó John dando un golpe contra la pared.

Belle se quedó boquiabierta al ver que en la escayola de la pared serpenteaba una grieta.

—¿Y estás segura de que dijeron que los había contratado un caballero de clase alta para secuestrarte? ¿A ti en particular?

Ella asintió frunciendo el ceño mientras movía la cabeza.

—Y también que llevaba un brazo en cabestrillo.

John soltó una palabrota. Él había disparado al hombre que lo había atacado hacía unos días. Con un suspiro de rabia se acercó cojeando a una mesa donde tenía una botella de whisky y un vaso. Levantó la botella, ignoró el vaso y dio un gran trago bebiendo de ella directamente. Volvió a maldecir y le pasó la botella a Belle.

—¿Quieres?

Ella negó con la cabeza desconcertada por su rudeza.

—No, gracias.

—Cambiarás de opinión —dijo John riendo.

—¿John, qué está pasando? —preguntó Belle, y corrió a su lado—. ¿Qué está pasando?

Él la miró directamente a los ojos, directamente a los ojos azules que lo atormentaban cada noche. No tenía sentido seguir escondiéndole la verdad. No después de que su enemigo ya hubiera decidido que ella era una mercancía valiosa. Iba a tener que estar cerca de ella si quería protegerla. Muy cerca. Y todo el tiempo.

—¿John? —imploró Belle—. Por favor, cuéntamelo.

—Alguien está intentando asesinarme.

Sus palabras cayeron sobre ella como una avalancha.

—¿Qué? —dijo sofocada. Belle se tambaleó y se hubiera caído si él no la hubiera sujetado—. ¿Quién?

—No lo sé. Eso es lo peor. ¿Cómo diablos se supone que voy a protegerme si no tengo idea de quién es mi enemigo?

—¿Tienes enemigos?

—Ninguno que yo sepa.

—¡Mecachis! —dijo Belle suspirando, y John tuvo que contener la risa por su manera tan femenina de maldecir.

—Quienquiera que sea el que me quiere ver muerto se ha dado cuenta de que tú eres muy, muy importante para mí, y está dispuesto a usarte.

—¿Lo soy? —preguntó Belle dulcemente.

—¿Eres qué?

—Muy, muy importante para ti.

John suspiró.

—Por el amor de Dios, Belle. Sabes que lo eres. La única razón por la que no te he estado siguiendo como un perrito faldero estos últimos días era porque no quería que el hombre que me atacó se diese cuenta de la relación que tenemos.

A pesar del terror que sentía por la seguridad de John, Belle sintió una gran felicidad por sus palabras. No se había equivocado con él.

—¿Qué vamos a hacer ahora?

John suspiró con rabia.

—No lo sé, Belle. Mi prioridad es que tú estés segura.

—Y tú también, espero. No soportaría que te pasase algo.

—No me voy a pasar la vida escapando, Belle. O más bien, cojeando, en realidad —añadió irónicamente.

—No, comprendo que no quieras eso.

—¡Maldita sea! —Sus dedos apretaron la botella de whisky, y muy posiblemente la hubiera tirado contra la pared si Belle no hubiese estado allí para templar su furia—. Si supiera quién me persigue... Me siento indefenso. E inútil.

Belle se apresuró a consolarlo.

—Por favor, querido —imploró—. No seas tan duro contigo mismo. Ningún hombre podría hacer más de lo que tú ya has hecho. Pero creo que es hora de buscar ayuda.

—¿Ah sí? —preguntó burlón.

Belle ignoró su tono.

—Creo que debemos decírselo a Alex. Y quizá también a Dunford. Ambos tienen muchos recursos. Creo que nos ayudarán.

—No voy a implicar a Ashbourne. Se acaba de casar y está a punto de tener un hijo. Y en cuanto a tu amigo Dunford, después de lo de esta noche, no respeto demasiado su buen juicio.

—Oh, por favor, no le eches la culpa de esto a Dunford. No le dejé demasiada elección. O venía a protegerme o lo iba a hacer sola.

—Eres toda una pieza, Belle Blydon.

Ella sonrió ante lo que consideró un cumplido.

—Y en cuanto a Alex —continuó—. Sé que una vez le salvaste la vida.

John la miró con frialdad.

—Me lo contó todo —dijo Belle exagerando un poco la verdad—. Así que no creo que se niegue. Y conozco a Alex lo suficiente como para saber que lleva mucho tiempo deseando devolver su deuda.

—No lo considero una deuda. Hice lo que hubiera hecho cualquier otro hombre.

—No estoy de acuerdo. Conozco hombres que ni siquiera salen cuando llueve para no estropear sus corbatas, y mucho menos arriesgan sus vidas por otros. Por el amor de Dios, John. No puedes resolver esto tú solo.

—No hay otra manera de hacerlo.

—Eso no es verdad. Ya no estás solo. Tienes amigos. Y me tienes a mí. ¿No vas a dejar que te ayudemos?

John no contestó enseguida, así que Belle le dirigió otro apresurado discurso:

—Te puede el orgullo. Lo sabes y no te voy a perdonar si... si mueres. Y todo porque eres demasiado cabezota como para pedir ayuda a la gente que te quiere.

Se alejó de ella y se acercó a la ventana, sin dejar de pensar en el hombre que lo estaba acechando. ¿Estaba ahí afuera, al otro lado de la delgada cortina? ¿Estaba esperando el momento oportuno? ¿Haría daño a Belle?

Dios, no dejes que haga daño a Belle.

Pasó un largo minuto, y entonces ella habló al fin con la voz temblorosa.

—Yo... pienso que debes saber que cuento contigo para que me protejas. Puedo hacer frente a cualquier cosa que me depare el futuro, pero no quiero hacerlo sola.

John se volvió hacia ella emocionado. Abrió la boca pero no pudo hablar.

Belle dio unos pasos hacia delante y le tocó la mejilla.

—Y si me permites —dijo con dulzura—, yo también quiero protegerte a ti.

John puso sus manos sobre las de ella.

—Oh, Belle, ¿qué he hecho para merecerte?

Ella por fin se permitió una sonrisa.

—Nada. No tuviste que hacer nada.

Con un gemido, John la estrechó entre sus brazos.

—Nunca más voy a volver a dejarte —dijo con mucha intensidad mientras enterraba las manos en la espesa cabellera de Belle.

—Por favor, di que esta vez es verdad.

John se apartó un poco, cogió su cara con las manos, y miró fijamente los ojos azules de ella.

—Te lo prometo. Enfrentaremos esto juntos.

Belle le rodeó la cintura con los brazos y dejó que sus mejillas se apoyaran con fuerza contra su pecho.

—¿Podemos olvidar todo esto hasta mañana? ¿O por lo menos unas horas? ¿Haciendo como si todo fuese perfecto?

John agachó la cabeza y le besó la comisura de los labios.

—Oh, querida, todo es perfecto.

Belle alzó la cara para devolverle el beso con su innato entusiasmo. Y su pasión sirvió para encender la de él, pues antes de que ella se diera cuenta, la levantó en brazos y la trasladó a la cama.

La recostó y le quitó el cabello de la cara con tal reverencia que a Belle se le llenaron los ojos de lágrimas.

—Esta noche te voy a hacer mía —dijo con la voz llena de ternura.

Belle sólo dijo dos palabras:

—Por favor.

Los labios de John se deslizaron por su cuello llenándolo de cálidos besos mientras sus ágiles dedos se ocupaban de desvestirla. La tocaba como un hombre hambriento. La acariciaba, rozaba y pellizcaba.

—No puedo… ir más lento —dijo con la voz áspera.

—No me importa —dijo Belle gimiendo.

Ella volvió a sentir la recién conocida excitante sensación que le subía por las piernas y le bajaba por lo brazos hasta llegar hasta el centro de su propio ser. Ella quería inundarse de placer, rogaba y suplicaba por conseguirlo. Nunca hubiera imaginado que el deseo se podía apoderar de ella tan rápidamente, pero habiéndolo probado antes, no podía luchar contra la necesidad de apagar su llama encendida. Arañó el albornoz de John dominada por la necesidad de sentir su piel contra la suya.

John parecía sentir lo mismo, y a punto estuvo de romperle el vestido en su urgencia por sentir sus pechos contra su torso.

—Dios, cuánto te deseo —gimió deslizando una mano más abajo de su vientre para tocar su fresca mata de vello. Estaba húmeda, y sentirlo casi le hizo perder la cabeza.

No sabía cuánto más podría aguantar sin penetrarla, pero quería estar seguro de que estuviese preparada para él, así que primero deslizó suavemente un dedo en su rincón más íntimo. Sintió cómo sus músculos se apretaban alrededor del dedo, y se sorprendió de la urgencia de su deseo.

—Por favor —suplicó Belle—. Quiero… —pero su voz se apagó.

—¿Qué quieres?

—Te quiero a ti —dijo con la voz ronca—. Ahora.

—Oh, querida, yo también te deseo.

Y con un suave movimiento separó sus piernas y se colocó encima de ella, preparado para penetrarla aunque sin tocarla aún. Su respiración estaba agitada e hizo un gran esfuerzo para decir:

—¿Estás segura, mi amor? Una vez que te toque no voy a ser capaz de parar.

La respuesta de Belle fue sujetar firmemente sus caderas y empujarlo hacia ella. Y John al fin se permitió hacer lo que llevaba soñando desde hacía semanas, y empezó a penetrarla con suavidad. Sentía que ella era muy pequeña, y le daba miedo hacerle daño, así que al principio fue muy despacio, empujando hacia delante y hacia atrás, permitiendo que su cuerpo poco a poco se acostumbrara al de él.

—¿Te duele? —susurró.

Era levemente incómodo cuando empujaba hacia delante, pero Belle se sentía tan relajada que negó con la cabeza pues no quería preocuparlo. Además sabía adónde llevaba todo eso, y ella deseaba conseguirlo con todas sus fuerzas.

John gimió cuando llegó a la fina barrera de su virginidad. Tuvo que hacer un gran esfuerzo de autocontrol para no entrar en ella de la manera que le pedía su cuerpo desbocado.

—Esto te puede doler un poquito, amor mío —dijo—. Desearía que fuese de otra manera, y que no te doliera, pero te prometo que será sólo esta vez y…

—¿John? —lo interrumpió Belle suavemente.

—¿Qué?

—Te amo.

Él sintió que se le cerraba la garganta.

—No, Belle, no lo hagas —dijo jadeando—. No puedes. No...

—Te amo.

—No, por favor. No lo digas. No digas nada. No...

No podía hablar. No podía respirar. Ella era suya, pero muy bien podía haberla raptado. Ella era más de lo que él se merecía, y si era lo suficientemente codicioso como para querer tenerla en su vida, no era lo bastante canalla como para pedirle su corazón.

Belle vio en su mirada cómo se torturaba. No lo entendía, pero necesitaba que se le pasara. Como las palabras no lo curaban decidió demostrárselo acercando su cabeza a la suya.

Él se quedó deshecho con ese suave y cariñoso movimiento, y empujó hacia delante, y la poseyó por completo. Belle se sentía muy bien, como nunca había experimentado antes, pero John se obligó a tranquilizarse un minuto mientras sentía cómo se dilataba para acomodarse a él.

Belle sonrió temblorosa.

—Es tan grande...

—Igual que el de cualquier otro hombre. Aunque no creo que hayas tenido oportunidades de comparar.

John siguió moviéndose sobre ella, empujando suavemente y disfrutando de cada roce de sus cuerpos.

Belle jadeaba al sentirlo dentro.

—Oh, Dios.

—Oh, Dios mío.

—Me gusta.

Sin pensarlo, Belle comenzó a mover sus caderas debajo de él, subiendo para encontrarlo cuando él se hundía en ella. Lo rodeó con sus piernas y esta nueva posición permitió que él la penetrara más profundamente, tanto que Belle hubiera asegurado que le estaba tocando el corazón.

Los movimientos se hicieron más rápidos y más fuertes, y Belle era arrastrada con él mientras viajaban por un mar proceloso hacia el clímax. Ella hundía los dedos en su piel, clavándole las uñas para acercarlo aún más.

—¡Lo quiero ahora! —dijo jadeando al sentir que su cuerpo comenzaba a descontrolarse.

—Oh, ya te llegará, te lo prometo.

Una mano de John se deslizó entre ellos para tocar el punto más sensible del cuerpo femenino. Ella explotó chillando de pasión mientras todos los músculos se tensaban y parecían estallar.

Sentir cómo ella apretaba su duro miembro era más de lo que John podía aguantar, así que empujó una última vez, y gimió con fuerza mientras se derramaba en su interior. Ambos se quedaron en un dulce y confuso enredo de brazos y piernas irradiando mucho calor con sus cuerpos.

Cuando John recuperó la respiración normal, le retiró un mechón húmedo de la cara y le preguntó:

—¿Y bien?

Belle le sonrió.

—¿Y lo tienes que preguntar?

John respiró aliviado. Ella no le iba a preguntar por qué se había negado a aceptar su declaración de amor. Sintió que su cuerpo se relajaba e incluso consiguió reírse y bromear.

—Regálame los oídos.

—Fue maravilloso, John. Como nada que haya sentido antes. Y te lo tengo que agradecer.

Él le dio un pellizco en la nariz.

—Tu papel era esencial.

—Mmm —replicó Belle evasiva—. Pero te has contenido para asegurarte de que yo estuviera… bien —terminó incapaz de encontrar mejores palabras. Y cuando John hizo un gesto de protesta le puso la mano en la boca y dijo—: Shh. Lo veo en tu cara. Eres un hombre tan dulce y cariñoso, pero haces un gran esfuerzo para que nadie vea ese lado tuyo. Mira todo lo que has hecho para que esto sea perfecto para mí. Incluso me diste placer antes, para que no tuviera miedo de mis sensaciones esta noche.

—Es porque yo… porque me importas, Belle. Quiero que todo sea perfecto para ti.

—Oh, sí, lo es, John —dijo con un suspiro de alegría—. Lo es.

—Voy a protegerte —prometió—. Voy a mantenerte a salvo.

Belle se acurrucó en la curva de su brazo.

—Lo sé, querido. Yo también voy a mantenerte a salvo.

John sonrió al imaginarla empuñando un sable.

—No soy cobarde, lo sabes —dijo Belle.

—Lo sé —dijo él con indulgencia.

Su tono le molestó y se volvió hacia él.

—No lo soy —protestó—. Y será mejor que te acostumbres porque no voy a dejar que luches contra ese monstruo tú solo.

John la miró y levantó una ceja.

—¿No creerás que voy a dejar que te pongas en peligro?

—¿No lo ves, John? Si tú te pones en peligro, también me estarás poniendo a mí en peligro. Es lo mismo.

John no lo veía, pero no quería hablar sobre eso mientras ella estuviera cálida y suave entre sus brazos.

—¿No querías que nos olvidáramos de nuestros problemas durante unas horas? —le recordó con dulzura.

—Sí, imagino que sí. Pero es difícil. ¿Verdad?

Las manos de él se apoyaron en la herida de la bala que le había rozado a comienzos de la semana.

—Sí —dijo lúgubremente—. Lo es.

Capítulo 16

*L*a mañana llegó demasiado rápido, y Belle enseguida se dio cuenta de que tenía que volver a su casa y se vistió rápidamente, aún incapaz de creerse que había entrado a hurtadillas en la habitación de John la noche anterior. Nunca hubiera pensado que podía hacer algo tan temerario y atrevido. Suspiró para sí misma recordando que las mujeres emprenden acciones desesperadas cuando están enamoradas.

—¿Te ocurre algo? —preguntó John mientras se ponía una camisa blanca.

—¿Qué? Oh, no es nada. Estaba pensando que nunca más quiero subir tres pisos por un árbol.

—Estoy de acuerdo.

—No es que sea tan terrible subirse a un árbol. Pero arrastrarme por una rama hasta tu ventana…

—Ya no importa —la interrumpió con firmeza—. Pues no lo volverás a hacer.

Su preocupación por ella era tan franca que Belle prefirió no enfadarse por la orden.

Mientras avanzaban silenciosamente por la casa de Damien, Belle se preguntó si era prudente que volvieran a la suya solos cuando su enemigo seguía en libertad y mencionó a John su preocupación cuando llegaron a la escalera de la entrada.

John negó con la cabeza.

—Creo que es un cobarde. Lo más probable es que actúe bajo la protección de la noche.

—A mí me atacó de día —le recordó tercamente ella deteniéndose en seco.

—Sí, pero contrató matones, y además tú eres mujer. —John vio que Belle estaba a punto de protestar por ser menospreciada con tanta tranquilidad—. No es que piense que seas menos competente, pero sabes que la mayoría de los hombres no te ven como una amenaza. Además, no tiene ningún motivo para estar merodeando tan temprano. ¿Por qué estaría esperando cuando yo aún tendría que estar durmiendo unas cuantas horas más?

—Pero pudo haberme visto anoche. Y entonces sabría que tienes que acompañarme a casa.

—Si te hubiera visto anoche te hubiera atacado.

La idea hizo que John sintiera un escalofrío de miedo que fortaleció su resolución de acabar con aquello lo antes posible. Levantó la barbilla con determinación, cogió a Belle de la mano y la condujo por la escalera.

—Vamos. Me gustaría llevarte a casa antes del mediodía.

Belle respiró con fuerza el aire fresco.

—No creo que nunca haya estado fuera de casa a estas horas. Por lo menos no a propósito.

John sonrió con picardía.

—¿Y crees que ahora estás en la calle a propósito?

—Bueno, tal vez no exactamente. —Se sonrojó—. Pero lo estaba deseando...

—Eres una descarada.

—Tal vez, pero ya verás como esta historia tendrá un final feliz.

Los pensamientos de John volvieron al misterioso hombre que los había atacado.

—Por desgracia este capítulo en particular todavía no ha acabado.

Belle puso una expresión grave.

—Bueno, pues un desarrollo feliz. O comoquiera que se llame la parte justo antes del clímax de una historia.

—Pensaba que habíamos llegado al clímax anoche.

Belle se ruborizó.

—Hablaba en sentido literario —susurró, aunque no hacía falta.

John decidió dejar de torturarla y calló aún sonriente. Después de una breve pausa preguntó:

—¿Crees que Persephone se habrá levantado?

Belle frunció el ceño y miró el cielo todavía rosado y naranja mostrando las últimas luces del amanecer.

—No lo sé. Es muy rara. Nunca estoy segura de conocerla. Además casi nunca estoy levantada a esta hora. No sé si es muy madrugadora.

—Bueno, por nuestro bien espero que todavía esté en su cama. De todos modos lo único que podría hacer es insistir en que me case contigo, lo que no es ningún problema porque pienso hacerlo lo antes posible. Aún así, me gustaría evitarme llantos y desmayos y todas esas tonterías femeninas.

Belle lo miró enfadada por su comentario sobre las «tonterías femeninas» y murmuró:

—Creo que Persephone y yo nos la arreglaremos para comportarnos de manera que no se vea ofendida tu masculinidad.

John hizo un mohín, nervioso.

—Encárgate de que así sea.

Ella no pudo comentar nada más porque acababan de llegar a la escalinata de la entrada de su casa. Había sido previsora y se había llevado la llave la noche anterior así que pudieron entrar silenciosamente. John pensaba marcharse enseguida para evitar que se produjera una escena.

—Por favor, no te vayas todavía —dijo Belle poniendo con dulzura una mano en su brazo. Sorprendentemente ningún sirviente fue testigo de la entrada clandestina—. Espérame en la biblioteca. Corro a ponerme algo más adecuado.

John miró su atuendo masculino con una sonrisa y asintió mientras Belle subía a toda prisa las escaleras. Ella se detuvo en el descansillo, miró hacia atrás con una sonrisa pícara y le dijo:

—Tenemos mucho de que hablar.

Él volvió a asentir y se dirigió a la biblioteca. Pasó un dedo por los lomos de los libros hasta que encontró uno con un título intrigante y lo sacó de su balda. Se puso a hojearlo lentamente sin prestar demasiada atención a sus palabras. Sus pensamientos estaban obstinadamente perdidos en el ángel de cabellera dorada que estaba justo en el piso de arriba. ¿Qué diablos la había poseído para subirse a un árbol y entrar por su ventana en el tercer piso? No es que estuviera disgustado con el resultado, pero aún así, la mataría si volviera a intentar algo similar. Suspiró pues su cuerpo se calentaba, ya no de deseo, sino de alegría.

Ella era suya. No estaba seguro de cómo había ocurrido todo, pero ella era suya.

Belle reapareció con un vestido rosa pálido que resaltaba el rubor natural de sus mejillas. Como tenía mucha prisa se había recogido el pelo en un moño informal, que aunque no estuviera de moda, era al menos presentable.

John levantó una ceja sorprendido por su rápida transformación.

—Sólo cinco minutos, milady. Estoy asombrado... e impresionado.

—Oh, vamos, no es tan difícil vestirse —dijo Belle.

—Mis hermanas nunca lo hacían en menos de dos horas.

—Supongo que todo depende de lo mucho que uno quiera llegar donde va.

—¿Y tú deseas mucho llegar a donde vas?

—Oh, sí —dijo Belle tomando aliento—. Mucho. —Dio un paso hacia él y después varios más hasta que quedaron muy cerca—. Creo que me has convertido en una libertina.

—La verdad es que eso espero.

Belle advirtió que le costaba respirar y sonrió. Era agradable saber que tenía tanto poder sobre él, como él sobre ella.

—Ah, y a propósito —dijo ella de pronto—. Normalmente una dama tarda más de cinco minutos en cambiarse.

—¿Qué?

Los ojos de John brillaban de deseo y su mente se negó a entender lo que quería decir.

Belle se dio la vuelta.

—Los botones.

Contuvo el aliento al contemplar que por el vestido abierto se veía su suave y blanca espalda desnuda.

—¿Me haces el favor? —preguntó ella con dulzura.

Sin palabras, John metió los botones en sus ojales dejando que de vez en cuando sus dedos se perdieran en su cálida piel. Cuando llegó al último, se inclinó y besó con ternura la perfumada piel de su cuello.

—Gracias —le dijo Belle con dulzura, y se volvió. Cada terminación nerviosa de su espalda y de su cuello repentinamente pareció revitalizarse. Consciente de que debía comportarse con más decoro, ya que al fin y al cabo estaban en la biblioteca de su padre, se dirigió a un mullido sofá de cuero y se sentó—. Tenemos algunas cosas de que hablar —dijo después de acomodarse.

—Mañana —dijo John, y se sentó en un asiento junto al de ella.

—¿Perdona?

—Nos casaremos mañana.

Belle parpadeó.

—Es un poco pronto ¿no crees?

Ya se había resignado a no tener la boda de sus sueños, pero aún así pensaba que merecía algo especial. Dudaba que ninguno de sus parientes fuese capaz de llegar a Londres para ser testigo de su matrimonio si John insistía en casarse al día siguiente.

—Yo lo haría hoy mismo, pero pienso que una dama necesita un poco de tiempo.

Belle lo miró con recelo deseando que sólo estuviese siendo sarcástico.

—No tenemos que apresurarnos tanto.

Sus palabras no le importaron; John sabía que no estaba intentando echarse atrás. Aún así, no deseaba que el compromiso fuera largo. No después de lo ocurrido la noche anterior.

—Yo diría que tenemos muchísima prisa. Quiero estar a tu lado para velar por tu seguridad. Sin mencionar el hecho de que podrías estar embarazada de mi hijo.

Belle palideció. Había estado tan dominada por la pasión que no había pensado en sus consecuencias. Supuso que ésa era la razón por la que la gente tenía bebés no deseados.

—No te estaba diciendo que esperáramos meses. Sólo quería esperar al menos una semana. Además, te hace falta tiempo para conseguir una licencia especial.

—Ya la tengo.

—¿Ya?

—La semana pasada. Cuando te di quince días para esperar a que tus padres regresaran.

—Mis quince días no han terminado —dijo Belle triunfalmente. y se recostó. Por lo menos ganaba unos cuantos días.

—Lo siento, pero te hice esa oferta antes de que me diera cuenta de que tenía un enemigo bastante molesto. No estoy dispuesto a esperar tanto tiempo. Te lo digo de nuevo... te quiero cerca de mí donde te pueda tener vigilada.

Belle suspiró. Él estaba siendo verdaderamente muy romántico, y ella no era inmune al romanticismo. Aún así, dudaba de que siquiera pudiera conseguir un vestido nuevo para casarse al día siguiente. La idea de tener que ponerse uno de sus vestidos viejos no era romántica en absoluto. Lo miró a la cara intentando deducir si le serviría suplicar por su causa. Pero John parecía implacable.

—Muy bien. Será mañana. Por la tarde —accedió.

—Pensaba que las bodas se celebraban por la mañana.

—Esta no —murmuró.

John asintió de buena gana. Eso sí que se lo podía garantizar. Se levantó y estiró su abrigo.

—Si me perdonas, tengo varios asuntos que resolver. ¿Tienes algún clérigo favorito? ¿Alguien que te apetezca especialmente que oficie el servicio?

A Belle le conmovió que se lo preguntara pero le contestó que no había nadie que fuera tan especial.

—Pero lo mejor es que te lleves algunos sirvientes para que te acompañen —añadió—. No quiero que salgas solo.

John accedió de buen grado. Era de la opinión de que su enemigo lo atacaría de noche, pero le parecía razonable tomar precauciones.

—Y yo no quiero que salgas de aquí —le advirtió.

Ella sonrió por su preocupación.

—Te puedo asegurar que si lo hago, saldré por lo menos con ocho acompañantes.

—Te mataré si no lo haces —dijo John refunfuñando—. Vendré más tarde, cuando sepa si tenemos algún clérigo disponible.

Belle lo siguió hasta el vestíbulo y ordenó a dos de sus sirvientes que pasaran el día con John. Después lo acompañó hasta la puerta principal, donde él le cogió una mano y le dio un beso fugaz en la palma.

—Oh, John —suspiró—. ¿Me cansaré alguna vez de ti?

—Espero que no.

Sonrió y salió por la puerta.

Belle movió la cabeza y subió las escaleras. Dios, Dios, ¿en verdad se iba a casar al día siguiente?

Suspiró. Lo iba a hacer.

Se dirigió a su habitación y fue a sentarse en el escritorio. Sacó papel de cartas y una pluma. ¿Por dónde empezar? Decidió escribir a su hermano.

Queridísimo Ned:
Me caso mañana por la tarde. ¿Puedes venir?

Belle

Sonrió y metió la críptica nota en un sobre color crema. Eso lo haría regresar a Londres enseguida. Su nota a Dunford fue idéntica, excepto que incluyó el nombre de John. No pensaba que le sorprendiera demasiado.

Emma no le toleraría algo tan misterioso así que decidió extenderse un poco. Además, su prima ya conocía su relación con John.

Queridísima Emma:

Para gran alegría mía, John y yo hemos decidido casarnos. Por desgracia lo tenemos que hacer con mucha prisa.

Belle frunció el ceño mientras escribía. Emma se pensaría lo peor. Por supuesto que iba a ser correcta, pero a Belle no le gustaba pensar que los eventos más recientes de su vida fuesen «lo peor» de nada. No obstante, continuó con la misiva.

Me he dado cuenta de que hay poco tiempo, pero me encantaría que tú y Alex pudieseis venir mañana a Londres a mi boda. Lamentablemente, todavía no sé la hora exacta de la ceremonia, pero se celebrará por la tarde.

Entonces su ceño fruncido se transformó en una mueca. Había demasiadas «expresiones de pesar» para un evento que se suponía que debía ser muy feliz. Se estaba haciendo un lío con eso. Así que abandonando toda pretensión de escribir con elegancia acabó la nota enseguida.

Supongo que te quedarás muy sorprendida. Yo misma lo estoy. Te lo explicaré todo cuando llegues.

Con todo mi amor,
Belle

Estaba a punto de bajar las cartas para dárselas a un sirviente para que llamara a tres mensajeros cuando Persephone apareció por la puerta.

—Santo cielo, estás levantada tan temprano —exclamó la anciana dama.

Belle sonrió y asintió, controlando el malévolo impulso de contarle que ni siquiera se había acostado.

—¿Por algo en especial? —persistió Persephone.

—Me voy a casar mañana.

No tenía ningún motivo para no ser clara.

Persephone se puso a parpadear como una lechuza.

—¿Qué has dicho?

—Me voy a casar.

Continuó parpadeando y Belle decidió que su dama de compañía no parecía una lechuza normal sino una que fuese deficiente mental. Sin embargo, después de un momento, su amiga con aspecto de pájaro recuperó la voz.

—¿Con alguien que conozca?

—Con lord Blackwood, por supuesto —soltó Belle irritada—. ¿Con quién si no?

Persephone se encogió de hombros.

—No viene desde hace algún tiempo.

—No es exacto decir que unos días sean «algún tiempo» —dijo Belle a la defensiva—. Y además, no tiene ninguna importancia pues nos hemos reconciliado y hemos decidido casarnos mañana por la tarde.

—Muy bien.

—¿No me va a felicitar?

—Por supuesto, querida. Sabes que pienso que es un muy buen hombre, pero de algún modo siento que no he cumplido bien con mi trabajo de dama de compañía. ¿Cómo se lo explicaré a tus padres?

—Usted ni siquiera conoce a mis padres, y además tampoco saben que tengo dama de compañía. —Belle miró a Persephone e inmediatamente se dio cuenta de que había dicho algo equivocado. La anciana dama parecía haber pasado de lechuza enferma a hurón nervioso—. Intente pensarlo de otra manera —dijo Belle esperanzada—. El propósito de toda dama joven es casarse. Eso es lo que nos han enseñado. ¿Verdad?

Persephone asintió, pero parecía dudar.

—Me voy a casar. Por lo tanto he conseguido ese noble propósito, y eso habla bien de usted, como dama de compañía y como amiga. —Belle sonrió un poco incapaz de recordar la última vez que había dicho una tontería tan grande.

Persephone la miró como diciendo «¿Ah sí?» en su tono más sarcástico.

—Muy bien —continuó Belle—. Es una situación poco común. Lo admito. Y probablemente la gente hablará de esto durante un tiempo. Nosotros lo haremos lo mejor que podamos. Y además, soy muy feliz.

Los labios de Persephone se curvaron hasta formar una media sonrisa romántica.

—Entonces, eso es lo más importante.

Belle estaba segura de que no sería capaz de dormir esa noche, pero a la mañana siguiente se levantó sintiéndose muy descansada. John había vuelto el día anterior para decirle que había encontrado a un clérigo que los casaría a las siete de la tarde del día siguiente. Belle se había reído y había insistido en que se quedara con el sirviente el resto del día; después cariñosamente hizo que se marchara. Tenía muchas cosas que hacer.

Estaba decidida a no tener una boda por completo poco convencional, por lo que ordenó que le trajeran unas cuantas docenas de flores, y después arrastró a Persephone de compras en busca de un vestido. Evidentemente la acompañaron varios sirvientes. Belle no quería sentirse cobarde pero no tenía ganas de que la volvieran a arrastrar a otro sucio callejón.

Madame Lambert dio un grito ante la idea de tener que crear un vestido de novia en tan poco tiempo, pero se las arregló para ofrecer a Belle un vestido de seda verde tremendamente favorecedor que sólo necesitada algunos pequeños arreglos. Tenía un corte muy simple y la falda caía graciosamente hasta el suelo desde un alto talle imperio. El escote dejaba los hombros casi desnudos y estaba adornado con varias capas de gasa blanca. El vestido era más apropiado para un tiempo más cálido, pero Belle decidió que en esas circunstancias no se podía quejar.

El resto del día pasó con sorprendente lentitud. Belle siempre había pensado que las bodas requerían de una cantidad ingente de preparativos, pero enseguida descubrió que no era así pues la boda se celebraba en su propia casa, con menos de media docena de invitados.

Y ahora, ya era el día de su matrimonio, y no tenía nada que hacer salvo quedarse sentada y ponerse nerviosa. Se sentiría mejor cuando llegara Emma. Lo que necesitaba era compañía femenina. Persephone era encantadora, pero nunca se había casado y no le era de mucha ayuda. Había intentado tener una «pequeña charla» con Belle la noche anterior y enseguida se hizo penosamente evidente que tenía menos de que «charlar» que la propia Belle. Además, ella estaba decidida a mantener la boca cerrada. Así que la conversación acabó bastante pronto.

Por desgracia, Emma parecía estar tardando en llegar a Londres. Belle deambuló sin destino por la casa todo el día, incapaz de concentrarse en nada. Desayunó poco, picoteó el almuerzo, y finalmente se instaló en un asiento junto a una ventana del salón de su madre y se quedó mirando la calle.

Persephone asomó la cabeza en la habitación.

—¿Todo va bien, querida?

Belle no se volvió. Por alguna inexplicable razón, tenía la mirada fija en un perrito negro que ladraba en la acera.

—Estoy bien. Estoy pensando.

—¿Estás segura? Pareces un poco… extraña.

Belle apartó la mirada del paisaje urbano y se volvió hacia Persephone.

—Estoy bien. No tengo nada que hacer, eso es todo. Y si hago algo dudo que pueda concentrarme.

Persephone sonrió y asintió. Nervios de novia. Salió de la habitación.

Belle volvió a mirar por la ventana. El perro había salido de la escena, así que decidió mirar las hojas del árbol que había al otro lado de la calle. ¿Cuántas se caerían con ese viento tan fuerte?

Dios santo, ¿cuándo se había vuelto tan melodramática? Ahora entendía por qué la gente se alborota tanto en las bodas; para mantener la mente de la novia ocupada y no dejar que caiga en ningún abismo mental extraño.

¿Extraños abismos mentales? ¿De dónde salía eso? Ahora sabía que tenía un gran problema. Volvió a su habitación, se tumbó en la cama, y con gran fuerza de voluntad se obligó a dormir.

Se dio cuenta de que se había quedado dormida cuando notó que Persephone le zarandeaba los hombros.

—Santo cielo, niña —decía—. No me creo que te hayas podido dormir el día de tu boda.

Belle se restregó los ojos, maravillada de haber podido dormirse.

—No tenía nada mejor que hacer —dijo soñolienta.

—Bueno, lord Blackwood y el reverendo Dawes están abajo, y parecen estar deseando comenzar con la ceremonia.

—¿Qué hora es? —preguntó Belle despertándose rápidamente.

—Las seis y media de la tarde.

Santo Dios, ¿cuánto tiempo había estado durmiendo?

—¿No ha llegado ninguno de mis parientes? —Ninguno de los tres, pensó Belle con tristeza.

—No, pero he oído que los caminos de acceso a la ciudad están atascados por el barro.

Belle suspiró.

—Bueno, supongo que no los podemos esperar toda la noche. Por favor, dígale a lord Blackwood que bajaré en cuanto esté lista. Ah, y si no le importa, no le diga que estaba durmiendo.

Persephone asintió y se fue de la habitación.

Belle se puso de pie y se dirigió a su vestidor donde colgaba su ligeramente informal vestido de boda. Supuso que tendría que llamar a su doncella para que la ayudara a vestirse. Siempre había soñado que iban a estar su madre y Emma con ella, y tal vez algunas amigas, para ayudarla a ponerse el traje. Se hubieran reído, habrían hecho bromas y se hubieran divertido con cualquier pequeña tontería. Todo hubiera sido magnífico y ella se habría sentido como una reina. Pero no había nadie. Estaba sola.

Sola el día de su boda. Qué idea tan deprimente.

Después se puso a pensar en John, que sin duda la esperaba impaciente en el piso de abajo. Podía imaginárselo, andando de un lado a otro de la biblioteca, puntuando sus pasos con su característica cojera que había llegado a significar tanto para ella. Sus labios dibujaron una sonrisa. No estaba sola. Y nunca lo estaría.

Aún no había cogido el vestido cuando escuchó una gran conmoción en el pasillo. Su cabeza se volvió instintivamente hacia la puerta que se abrió de golpe. Emma irrumpió de súbito en la habitación.

—¡Dios mío, prima! —exclamó sofocada.

Belle pensó que sin duda había subido los peldaños de dos en dos.

—¿No crees que me debías haber avisado antes?

—Todo ha ocurrido muy deprisa —dijo Belle a la defensiva.

—Por así decirlo...

Su atención se distrajo por un ruido aún más fuerte.

—Oh, Dios —murmuró Emma—. Debe de ser Alex.

Alex casi rompió la puerta al entrar.

—Seguro que sí —replicó Belle.

Alex jadeaba por el esfuerzo. Belle pensó que debía de haber subido los peldaños de tres en tres. Fijó sus ojos color verde intenso en su esposa que tuvo la elegancia de por lo menos mirarlo un poco incómoda.

—Si alguna vez vuelves a saltar del carruaje como has hecho hoy te mato.

Emma prefirió no llevarle la contraria.

—Está un poco sobreprotector por mi delicado estado —dijo a Belle.

—Emma... —dijo él en tono de advertencia.

John eligió ese momento para aparecer por la puerta.

—¿Qué diablos pasa aquí?

Belle soltó un chillido, levantó los brazos y corrió a refugiarse en su vestidor.

—¡No puedes verme! —gritó.

—Oh, por el amor de Dios, Belle. Esta no es exactamente una boda normal.

—Será todo lo normal que yo quiera. Así que vete. Te veré abajo. —Su voz sonaba apagada pues tenía que atravesar varias capas de tela y una gruesa puerta de madera.

Alex puso los ojos en blanco y murmuró:

—Mujeres... —su esposa lo miró enfadada—. Necesito una copa —dijo y salió dignamente de la habitación.

John lo siguió sin mirar atrás.

Emma enseguida cerró la puerta y corrió a la puerta del vestidor.

—Se han marchado —dijo muy bajito sin saber por qué hablaba susurrando.

—¿Estás segura?

—Por el amor de Dios, Belle. Tengo ojos. Créeme, se han marchado.

Belle asomó la cabeza desde detrás de la puerta y cuando se aseguró de que en la habitación no había criaturas masculinas, se atrevió a salir.

—Solía pensar que eras la persona más sensata que conocía —murmuró Emma.

—Perdí la cabeza —dijo Belle con sinceridad.

—¿Estás segura de que estás preparada para esto?

Belle asintió y se le humedecieron los ojos.

—Siempre pensé que iba a ser diferente. ¡Ni siquiera está mi madre! —dijo sollozando.

Emma la cogió del brazo profundamente conmovida por las lágrimas de su prima.

—Puedes esperar, Belle. No hay ninguna razón que te obligue a seguir con esto hoy.

Belle lo negó con un movimiento de cabeza.

—No puedo esperar, Emma. Ni un día más.

Y a continuación le contó todo lo ocurrido.

Capítulo 17

*U*na vez que Emma se convenció de que Belle estaba verdaderamente enamorada de John, ayudó a su prima a ponerse el traje y proclamó que era la novia más radiante que había visto nunca.

—Supongo que eso significa que ya no tengo los ojos enrojecidos —bromeó Belle, pues había soltado un torrente de lágrimas.

Emma lo negó solemnemente.

—¿Quieres que Alex sea el padrino?

Belle frunció el ceño.

—Hubiera preferido que fuera Ned. Si no puede ser mi padre, me gustaría por lo menos que fuera mi hermano. Tal como es, papá se va a poner furioso de no haber sido él quien me entregue.

—Bueno, al menos me entregó a mí —dijo Emma muy práctica—. Tendrá que contentarse con eso. ¿Te ha contestado Ned?

—No ha habido tiempo.

Emma se mordisqueó el labio inferior.

—¿Por qué no bajo a ver si puedo retrasar la ceremonia? Vuelvo enseguida.

Salió y se dirigió al salón. John no dejaba de andar de un lado a otro, no tanto de nerviosismo como de impaciencia.

—¿Por qué tardáis tanto? —soltó.

Emma apretó los labios y miró el reloj.

—Son sólo las siete y diez. Llegamos puntuales si se supone que la boda empieza a las siete.

—Mujeres —dijo su marido que estaba repantigado en un sofá demasiado pequeño para su cuerpo.

Dunford estaba sentado enfrente sonriendo con sorna.

Emma los miró a ambos con desagrado y se volvió a su futuro primo político.

—Sólo necesitamos un poco más de tiempo —dijo evasiva.

—Emma, querida —dijo su marido en tono dulce—. ¿Puedes venir un momento?

Emma dudó pero fue hacia él.

—¿Ves al sacerdote? —le susurró.

Ella asintió.

—¿No ves nada, eh, digamos raro, en él?

Emma movió la cabeza para examinar al corpulento caballero.

—Parece que se inclina un poco hacia la izquierda.

—Exacto. Lleva aquí media hora y va por el cuarto vaso de brandy. Creo que tenemos que comenzar la ceremonia mientras todavía esté en condiciones.

Sin palabras, Emma salió de la habitación y fue al piso de arriba. Cuando llegó a la habitación de Belle dijo:

—No creo que podamos esperar demasiado.

—¿Ni siquiera unos minutos?

—No si te quieres casar esta tarde.

Belle no tenía idea de a qué se refería pero pensó que era mejor no saberlo. Cogió un lazo color blanco español y se lo puso en la cabeza.

—Supongo que ya no podemos esperar más a Ned. Será mejor que llames a Alex para que me acompañe.

Emma bajó las escaleras corriendo, cogió a su marido de la mano y pidió a Persephone que comenzara a tocar el piano. Alex y ella se encontraron con Belle en el rellano de la escalera justo cuando Persephone empezaba a aporrear el instrumento.

—Madre mía —dijo Alex al sentir que las disonancias le taladraban los oídos—. ¿Eso es Beethoven?

—Juraría que le pedí que tocara Bach —dijo Belle arrugando la frente.

—Tampoco creo que sea Bach —dijo Alex—. No creo que sea nada.

—Sólo nos queda esperar que no se ponga a cantar —dijo Emma sonriendo a su prima por última vez, antes de bajar las escaleras como dama de honor.

—Es difícil que lo haga peor que tú —se burló Alex.

Belle miró a su prima que ya iba por la mitad de las escaleras.

—Creo que no te ha oído —le susurró.

—Menos mal. ¿Vamos? —Alex le ofreció su brazo—. Parece que ya nos toca.

Mientras descendían la escalera adornada con las rosas blancas y rosadas que había encargado especialmente, Belle dejó de estar nerviosa y triste, y todo lo que sintió fue una profunda alegría y una gran satisfacción. Cada paso la acercaba más al hombre que amaba, al hombre cuya vida pronto quedaría ligada a la suya de manera inextricable. Cuando entró en el salón y lo vio de pie junto al sacerdote, con los ojos brillando de orgullo y deseo, tuvo que controlarse para no correr directo a sus brazos.

Cuando finalmente llegaron al fondo de la habitación, Alex colocó la mano de ella sobre el brazo de John y dio un paso atrás.

—¡Queridos hermanos! —dijo el señor Dawes con la voz áspera. Belle recibió una ráfaga de olor a alcohol, tosió discretamente y retrocedió un paso.

Persephone no se dio por aludida y siguió aporreando el piano muy entretenida. Dawes la miró irritado y exclamó:

—He dicho: «¡Queridos hermanos!».

Los golpes musicales de Persephone terminaron muy lenta y dolorosamente.

Belle se aprovechó de la distracción de Dawes para susurrar a John:

—¿Estás seguro de que es un hombre de Dios?

John contuvo la risa.

—Segurísimo.

Dawes se volvió hacia la pareja.

—Como iba diciendo… queridos hermanos. —Parpadeó varias

veces y examinó a la exigua audiencia—. O más bien —murmuró—debería decir tres hermanos.

Belle no se pudo contener.

—Hay cuatro invitados, si no le importa.

—¿Perdone?

—He dicho —dijo gruñendo— que hay cuatro invitados. Soy consciente de que es una boda irregular, pero quiero honrarlos a los cuatro.

Sintió que John temblaba de risa en silencio.

Dawes no era del tipo de persona que cediera fácilmente a lo que entendía era un simple desliz de una muchacha, sobre todo después de haberse envalentonado con cinco vasos de buen brandy.

—Yo veo tres.

Sus dedos señalaron a Alex, Emma y después a Dunford.

—¡Un, dos, tres!

—¡Cuatro! —dijo Belle haciendo un movimiento triunfal hacia Persephone que observaba con evidente fascinación y alegría desde el piano.

En ese momento Dunford estalló muerto de risa, que contagió a Emma y a Alex quienes hasta ese momento habían conseguido mantener la compostura. Dawes enrojeció y dijo:

—Ella es la pianista.

—Es mi invitada.

—Vale, está bien, mocosa impertinente —dijo gruñendo, y se secó la frente con un pañuelo—. Queridos hermano, nos hemos reunido aquí ante cuatro testigos…

La ceremonia continuó sin incidentes durante un rato. John apenas podía creerse su suerte. Unos pocos minutos más, pensó, y ya habrían intercambiado votos y anillos, y después ella sería suya por toda la eternidad. Rebosante de alegría e impaciencia, se contuvo para no zarandear al locuaz sacerdote para que hablara más rápido. Sabía que se suponía que tenía disfrutar de cada momento de la ceremonia, pero lo que realmente deseaba era terminar con todo y retirarse a algún lugar escondido donde poder estar a solas con su esposa toda la semana siguiente.

Sin embargo, las esperanzas de John para que fuese una ceremonia rápida, se desbarataron cuando oyó que la puerta de entrada de la casa se abría de golpe con sonoro estrépito. Dawes lo miró de reojo, pero le hizo un breve gesto indicándole que la ceremonia debía proseguir.

Dawes siguió como pudo aunque todos oían cómo se acercaban unas sonoras pisadas procedentes del vestíbulo. Decidida a no volver a interrumpir, Belle miró con decisión hacia delante, pero John fue incapaz de no volverse pues en la habitación irrumpió un joven de cabello oscuro. Sus ojos eran tan azules que no podía ser más que el hermano de Belle.

—¡Por el amor de Dios! —exclamó Ned Blydon sentándose—. ¿No habéis llegado todavía a la parte de las objeciones?

—Mmm, no —dijo Dawes con su bulbosa nariz que relucía roja bajo la luz de las velas—. Todavía no.

—Bien. —Ned cogió la mano libre de Belle y la apartó del improvisado altar—. ¿Sabes lo que estás haciendo? —susurró—. ¿Quién es este hombre? ¿Qué sabes de él? ¿Qué está pasando? ¿Y cómo te atreves a mandarme una nota que sólo decía que te ibas a casar al día siguiente? ¿En qué estabas pensando?

Belle escuchó pacientemente su retahíla.

—¿Qué pregunta quieres que conteste primero?

—¡Escúcheme! —dijo Dawes alzando la voz—. ¿Seguimos con la ceremonia o no? Tengo que...

—Continuamos —dijo John con seriedad.

—Soy un hombre ocupado —farfulló Dawes—. Tengo que...

—Señor Dawes —interrumpió Dunford suavemente desarmándolo con una sonrisa devastadora—. Tengo que disculparme por esta interrupción. Es un escándalo que un hombre de su altura sea tratado de este modo. ¿Quiere tomar conmigo un vaso de brandy mientras este asunto se aclara?

Belle no sabía si agradecérselo o estrangularlo. A ese paso iba a estar demasiado borracho como para poder dirigir la ceremonia. Puso los ojos en blanco y se volvió hacia su hermano que la miraba preocupado.

—¿Estás segura de que quieres hacer esto? —le dijo—. ¿Quién es este hombre?

Alex se acercó y dio una palmadita a Ned en el hombro.

—Es un buen hombre —dijo con dulzura.

Detrás de él Emma asintió con vigor.

—¿Lo amas? —preguntó Ned.

—Sí —susurró Belle—. Con toda mi alma.

Ned la miró a los ojos intentando calibrar la profundidad de sus sentimientos.

—Muy bien, entonces. Disculpadme por la interrupción —dijo en voz alta—. Pero tendremos que empezar desde el principio porque quiero ser yo quien entregue a mi hermana.

—¡Compréndalo joven! Ya llevamos más de la mitad de la ceremonia —dijo Dawes con voz pastosa—. Soy un hombre muy ocupado.

—Eres un borracho con la cara colorada —murmuró Belle para sí misma.

—¿Ha dicho algo? —dijo Dawes parpadeando con fuerza. Se volvió hacia Dunford al que ahora veía como un aliado y lo agarró por los hombros—. ¿Ha dicho algo?

Dunford se liberó con cuidado de las manos del sacerdote.

—No se preocupe, le pagarán un suplemento por los problemas. Yo me encargaré de eso.

Belle y Ned subieron rápido la escalera, y cuando estaban arriba oyeron a Dawes decir:

—¿Se tocará el piano de nuevo?

Sonó un fuerte golpe que Belle prefirió ignorar.

En unos segundos, Persephone comenzó a tocar el piano con rabia, y Belle volvió a iniciar su segundo desfile del día bajando las escaleras para casarse.

—Estás muy guapa —susurró Ned.

—Gracias.

Belle sonrió ante sus palabras profundamente conmovida. Su hermano y ella se querían mucho, pero era un amor reñido y no se hacían demasiados cumplidos. Cuando Belle volvió a entrar en el salón, los ojos de John todavía brillaban de amor y orgullo, pero esta vez Belle también vio un poco de humor. Le sonrió con una media sonrisa ridícula para decirle que no le importaba que su boda fuese un desastre.

La ceremonia prosiguió notablemente tranquila considerando los contratiempos del comienzo. Persephone incluso dejó de aporrear el piano en cuanto Dawes dijo con voz quejumbrosa: «Queridos hermanos».

Y en su debido momento John y Belle fueron declarados marido y mujer.

Cuando se besaron hubo una gran ovación, aunque Dunford declararía más tarde que había aplaudido más por que la ceremonia se había terminado que por la felicidad de la pareja.

Después de las felicitaciones de rigor y los besos obligados de los invitados masculinos a la novia, que al haber sólo tres, fueron muy rápidos, Ned miró radiante a su hermana y le preguntó:

—¿Cuándo es la recepción? Estoy muerto de hambre.

Belle creyó morir de vergüenza. Había olvidado organizar una recepción. Y pensar que se había quejado de que no tenía nada que hacer. Pero una vez más, aunque estaba resplandeciente de felicidad por haberse casado al fin con el hombre de sus sueños, pensó que la celebración de la noche iba a parecer más una cena con invitados que una recepción de boda.

—Belle decidió anular la recepción —interrumpió John suavemente— hasta que regresen vuestros padres. Pensó que vuestra madre lo preferiría así.

Ned pensó que su madre hubiera preferido que Belle también hubiera retrasado la ceremonia, pero se mordió la lengua. Sonrió sin ganas a su nuevo yerno y por fin le hizo la pregunta que tenía en la mente toda la tarde.

—¿Cómo os conocisteis mi hermana y tú?

—Hace poco me compré una propiedad cerca de los terrenos de Ashbourne en Westonbirt —replicó John—. Nos conocimos allí.

—Luchó con Alex en la península —añadió Belle. Son muy amigos.

Ned miró a John con más respeto.

—Hablando de la guerra —comentó Alex— adivina a quién me encontré cuando llegábamos en el carruaje.

John volvió la cara hacia él.

—¿A quién?

—A George Spencer.

Belle percibió que los dedos de John apretaban su arma. Pareció como su fuera a decir algo, pero no salió ningún sonido de su boca.

—Seguro que te acuerdas de él —dijo Alex.

—¿Quién es George Spencer? —preguntó Belle.

—Un conocido —dijo John enseguida.

Alex se inclinó y besó fraternalmente a Belle en la mejilla.

—Creo que vamos a tener que dejar a los recién casados para que se ocupen de sus cosas —dijo sonriendo a Emma, quien de inmediato comenzó a prepararse para marcharse.

John, sin embargo, lo detuvo poniendo con firmeza una mano en su brazo.

—Espera Ashbourne —dijo en voz baja—. ¿Podemos hablar a solas antes de que os marchéis?

Alex asintió y ambos hombres se dirigieron a la biblioteca.

John cerró la puerta.

—No estoy seguro de que hayas conocido toda la historia de George Spencer.

Alex ladeó la cabeza.

—Sé que lo obligaste a desertar del ejército.

—Después de dispararle.

—¿Perdona?

—En el culo.

Alex se acercó a una mesa cercana y se sirvió un vaso de whisky que se bebió de un trago.

—¿Por alguna razón especial?

—Estaba violando a una muchacha española. A una chica a la que prometí proteger.

Alex soltó una maldición, y sus nudillos se pusieron blancos alrededor del vaso.

—Si es verdad que George Spencer anda merodeando por ahí fuera —dijo John cáusticamente— no creo que sea para felicitar al novio y a la novia.

Alex levantó una ceja.

—¿Hay algo más que tengas que contarme?

John sopesó las ventajas y desventajas de explicar a Alex todo lo que ocurría. Lo último que deseaba hacer era arrastrar a un hombre con una esposa y un niño en camino, a una situación peligrosa. Pero ahora él también tenía una esposa, y dados sus planes para el futuro inmediato, era bastante posible que pronto llegase un hijo. Estas nuevas responsabilidades pesaban en él, y recordó lo que le había dicho Belle unos días antes.

«No puedes solucionar esto solo.»

John realmente no había sabido cómo seguir su consejo. Había estado solo tanto tiempo que no tenía idea de cómo pedir ayuda, ni tampoco de cómo aceptarla. Alex ahora pertenecía a su familia, aunque sólo fuera de manera política, pero eran familia al fin y al cabo. John ya sentía mayor afinidad con él que con ninguno de sus hermanos o hermanas. Damien ni siquiera había sido capaz de asistir a su boda.

En cambio, Emma y Alex habían llegado corriendo desde el campo. John comenzaba a sentir el desconocido calor de una familia. Miró a Alex que lo observaba atentamente.

—Tengo un problema —dijo en voz baja.

Alex inclinó la cabeza.

—George Spencer está intentando matarme.

Alex inspiró profundamente antes de contestar.

—¿Estás seguro?

—Estoy seguro de que alguien está intentando matarme —replicó—. Y no me puedo creer que su presencia junto a esta casa sea una coincidencia.

Alex se pasó una mano por el pelo. Recordó la rabia de Spencer cuando John lo obligó a desertar.

—No. No es una coincidencia. Vamos a tener que hacer algo al respecto.

John se sorprendió de la seguridad con que había dicho la palabra «vamos».

—¿Dónde os quedáis esta noche?

No era una pregunta tonta pues John se había casado hacía menos de una hora. Bajo circunstancias normales, Belle y él tendrían que salir de luna de miel o se dirigirían a Bletchford Manor a pasar algún tiempo solos. Pero no creía que estuvieran seguros en el campo; en esa casa había demasiadas puertas y ventanas, y Spencer podría entrar a hurtadillas. Probablemente era más seguro que se quedaran en Londres, aunque fuese sólo porque entre tanta gente siempre podría haber testigos de un ataque de George Spencer.

—No lo sé —dijo John finalmente—. He estado muy ocupado. Ni siquiera he pensado en ello. Aunque no me gustaría llevar a Belle a la casa de mi hermano.

—Quedaos aquí —sugirió Alex—. Esta noche me llevaré a Persephone a mi casa. La verdad es que Belle ya no necesita dama de compañía. —Le sonrió con picardía—. Te encargaste de eso muy rápidamente.

John no pudo evitar reírse.

—Os enviaré a algunos sirvientes de refuerzo —añadió Alex—. Aquí ya hay muchos pero no vendrían mal unos cuantos más. Mientras más gente haya, más seguros estaréis.

—Gracias —dijo John—. También estoy considerando contratar a un guardaespaldas durante unas semanas.

—Muy buena idea. Me ocuparé de eso.

—No hace falta.

—Por el amor de Dios, hombre, te acabas de casar. Déjame ocuparme de los malditos guardaespaldas.

John movió la cabeza asintiendo y pensó que ya se estaba acostumbrando a la idea de tener una familia que se preocupaba de él.

—Emma y yo nos quedaremos en la ciudad hasta que esto se solucione —continuó Alex—. Contáctame por la mañana y decidiremos qué hacer con Spencer.

—Eso haré.

—Y mientras tanto que tengáis una esplendida noche de bodas.

John se rió.

—Ten por seguro que lo será.

Se oyó un golpe en la puerta y Belle asomó la cabeza.

—¿Alex? —preguntó—. Puesto que es mi noche de bodas, ya sabes, creo que tengo derecho a estar con mi marido.

—Justo estábamos hablando de eso —dijo Alex con una sonrisa coqueta—. Y por ello pensaba irme a buscar a mi esposa para marcharnos a casa.

Belle movió la cabeza mientras Alex abandonaba la habitación.

—¿De qué diablos hablabais? —preguntó a su marido.

John le puso el brazo encima de los hombros y salieron tras Alex.

—Te lo contaré todo mañana.

Los pocos invitados también se marcharon poco después. Cuando Emma estaba a punto de marcharse, sin embargo, le cogió una mano a Belle y la llevó a un lado.

—¿Necesitas, eh, preguntarme algo? —susurró.

—No creo —contestó Belle también susurrando.

—¿Estás segura?

—¿De qué?

—Que no necesitas hablar conmigo.

—Emma, ¿de qué estás hablando?

—Del amor en el matrimonio, cabeza de chorlito. ¿No necesitas hablar conmigo?

—Oh, bueno, no. No me hace falta.

Emma retrocedió con una ligera sonrisa.

—Tenía la impresión de que no te haría falta. —Le soltó la mano y dio unos cuantos pasos antes de decir—: Bueno, pues entonces que pases una buena noche.

Belle sonrió.

—Oh, lo haré. Lo haré.

—¿De qué se trataba? —preguntó John inclinando la cabeza para besar el cuello de su mujer ahora que ya se habían marchado todos los invitados.

—Te lo contaré mañana.

—Bien. Tengo otras cosas en mi mente esta noche —dijo conduciéndola hacia las escaleras.

—Yo también —lo siguió entusiasmada.

—¿En qué estás pensando? —preguntó John cuando llegaron al rellano—. Ahora... mismo.

—Pensaba que estoy contenta de que nos hayamos quedado aquí esta noche.

—Mmm, yo también. Hubiéramos tardado mucho tiempo en llegar a casa.

—¿A la de tu hermano?

—No, boba. A Bletchford Manor.

Belle sonrió.

—Parece que haya pasado mucho tiempo desde que estábamos allí. Nunca había tenido una casa nueva.

—No es demasiado espléndida —dijo él.

—Es suficiente para mí.

—Tiene un nombre espantoso.

—Eso hay que arreglarlo.

—No tengo demasiados sirvientes.

—No me hacen falta demasiados. Y deja de minusvalorar Bletchford Manor. Tiene muchas cosas excelentes.

—¿De verdad?

Ya habían terminado de subir las escaleras.

—Oh, sí —dijo Belle sonriendo coqueta—. Los macizos de rosas son muy bonitos.

—¿Eso es todo?

—Tiene una fantástica alfombra Aubusson en el salón.

—¿Eso es todo?

—Bueno —dijo Belle con una sonrisa mientras entraban en la habitación—. Está su dueño.

—¿El dueño? —los ojos de John brillaban de placer.

—Es muy atractivo.

—¿Eso piensas?

John cerró la puerta de una patada.

—Oh, sí, mucho.

Las manos de él fueron derechas a los botones forrados que recorrían el centro de su espalda.

—Tengo un secreto para ti.

—¿Sí?

Belle sentía que su corazón se aceleraba al sentir sus cálidas manos en su espalda.

—Mmm. Ese dueño del que hablas...

—¿Sí?

—También le gustas.

—¿Verdad?

John desabotonó el último botón permitiendo que el vestido le cayera por el cuerpo dejándola en con una pequeña combinación de seda que excitaba salvajemente todos sus sentidos.

—Quiere comenzar a adueñarse de ti esta noche.

—¿Adueñarse de mí? —preguntó Belle refunfuñando en broma por su elección de palabras.

—Bueno, ya lo ha hecho una vez y le gusta bastante.

—¿Ah sí?

A Belle apenas le salían las palabras pues las manos de John ascendían por sus piernas subiéndole la combinación por encima de los muslos.

—Sí, muy bien.

—¿Tanto como para pasar un vida haciéndolo? —preguntó.

—Mmm. Lo bastante como para dejar que tú te adueñes de él.

Ella ladeó la cabeza y sonrió.

—¿De verdad?

—Oh, sí.

Los labios de él llegaron a la base del cuello.

Belle se inclinó hacia atrás apoyándose en la cama. La boca de John había bajado para besar uno de sus pechos, y a ella le estaba costando mucho seguir de pie. Después, se metieron en la cama juntos.

El calor del cuerpo de John la quemaba cuando se puso sobre ella un momento hasta que se levantó para quitarse la camisa.

—Dios, Belle —dijo con pasión—. Si supieras...

—¿Si supiera qué? —preguntó tranquilamente mientras le miraba el pecho desnudo y lo apreciaba de manera muy femenina.

Las manos de John, que habían estado desabotonando sus pantalones, se detuvieron.

—Cuánto... Todo lo que tú... —sacudió la cabeza como si quisiera sacar las palabras de la garganta—. Mi vida ha sido... —Tragó saliva—. No sé cómo decirlo.

Puso la palma de la mano de Belle en su estómago y de ahí la llevó hasta su corazón.

—Late para ti —susurró—. Sólo para ti.

Se acercó a ella lentamente como si un hilo invisible los uniera. El resto de su ropa cayó al suelo, y se unieron el uno al otro. Sólo separaba el calor de sus cuerpos la fina seda de la combinación.

Belle sentía que él estaba a punto de estallar. Sus manos le recorrían la piel con una energía casi frenética. Ella sentía que ardía por dentro, poseída por el deseo que le provocaban las manos, los labios y los incoherentes susurros de John.

Ella intentó quitarse la combinación deslizándola por su cuerpo, pero él la detuvo.

—Déjalo —dijo John—. Me gusta.

—Pero quiero sentirte —dijo ella jadeando.

—Igual puedes —le dijo extendiendo sus manos por su vientre—. Yo te siento. Y siento la seda, y el calor, y el deseo.

Belle sintió calor en su vientre. Estaba jadeando. Las caderas de él presionaban las de ella, mientras la prueba física de su deseo intentaba anidar entre sus piernas.

—John, quiero...

—¿Qué, mi amor?

—Quiero sentirte.

Él sintió que un escalofrío le recorría el cuerpo, y Belle percibió la tensión de sus músculos luchando por controlar su deseo.

—No es necesario que vayas tan despacio —susurró—. Yo también lo deseo.

Él la miró a los ojos.

—Belle, no quiero hacerte daño.

—No lo harás. Nunca podrás hacerme daño.

Las manos de John se deslizaron por las piernas de Belle y las separó poco a poco subiéndole la combinación de seda durante el proceso. John comenzó a moverse hacia delante y la tocó con el extremo de su masculinidad.

Belle contuvo la respiración mientras sentía cómo entraba en ella. Era el más íntimo de los besos, y arqueó las caderas para tenerlo aún más cerca. Los movimientos de él se hicieron más rápidos y furiosos.

Y dentro de ella crecía algo. Una fuerza. Una tensión. Crecía y la llenaba.

La respiración de John se agitó. Hundió sus dedos en el cabello de ella, y la nombró con la voz entrecortada mientras empujaba y retrocedía con su cuerpo completamente entregado a un ritmo primitivo.

Belle subía con rapidez hasta el éxtasis. Y le clavaba las uñas en la espalda intentando alcanzar algo que estaba tan cerca… y entonces llegó. El placer se apoderó de ella y gritó el nombre de John.

Pero él no la escuchó. Los gritos de ella eran ahogados por los suyos mientras empujaba una vez última vez antes de explotar en su interior, y entonces cayó sobre Belle con todo el cuerpo ya relajado tras el esfuerzo.

Muchos minutos después rodó a un lado arrastrándola al girar. Sus cuerpos casi se separaron pero John la mantuvo a su lado.

—Quiero dormirme contigo entre mis brazos —susurró—. Quiero sentirte y olerte. Quiero sentir que estás aquí.

Belle se acurrucó aún más contra él.

—No voy a ir a ningún sitio.

John suspiró y se formó una sonrisa en sus labios. Apretó su cara contra la cabellera de Belle y le dio un beso en la cabeza.

—Mi esposa —dijo incapaz de quitarle el tono asombrado a su voz—. Mi esposa.

Capítulo 18

*H*asta la mañana siguiente Belle no se acordó de preguntar a John sobre su conversación con Alex. Él, al principio, pensó ocultarle la verdad, pero una simple mirada de sus inquisitivos ojos azules le recordó que la respetaba demasiado como para recurrir a un subterfugio.

—Sé quién está intentando matarme —dijo finalmente en voz baja.

Belle se sentó en la cama tapándose los pechos con un edredón.

—¿Quién es?

—George Spencer. —Se aclaró la garganta—. El hombre del que te hablé.

Belle se puso pálida.

—Pensaba que se había marchado del país.

—Yo también pensaba lo mismo. Pero Ashbourne lo vio merodeando por aquí justo antes de la boda.

—¿Estás seguro de que querría matarte?

John cerró los ojos y sus recuerdos lo llevaron a España. El olor a sexo y a sangre. La agonía de los ojos de Ana. La furia de Spencer.

—Estoy seguro.

Belle le pasó un brazo por la cintura y se quedó así junto a él.

—Ahora por lo menos sabemos quién es, y podremos luchar contra él.

John asintió lentamente.

—¿Qué vamos a hacer?

—Todavía no estoy seguro, mi amor. Hay muchas cosas que considerar. —Pero todavía no quería pensar en nada, por lo menos mientras estuviera todavía en cama con la mujer con la que se había casado hacía menos de veinticuatro horas. De súbito cambió de tema, la volvió a besar y preguntó:

—¿Te ha gustado la boda?

—Claro.

—¿Estás segura? —a John no le gustaba pensar que su prisa había arruinado uno de los días más mágicos de su vida—. Antes de la ceremonia parecías un poco angustiada.

—Ah, eso —dijo Belle y sus mejillas se sonrojaron un poco—. Estaba un poco nerviosa.

—No te lo estarías replanteando, espero.

¿Esperaba? Rogaba.

—No, claro que no —dijo Belle dándole una palmadita juguetona en el hombro—. Nunca jamás, ni siquiera una vez, he pensado que estuviese equivocándome. Me sentía un poco rara porque mi boda no era exactamente como la había soñado.

—Lo siento —se disculpó John.

—No, no lo sientas. Pero que no fuese como había soñado no significa que no fuese perfecta. Oh Dios, ¿me estoy explicando bien?

John asintió con seriedad.

—Pensaba que quería una iglesia, cientos de invitados, y música que sonara a música, pero me equivocaba. Lo que necesitaba era un sacerdote borracho, invitados irreverentes, y una amiga a la que le había enseñado a tocar el piano una cabra.

—Entonces tuviste justo lo que necesitabas.

—Supongo. Pero en realidad lo único que necesitaba eras tú.

John se inclinó para besarla una vez más, y durante toda una hora siguieron haciéndolo.

A medida que transcurría el día, John se daba cuenta que debía hacer algo en relación a George Spencer. Ciertamente no iba a quedarse sentado a esperar que en cualquier momento le alojara una bala en el pecho. Se podría volver loco si se quedaba esperando pacientemente a que su enemigo actuara. Por el bien de su cordura tenía que inventar un plan. La idea de que estuviera merodeando entre las sombras era muy desagradable, así que decidió que tenía que enfrentar la situación sin más espera y encontrarse con Spencer en persona.

Estaba claro que eso requería conocer su paradero. John no dudaba de que esa información fuera fácil de obtener. Las noticias viajaban muy rápido por Londres, incluso fuera de temporada, y Spencer era de una familia lo bastante conocida lo cual aseguraba que su llegada no habría pasado inadvertida. Simplemente había que preguntar a las personas adecuadas.

John se retiró a la biblioteca y enseguida escribió una nota a Alex solicitándole ayuda. Menos de veinte minutos después le llegó la respuesta.

Spencer está alquilando unas habitaciones en Bellamy Lane 14. Ha regresado a Londres con su propio nombre y su recepción ha sido tibia. Aparentemente volvió a Inglaterra después de la guerra y fue despreciado por ser un desertor. Su situación ha mejorado desde entonces, pero no demasiado.

No recibe muchas invitaciones pero no creo que le sea difícil ser aceptado en grandes fiestas y bailes. Habla bien y su indumentaria es adecuada. Belle y tú tendréis que tener cuidado.

Por favor, mantenme informado de tus planes.

Ashbourne

Alex había estado trabajando en ello desde la noche anterior. John movió la cabeza admirado. Se sentó con una pluma y un papel. Y después de varios borradores finalmente se decidió por la sencillez y le envió esta carta:

Spencer:

He sabido que estás en Londres. Tenemos mucho de que hablar. ¿Vendrías a mi casa a tomar una taza de té? Estoy residiendo en la casa de mi familia política en Grosvenor Square.

Blackwood

John envió la nota con un mensajero a quien dio instrucciones de que esperara una respuesta.

Después salió al vestíbulo en busca de Belle. Todavía no sabía moverse bien por la mansión pues era bastante grande para ser una casa de ciudad. Se sentía muy extraño quedándose en una casa que no era la suya, especialmente cuando sus dueños estaban en Italia sin saber que se acababa de casar con su única hija. Si los Blydon estuvieran en la residencia se sentiría como un invitado de verdad, pero tal como era la situación, estaba representando el papel de anfitrión en la casa de otro. Esta incómoda situación le urgía más que nunca a poner fin a sus problemas con Spencer. Había pasado cinco años ahorrando dinero para comprarse su propia casa, y ahora ni siquiera podía usarla.

Si no hubiera sido porque era un recién casado, habría estado de muy mal humor.

Al final descubrió que Belle se había quedado dormida en un sofá de su cuarto de estar. Sonrió para sí mismo pensando que se merecía ese sueñecito. La noche anterior había tenido que hacer de todo para mantenerla despierta. Pero como no quería molestarla salió en puntillas de la habitación y volvió a la biblioteca donde se instaló en un asiento con el libro *El apasionado peregrino*. Si Belle lo había leído, pensó, él también lo haría. Le fastidiaba estar tranquilamente leyendo mientras alguien conspiraba contra él, pero dada su nueva estrategia, no lo quedaba más que esperar.

Ya había avanzado bastante el segundo acto cuando Belle llamó a la puerta.

—¡Entra!

Belle asomó la cabeza.

—¿Te molesto?

—¿En mi primer día de casado? Creo que no.

Ella entró, cerró la puerta y se dirigió al asiento que había junto al suyo.

—Hmm hmm —dijo cogiéndola de la mano—. Aquí —y le dio un hábil tirón que hizo que quedara sentada sobre sus piernas.

Belle se rió y le dio dos besos, maravillada de lo cómoda que se sentía con ese hombre.

—¿Qué estás leyendo? —le preguntó echando un vistazo al libro—. *¿El apasionado peregrino?* ¿Por qué lo estás leyendo?

—Lo has leído tú.

—¿Y?

Él le retorció la nariz.

—Me acuerdo de lo adorable que estabas cuando hablamos de él el día que te conocí.

La respuesta de Belle fue otro beso.

—He descubierto qué ha estado mal en nuestra boda —reflexionó John.

—¿Sí?

Se acercó a ella y le rozó la comisura de su boca con los labios.

—Muchas parejas —murmuró acentuando sus palabras con pequeños golpecitos con la lengua— se pasan toda una semana metidos en cama después de casarse. Nosotros ni siquiera nos hemos levantado tarde.

Belle parpadeó con coquetería.

—Podemos volver a la cama —sugirió.

Las manos de John ascendieron por su vientre hasta sus pechos.

—Una idea interesante.

—¿Eso crees? —preguntó ella susurrando.

John la siguió apretando dulcemente encantado con su respuesta.

—Hmm, hmm —sonrió perezoso mientras contemplaba como ella arqueaba la espalda. Sentía cómo sus pezones se endurecían hasta convertirse en un pequeño capullo, y que el cuerpo de él también se tensaba.

—¿Siempre nos sentiremos así? —susurró ella.

—Dios mío, eso espero.

John se estiró y capturó su boca para darle un beso fuerte y profundo. Su boca y su lengua eran implacables y lo exigían todo de ella intentando llegar hasta su misma alma.

La reacción de Belle fue rápida y furiosa. Su brutal beso inflamó su deseo y le devolvió la pasión en igual medida, arañándole la espalda de arriba abajo. Entonces, la cálida boca de él bajó hasta su cuello, y le dejó una estela ardiente en la piel.

—¿Has cerrado la puerta con llave? —le preguntó entrecortadamente sin apartar los labios de su cuello.

—¿Qué?

Belle estaba tan perdida en un mar de pasión que apenas oyó lo que dijo.

—¿Has cerrado la puerta con llave?

Ella negó con la cabeza.

—Maldición.

John de muy mala gana apartó la boca de su suave piel y salió de debajo de ella. Belle aterrizó en el asiento jadeando, mientras él iba hasta la puerta.

Giró la llave y se volvió hacia su esposa con los ojos brillando de deseo. Por desgracia, sólo había dado un par de pasos cuando oyó que llamaban con fuerza a la puerta. Soltó una maldición en voz baja y antes de darse la vuelta miró rápidamente a Belle para asegurarse de que estuviera presentable. Descargando su enfado en el desventurado pomo abrió la puerta con rabia de un tirón.

—¿Qué? —preguntó enfadado.

—Milord —dijo un sirviente con la voz temblorosa—. Hay una carta para usted, milord.

John asintió con brusquedad y cogió el papel que traía el sirviente en una bandeja de plata.

—Normalmente hay un abrecartas en ese escritorio —dijo Belle señalando con la cabeza.

John siguió su consejo y cortó el sello. La carta estaba escrita en un caro papel blanco.

Apreciado lord Blackwood:

¿Crees que soy estúpido?

Si quieres verme estoy más que dispuesto a que concretemos hora y lugar en territorio neutral. Siempre me han gustado los muelles.

George Spencer

—¿De quién es? —preguntó Belle.

John arrugó el papel con la mano.

—De George Spencer —dijo distraídamente.

—¿Qué? —exclamó ella—. ¿Por qué te escribe?

—Bueno, está intentando matarme —dijo John con la pasión tristemente perdida por la interrupción—. Es la respuesta a una carta que le envié esta mañana temprano.

—¿Qué? ¿Por qué? ¿Por qué no me lo dijiste?

Él suspiró.

—Empiezas a parecer una esposa pesada.

—De la esposa ya te hiciste cargo ayer, pero lo de ser pesada... Creo que es mi prerrogativa dada nuestra intolerable situación. ¿Contestas a mi pregunta?

—¿A cuál de ellas?

—A todas —insistió.

—Le escribí una nota porque pensé que lo mejor para protegerme es encontrarme con él cara a cara y averiguar el grado y la naturaleza de su odio hacia mí. No te lo dije porque estabas durmiendo. Y después, estabas, eh, ocupada en otras cosas.

—Perdóname por haberte hablado mal —dijo Belle ya apaciguada—. Pero no entiendo qué esperas conseguir reuniéndote con él. Le vas a dar una oportunidad para matarte.

—No pienso asumir riesgos innecesarios, mi amor. Le pedí que viniera aquí. Tendría que estar muy desesperado para intentar algo en mi casa, o tu casa, en este caso.

En cuanto salieron esas palabras de su boca, John se dio cuenta de que se había equivocado pues Belle le gritó:

—¡Pero no sabes cuán desesperado está! Si de verdad te odia no creo que le importen las consecuencias de matarte delante de testigos. Cariño, no puedo permitir que te arriesgues tanto. —Su voz se quebró—. No con todo el amor que te tengo.

—Belle, no lo digas…

—¡Digo lo que me da la gana! Pones en riesgo tu vida, no me dices que me amas y ni siquiera me dejas decirte que te quiero. —Hizo un sonido inarticulado y se puso un momento el puño en la boca para evitar sollozar—. ¿Ni siquiera te importa?

Él la cogió por los brazos con una fuerza sorprendente.

—Me importas mucho, Belle —dijo ahogado—. No dejes que nadie te diga lo contrario.

—Nadie lo hace. Sólo tú.

Una respiración profunda y entrecortada hizo que el cuerpo de John se estremeciera.

—¿No te basta con saber que te quiero, Belle? ¿Si has llegado a profundidades de mi corazón que ni siquiera sabía que existían? ¿Te bastará con esto por ahora?

A ella se le cerró la garganta. Dios, no soportaba cuando no podía entenderlo. Aún así asintió.

—Por ahora —dijo en voz baja—. No por mucho tiempo, y menos para siempre.

Él le cogió la cara y se inclinó para besarla, pero ella se apartó.

—Creo que primero tendremos que lidiar con este monstruo. Es difícil construir un matrimonio cuando temes por tu vida.

John intentó ignorar el vacío que sintió en el corazón cuando ella se apartó.

—Te prometo, querida, que estoy haciendo lo mejor. No tengo ganas de morir, pero no me puedo pasar la vida escondiéndome de Spencer. Terminará por encontrarme.

—Lo sé. Lo sé. ¿Qué dice la nota?

John se levantó y se acercó a la ventana.

—Que no vendrá a encontrarse conmigo aquí —dijo mirando la bulliciosa calle—. Imagino que cree que es una especie de trampa.

—¿Lo es?

—¿Una trampa? No, aunque ahora que lo pienso, la idea es buena.

—¿Qué más dice?

—Quiere que nos veamos en los muelles.

—Espero que no pienses en encontrarte con él allí.

Belle se estremeció. En realidad nunca había estado en los muelles, pero todos los londinenses sabían que era una parte terrible de la ciudad.

—No soy estúpido —replicó John repitiendo inconscientemente las palabras que Spencer había escrito—. Intentaré que nos encontremos en otro lugar público. En un sitio donde haya mucha gente —añadió para tranquilizarla.

—Siempre que no vayas solo. Estoy segura de que Alex y Dunford te acompañarían encantados. Y Ned también, si aún no ha regresado a la universidad.

—Dudo que Spencer esté dispuesto a decirme lo que tenga que contarme si estoy acompañado, Belle. Pero no te preocupes, no pretendo verlo sin que haya amigos cerca. No tendrá oportunidad de hacer nada extraño.

—¿Pero para qué querría verte más que para asesinarte?

John se rascó la cabeza.

—No lo sé. Probablemente quiera decirme cómo me quiere matar. O cuánto lo deseaba.

—Eso no es gracioso, John.

—No intentaba bromear.

Belle se llevó las manos a la cara.

—Oh, John —gimió—. Me da tanto miedo perderte. Es hasta divertido. Una de las razones por las que me enamoré de… —levantó la mano—. No, por favor, no me interrumpas. Una de las razones por las que me enamoré de ti es porque pensaba que me necesitabas. Han habido muchos hombres a quienes gustaba o que me querían, pero ninguno me necesitaba como tú. Pero ahora me doy cuenta… —dejó de hablar ahogada por un sollozo.

—¿Qué, querida? —susurró él—. ¿De qué te das cuenta?

—Oh, John, de que te necesito. Si te ocurriera algo…

—No me ocurrirá nada —dijo él con fuerza.

Por primera vez en años tenía algo por lo que vivir. No iba a permitir perder todo por un violador repugnante.

Belle lo miraba con los ojos llenos de lágrimas.

—¿Qué vamos a hacer?

—No vamos a hacer nada —replicó acercándose a ella desordenándole el cabello. Para tranquilizarla, se inclinó, le retiró las manos de la cara y le besó la frente—. De todos modos voy a escribir una nota a Spencer.

Se acercó a la mesa donde había dejado la pluma y el papel que había usado antes.

—¿Qué sugieres que le diga? —le preguntó con voz afable para intentar desviar de su mente el terror y la ansiedad.

—Creo que lo debías llamar estúpido hijo de...

—No creo que funcione —la cortó John suavemente preguntándose de dónde diablos sacaba ese vocabulario tan subido de tono—. No insultándolo.

—Nosotros tal vez no, pero yo sí.

—Belle —suspiró conteniendo una sonrisa—. Eres una joya increíble. ¿Qué he hecho yo para merecerte?

—No lo sé —replicó ella levantándose—. Pero si me quieres conservar, te lo advierto muy en serio: no te mueras.

Dicho esto suspiró profundamente y salió de la habitación pues no quería estar cerca de un trozo de papel que al final podría provocar la muerte de su marido.

John movió la cabeza al verla marcharse. No se lo estaba tomando demasiado bien. Pero ¿cómo podría culparla por eso? Si alguien estuviera intentando matarla, lo primero que haría sería ponerse a recorrer Londres como un loco para intentar desesperadamente atrapar al asesino.

Apartando ese desagradable pensamiento de su mente, John se volvió hacia la pluma y el papel que tenía delante. Qué extraño era mantener correspondencia con el hombre que lo quería asesinar.

Spencer:

¿Crees que soy estúpido?

Te sugiero que nos encontremos en un sitio más agradable, tal vez en el salón de té Hardiman's. Puedes decidir tú cuándo.

Blackwood

Había llevado a Belle varias veces a Hardiman's durante su corto noviazgo. Allí podrían verse en privado, pero lo más importante es que el establecimiento era frecuentado por suficientes damas y debutantes como para que Spencer se atreviera a hacer ninguna locura. Además, allí sería fácil que Alex pudiera sentarse cerca y pasar desapercibido.

John una vez más envió al mensajero al lugar donde residía Spencer. Esperaba que le respondiera rápidamente; Spencer debía de estar esperando una respuesta a su invitación.

Suspiró y se pasó una mano por la cabeza. Tendría que hablar con Belle. Le hacía mucho daño verla tan trastornada, pero no sabía qué decirle. No tenía palabras para hacerla sentirse mejor. Se había casado con ella hacía menos de veinticuatro horas, y ella ya era infeliz. Le había fallado a su novia, y se sentía incapaz de aliviar su sufrimiento.

Su novia.

Los labios de John formaron una débil sonrisa. Le gustaba cómo sonaba eso. Se levantó de golpe y la silla chirrió al rascar contra el suelo de madera dura.

Salió al vestíbulo dando las zancadas más grandes que le permitía su pierna coja.

—¡Belle! —gritó subiendo las escaleras—. ¡Belle! ¿Dónde estás? Apareció arriba de la escalera con expresión de pánico.

—¿John? ¿Pasa algo? ¿Qué ocurre?

—Nada, sólo quería verte —sonrió ligeramente intentando aliviarle la tensión—. ¿Siempre haces tres preguntas cuando con una es suficiente?

—Por el amor de Dios, John, me has pegado un buen susto. Por favor, no vuelvas a gritar así. Ya estoy bastante alterada.

Se acercó a ella y le pasó un brazo por la cintura.

—Por favor, querida. Te vas a enfermar. Volvamos a tu habitación para hablar.

—A nuestra habitación —dijo Belle con un gimoteo.

—¿Qué?

—Nuestra habitación. Ahora estoy casada. Ya no quiero una habitación para mí sola nunca más.

—Yo tampoco la quiero. Belle, pronto tendremos una vida normal. Te lo prometo.

Belle dejó que la llevara a la habitación. Deseaba con todas sus fuerzas poder creer en él.

—No puedo evitar sentir miedo, John —dijo ella.

John la estrechó contra él y olió el suave perfume de su cabello.

—Lo sé, querida, lo sé. Pero olvidémonos del miedo un momento. Ahora mismo no hay nada que temer.

Los labios de Belle sonrieron temblorosos.

—¿En este preciso segundo…?

—La única persona que hay por aquí soy yo.

John perfiló lánguidamente con sus labios la línea de su mandíbula hasta una oreja. Pero, eso ya no era suficiente.

Sus manos se aferraron al trasero de ella y la estrechó aún más íntimamente contra él. Besó casi toda la piel que llevaba descubierta, y una vez que hubo terminado con el cuello le besó las manos y las muñecas. Pero cuando volvía al lóbulo de su oreja izquierda oyeron una voz en la puerta.

—Ejem.

John ni siquiera se volvió y se limitó a hacer un gesto con la mano al inoportuno sirviente.

—¡Ejem!

La voz volvió a insistir por lo que John se separó de mala gana de Belle y volvió la cabeza hacia la puerta. Una dama muy bien vestida los miraba con una extraña expresión en la cara. John nunca la había visto antes, aunque tenía unos ojos azules increíbles… muy, muy azules, parecidos a los de…

Le invadió una sensación incómoda y se volvió lentamente hacia Belle que todavía seguía aferrada a su cuerpo. Parecía enferma. Muy enferma. Casi verde.

—¿Madre?

John se separó de Belle a una velocidad sorprendente.

Caroline, condesa de Worth, se quitó los guantes con una eficiencia que rozaba la rabia.

—Veo que has estado muy ocupada desde que nos marchamos, Arabella.

Belle se atragantó. Que su madre la llamara por su nombre completo no auguraba nada bueno.

—Bueno, sí —dijo tartamudeando—. Lo he estado.

Caroline se dirigió a John:

—Creo que lo mejor es que se marche.

—¡No puede! —dijo Belle enseguida—. Vive aquí.

El único signo externo de perturbación de Caroline fue un forzado movimiento con la garganta.

—Estoy segura de que no te he entendido bien.

John dio un paso adelante.

—Tal vez lo mejor es que me presente. Soy Blackwood.

Caroline no le ofreció la mano.

—Me alegro por usted —dijo ella muy severa.

—Y ella —continuó John acercándose a Belle—, es mi esposa, lady Blackwood.

—¿Perdón? —dijo sin mostrar la menor tensión en su tranquilo rostro.

—Nos hemos casado, mamá —dijo Belle con una pequeña sonrisa—. Justo ayer.

Caroline miró a su hija incrédula, después al hombre con el que se había casado y luego volvió a mirarla a ella.

—Belle, ¿podría hablar contigo en privado un momento? —cogió a su hija del brazo con una fuerza que no se correspondía con sus amables palabras y la arrastró al otro extremo de la habitación—. ¿Estás loca? —susurró—. ¿Te das cuenta de lo que has hecho? ¿Dónde diablos está Emma? ¿Y cómo te permitió hacer algo así?

Desde el otro lado de la estancia, John se preguntó si era un rasgo de familia la propensión a hacer muchas preguntas seguidas sin esperar respuesta.

Belle abrió la boca para decir algo, pero Caroline levantó la mano.

—¡No! —le advirtió—. No me digas nada.

Con un hábil movimiento volvió a agarrar a Belle del brazo y la dejó de nuevo junto a John.

—Mamá —dijo Belle—. Si sólo... —pero enmudeció porque Caroline la había fulminado con una mirada.

—Si me excusáis —dijo Caroline con suavidad. Salió al pasillo y gritó—: ¡Henry! —Belle y John escucharon una respuesta a lo lejos a la que Caroline replicó—: ¡Ven ahora, Henry!

—No me gusta que me hagan sentir como un joven descarriado —susurró John a Belle al oído.

—Yo sí que soy una hija descarriada —susurró ella—. Por lo menos para ellos. Así que por favor ten paciencia.

El padre de Belle apareció en la puerta. Henry, conde de Worth, era un hombre atractivo de cabello gris y con aspecto de ser de trato fácil. Sus ojos se encendieron con evidente cariño al ver a su única hija.

—¡Belle! ¡Mi vida! ¿Qué haces en Londres?

—Oh, nada en particular —farfulló Belle.

—Se ha casado —dijo Caroline sin ambages.

Henry no dijo nada.

—¿Me has oído? —explotó Caroline y su contenida apariencia externa se comenzó a desmoronar—. Se ha casado.

Henry suspiró cansado y se pasó una mano por su fino cabello.

—¿Tenías alguna buena razón para no poder esperar, Belle?

—Tenía un poco de prisa.

Caroline se puso roja sin querer pensar en las implicaciones de esa declaración.

—Seguro que podíais haber esperado unos cuantos días —continuó Henry—. ¿Pensaste que no te íbamos a dejar elegir? Nos conoces bastante bien como para pensar eso. Te hemos dejado rechazar a una docena de hombres, incluyendo al joven Acton, cuyo padre es mi mejor amigo. Este hombre parece bastante bueno. Probablemente no hubiéramos tenido ninguna objeción. —Hizo una pausa—. Supongo que éste es el hombre con quien te has casado.

Belle asintió preguntándose por qué los sermones de su padre siempre hacían que se sintiera como una niña de siete años.

—¿Tiene nombre?

—Lord Blackwood —dijo Belle.

John tomó la iniciativa y dio un paso adelante diéndole la mano.

—Soy John Blackwood, milord. Encantado de conocerlo.

—Eso espero —replicó Henry secamente—. ¿Tiene medios para mantener a mi hija?

—Me acabo de comprar una casa así que no tengo mucho dinero en efectivo —respondió John con franqueza—. Pero soy prudente y conservador con mis inversiones. No le faltará de nada.

—¿De dónde es usted?

—Me crié en Shropshire. Mi padre era el conde de Westborough, y mi hermano ha heredado el título.

—¿Y cómo consiguió el suyo?

John le explicó brevemente su experiencia en el ejército. Henry asintió con aprobación y le preguntó al fin:

—¿Quiere a mi hija?

—Muchísimo, milord.

Henry examinó al joven cuya mano estaba agarrada con firmeza a la de Belle.

—Bien, Caroline, creo que vamos a tener que confiar en el juicio de nuestra hija en este asunto.

—No podemos hacer otra cosa —dijo Caroline con amargura.

Henry la consoló pasándole un brazo por encima del hombro.

—Estoy seguro de que ya tendremos tiempo para arreglar todos los detalles. Por el momento deberíamos concentrarnos en conocer a nuestro nuevo yerno, ¿no crees, Caroline?

Ella asintió, pues quería demasiado a Belle como para hacer otra cosa.

Belle corrió hacia ella y la abrazó.

—Ya lo verás, mamá —le susurró—. Es perfecto.

Caroline sonrió ante la desenfrenada felicidad de su hija, pero le replicó:

—Nadie es perfecto, Belle.

—Es perfecto para mí.

Caroline dio un último apretón a Belle antes de apartarla un poco para poder mirarla mejor.

—Espero que así sea —replicó—. Ahora, por qué no dejamos que tu padre conozca mejor a, eh, tu marido, mientras me ayudas a instalarme. Ha sido un viaje extraordinariamente largo.

Belle pensó que, con todo, su madre se estaba tomando la noticia bastante bien. Sonrió fugazmente a John y salió de la habitación detrás de su madre.

—Imagino que no has enviado la noticia el *Times* —le dijo Caroline mientras subían las escaleras.

—No ha habido tiempo.

—Hmm. Bien, haré que tu padre lo haga inmediatamente. ¿Dónde está la casa que se ha comprado John? —dijo Caroline volviéndose preocupada al terminar de subir las escaleras—. Dijo que se llamaba John, ¿verdad?

—Sí, mamá. La casa está al lado de Westonbirt. Lo conocí cuando estaba allí con Emma.

—Oh —Caroline se dirigía a su habitación donde una doncella estaba deshaciendo sus maletas—. Supongo que organizaremos una recepción para la próxima primavera cuando haya llegado todo el mundo a la ciudad. Aunque creo que tenemos que hacer algo pronto para que se sepa que te has casado.

Belle se preguntó por qué era un imperativo que «todo el mundo» evaluara su estatus matrimonial.

—¿No basta con la nota en el *Times*?

—Para nada, querida. Tenemos que hacer que toda la alta sociedad sepa que tienes nuestra aprobación. No es necesario que la gente se entere de que no hemos conocido a John hasta hoy.

—No, supongo que no.

Caroline dio una palmada de pronto.

—¡Ya lo sé! ¡En el baile de invierno de los Tumbley! Es perfecto. La gente viene del campo para asistir a él.

Belle tragó saliva muy nerviosa. Todos los años el conde y la condesa Tumbley celebraban un baile en invierno. Normalmente le hubiera encantado ir, pero no creía que fuese seguro para ella y para John salir de noche en medio de una muchedumbre.

—¿Eh, cuándo es, mamá?

—En algún momento las próximas semanas, imagino. Tengo que revisar la correspondencia para ver la fecha exacta. Tengo un montón de cartas por leer.

—No estoy segura de que queramos ir, mamá. Estamos recién casados, ya lo sabes, y queremos tener un poco de privacidad.

—Si queríais privacidad teníais que haberos retirado al campo el minuto después de haber dicho «sí, quiero». Pero si estáis aquí iréis a ese baile, y lo harás con una sonrisa en la cara. Y después podréis ir donde quiera que viváis ahora y a olvidaros del mundo. ¿Dónde vivís… ? ¿Me refiero a cómo se llama?

—Bletchford Manor

—¿Qué-ford Manor?

—Bletchford Manor.

—Lo entendí la primera vez. Es un nombre horrible, Belle.

—Lo sé.

—No, quiero decir que es espantoso.

—Lo sé. Pensamos cambiarlo.

—Me encargaré de que lo hagáis. Eso sí, después de la fiesta de los Tumbley, pues no saldréis de Londres hasta entonces.

Capítulo 19

*A*l día siguiente, John se sentó con la espalda contra la pared en el salón de té Hardiman´s vigilando la llegada de un hombre al que no había visto desde hacía más de cinco años, y que lo quería matar. Se había asegurado de que Alex y Dunford estuvieran discretamente sentados cuatro mesas más atrás.

No dejó de mirar la puerta, y diez minutos después de la hora acordada, George Spencer entró en el establecimiento. John sintió como si no hubiera pasado el tiempo, y retrocedió de nuevo a la taberna de España, al momento en que un paisano suyo violaba a una muchacha inocente.

Spencer revisó el salón con sus gélidos ojos azules hasta que descubrió a John. Echó la cabeza hacia atrás retirando su liso cabello rubio de los ojos. Cruzó la sala dando arrogantes zancadas hasta llegar a donde estaba John.

—Blackwood —dijo fríamente.

—Spencer. Perdóname por no tener la cortesía de levantarme.

—No te preocupes. He sabido que estás cojo. No quisiera que hicieras un sobreesfuerzo.

Retiró la silla y se sentó.

John asintió cortésmente.

—Una herida de guerra. ¿Sabes que algunos de los nuestros siguen luchando en la compañía? ¿Dónde fuiste, Spencer? ¿A Francia? ¿A Suiza?

Las manos de Spencer se agarraron a la mesa y casi lo levantaron de su asiento de la rabia que tenía.

—Madito seas, Blackwood. Sabes que me obligaste a desertar. ¿Sabes lo que es volver a Inglaterra deshonrado? Mi padre tuvo que pagar a las autoridades para que no me arrestaran.

John luchaba por mantener controlada su propia furia.

—¿Y crees que no te merecías ser arrestado después de lo que hiciste? —susurró—. Merecías haber sido colgado.

—Evítame tu sensiblería, Blackwood. Esa chica no fue nada. Era una estúpida campesina, nada más que eso. Probablemente compartió sus encantos con docenas de hombres antes que yo.

—Vi la sangre en las sábanas, Spencer. Y escuché sus gritos.

—Por el amor de Dios, Blackwood, a esa chica le hice un favor. Iba a sucederle tarde o temprano.

John se agarró a la mesa haciendo un esfuerzo para no estrangularlo ahí mismo.

—Se suicidó tres días después, Spencer.

—¿Ah sí? —Spencer parecía indiferente.

—¿No sientes remordimientos?

—En cualquier caso ese maldito pueblo estaba superpoblado. —Spencer levantó una mano y se examinó vanamente las uñas—. Los españoles se reproducen como conejos.

—Era una chica inocente —dijo John.

—Siempre me ha impresionado tu sentido de la caballerosidad. Siempre tuviste debilidad por las damas. ¿Te puedo felicitar por tu ventajoso matrimonio? Es una pena que vaya a ser un enlace tan corto.

—No metas a mi esposa en esto —dijo John furioso—. No eres la persona indicada para pronunciar su nombre.

—Oh, Dios, ¿te estás poniendo dramático? Espero que el amor no te haya ablandado, Blackwood. O quizás hace años que ya lo hizo tu pierna.

John respiró hondo y se obligó a contar hasta cinco antes de volver a hablar.

—¿Cuál es tu plan, Spencer?

—Por qué lo preguntas: es matarte. Pensaba que te lo imaginabas.

—¿Te puedo preguntar por qué? —preguntó amablemente y con la voz gélida.

—Nadie juega conmigo, Blackwood, nadie. ¿Me comprendes? —Spencer se estaba poniendo nervioso, su frente estaba tensa y transpiraba—. Lo que hiciste...

—Lo que hice fue dispararte en el culo.

John se recostó en su silla permitiéndose la primera sonrisa del día.

Spencer levantó un dedo a John.

—Por eso te voy a matar. Llevo años soñándolo.

—¿Qué te ha hecho esperar tanto?

El comportamiento tranquilo de John no hacía más que aumentar la ira de Spencer.

—¿Sabes lo que ocurre cuando un hombre deserta? En Inglaterra no te dan exactamente la bienvenida. Tu novia decide pensárselo mejor, y sacan tu nombre de todas las listas importantes. Eso es lo que tú me has hecho.

—¿Y de pronto Inglaterra te está dando una bienvenida con los brazos abiertos? He sabido que no eres bien recibido en las mejores fiestas.

Por un momento John pensó que Spencer iba saltar por encima de la mesa para agarrarlo por el cuello. Pero de pronto el rubio se calmó.

—Matarte no va a resolver mis problemas, claro. Pero me divertiré más que nunca en mi vida.

John suspiró.

—Mira —dijo muy templado—, supongo que no hace falta que te diga que preferiría que no me mataras.

Spencer soltó una corta carcajada.

—Muy elegante, pero yo también hubiera preferido que no me arruinaras la vida.

—¿Por qué has venido? ¿Por qué sentarte aquí para tener una charla inútil?

—Tal vez sentía curiosidad. ¿Y tú? Pensaba que vacilarías si debías encontrarte con tu asesino.

Se echó hacia atrás y miró a John sonriendo de oreja a oreja.

John se empezaba a preguntar si Spencer estaba loco. Obviamente estaba obsesionado, pero al mismo tiempo, parecía empeñado en mantener la normalidad sentado ahí charlando con él como si fueran viejos amigos.

—Tal vez tenía curiosidad —replicó—. Es una situación única. Es una suerte tener la oportunidad de encontrarse con tu propio asesino en circunstancias tan civilizadas.

Spencer sonrió e inclinó la cabeza reconociendo amablemente lo que entendió que era un cumplido.

—Supón que me cuentas lo que estás planeando. No querrías que esto no fuera un gran desafío, ¿verdad?

—No me importa que no sea un desafío. Sólo quiero matarte.

John parecía tenso. Spencer no creía en los discursos indirectos.

—¿No me das alguna pista de lo que me espera?

—Algo rápido y fácil, creo. No hace falta hacerte sufrir.

—Qué amable.

—No soy un monstruo. Soy un hombre de principios.

Mientras John reflexionaba sobre esa increíble declaración, Spencer se fijó en algo que había detrás de él.

—¿Es esa tu encantadora esposa, Blackwood? He de elogiarte por el éxito de tu matrimonio.

John sintió que se congelaba por dentro. Se giró en su asiento, miró por el salón hasta ver a Belle, que acababa de entrar en el salón junto a Emma y a Persephone.

John volvió a respirar hondo intentando contenerse. La iba a matar. La pondría sobre sus rodillas y le dejaría el trasero rojo como un tomate. La encerraría una semana en su habitación. Iba a...

—Veo que no te emociona demasiado verla.

John se volvió hacia Spencer y le espetó:

—Otra palabra más y te estrangulo aquí mismo.

Spencer se estiró hacia atrás y se rió para sí mismo divertido con la situación.

—Nuestra conversación ha terminado.

John se levantó y cruzó el salón sin mirar atrás. Alex y Dunford se asegurarían de que Spencer no lo atacara. Agarró a Belle del brazo antes de que llegara a sentarse y le susurró al oído.

—Vas a ser una mujer muy infeliz.

Belle tuvo la sensatez de quedarse callada. O era simplemente que se moría de ganas de ver bien a George Spencer que se había levantado para marcharse justo después de John. Al salir pasó junto a ellos e inclinando ligeramente su sombrero ante Belle, murmuró:

—Milady.

El único alivio en la pesadilla de John fue la expresión de rabia de Belle. No dudaba de que le hubiera clavado las uñas en la cara si no la hubiera tenido bien agarrada del brazo.

Una vez que Spencer salió del salón, John, de un tirón, hizo que lo mirara y le dijo:

—¿Qué diablos se supone que estás haciendo?

Antes de que pudiera contestarle, Alex apareció a su lado, agarró a Emma de manera similar y le susurró:

—¿Qué diablos se supone que estás haciendo?

Persephone miró a Dunford y sonrió esperando que le dijera a ella algo parecido, pero para gran decepción suya sólo se quedó mirando a las tres mujeres.

—John —dijo Belle—. No creo que sea el momento. —Y se dirigió al resto del grupo con una amplia aunque débil sonrisa—. Lo siento, pero tendremos que marcharnos.

John gruñó. Persephone lo tomó como una señal de que estaba de acuerdo y se despidió de él haciendo un gesto con la mano.

—Espero verle pronto —le dijo radiante de alegría.

John volvió a gruñir y esta vez Persephone no dijo nada.

Belle miró a su marido.

—¿Nos vamos?

Él salió llevándola a ella del brazo, de modo que tuvo que seguirle. Cuando llegaron a la calle, John se volvió hacia Belle y le dijo bruscamente:

—¿Has traído algún carruaje?

—No, alquilamos una calesa.

Eso no pareció gustar a John, y Belle no dijo nada mientras él llamaba una calesa. Mientras se dirigían a la casa iban en absoluto silencio. Ella miraba de vez en cuando su perfil a hurtadillas y advirtió que su mandíbula estaba tensa.

Estaba furioso. Volvió a mirarlo. Movía la mandíbula nervioso. Estaba más que furioso. Sólo esperaba que llegaran a casa porque no quería avergonzarla delante del conductor.

Ella supuso que debía estar agradecida por ese pequeño favor.

La calesa se detuvo delante de la mansión Blydon, y Belle salió enseguida, mientras John pagaba al conductor. Subió a toda prisa las escaleras y cruzó el vestíbulo para llegar al salón de atrás. No estaba intentando evitar a John... bueno, tal vez lo hubiera intentado si pensara que tenía alguna opción de escaparse. Simplemente quería estar en una habitación lo más alejada posible de los sirvientes.

John, que iba sólo unos pasos detrás de ella, estaba tan furioso que apenas cojeaba. Después de entrar al salón, cerró la puerta de golpe.

—¿Qué diablos se suponía que estabas haciendo?

—Estaba preocupada por ti.

—¿Y por eso me seguiste a mi reunión con Spencer? Perdóname, pero dudo de tu sentido común.

—Pero...

—¿No comprendes el tipo de hombre que es Spencer? —explotó John—. Violó a una mujer. La violó. ¿Sabes lo que significa la palabra violación?

Belle se cruzó de brazos.

—Odio cuando te pones sarcástico.

—Te aguantas.

Belle apretó los dientes por su tono tan duro y se dio la vuelta.

—¡Maldita sea! Te pones en una situación de peligro, y arrastras contigo a Emma y a Persephone. ¿Has pensado en eso?

—Pensé que me podrías necesitar —dijo.

—¿Necesitarte? Claro que te necesito. Sana y salva escondida en casa. No paseándote delante de asesinos.

Belle volvió a mirarlo.

—No soy una niña ñoña dispuesta a quedarse en casa mientras tú sales por la ciudad. Y si piensas que no voy a hacer todo lo posible para que no te pase nada, es que estás mal de la cabeza.

—Escúchame, Belle —dijo John en voz baja—. No sabemos mucho de Spencer. No tenemos idea de lo que va a hacer. Por lo que sé, podría haber decidido que la mejor manera de llegar a mí es a través de ti. Podría haberte raptado esta tarde.

—Pensaba que habías dicho que Spencer no intentaría hacerte nada en un lugar lleno de gente. ¿Me mentiste? ¿Eso hiciste? ¿Me estabas mintiendo para que no me preocupara por ti?

—Maldita sea, claro que no te mentía. No creía que Spencer me fuera a hacer nada en Hardiman's. De todos modos no podía estar cien por cien seguro, y no veía ninguna razón para ponerte en peligro.

—Te voy a ayudar, John, quieras o no.

—Santo cielo, mujer, deja de ser tan terca. Estas cosas precisan de mucha planificación y diplomacia. Si te sigues entrometiendo en esto sin saber dónde vas, vas a entorpecerlo todo.

—Oh, por favor, John. No me entrometería en nada si me incluyeras.

—No te voy a poner en una situación de la que no puedas salir.

—Hazme un favor, John. Preocúpate por ti mismo. Yo corro muy deprisa, más que tú.

John retrocedió como si hubiera recibido un golpe.

—No sabía que pensaras que mi problema me hiciera menos hombre.

—Oh, John, sabes que no lo he dicho en ese sentido.

Belle lo rodeó con los brazos e hizo que se le acercara.

—Es que estoy tan asustada y tan enfadada, sí, enfadada, por ese hombre. —Belle hizo una pausa y contuvo el aliento sorprendida por haberse dado cuenta de que tenía más furia que miedo—. Estoy enfadada, te he herido, y no es justo. Es porque te quiero tanto, y…

—Belle, por favor.

Ella lo soltó y lo apartó con rabia.

—¿Por favor qué? ¿Que por favor no te diga que te quiero? ¿Que por favor no te ame?

—Eso no lo puedo aceptar, Belle.

—¿Qué es lo que te pasa? —preguntó ella—. ¿Por qué no puedes...?

—Lo que me pasa —dijo con dureza, y le agarró los brazos como si le hubiera puesto grilletes— es que violé a una chica.

—No —dijo intentando disuadirlo—. No, tú no lo hiciste. Me contaste que no lo hiciste.

—También pude haber sido yo —dijo repitiendo inconscientemente las palabras de la madre de Ana.

—John, no digas eso. No fue por culpa tuya.

La soltó con fría brusquedad y se acercó a grandes zancadas a la ventana.

—Pude haber subido a esa habitación cien veces antes de cuando lo hice.

Belle se tapó la boca con las manos horrorizada.

—Oh, John ¿qué es lo que te ha hecho aquello? —susurró.

—¿Me ha hecho menos hombre? Sí. ¿Ha oscurecido mi alma? Sí. ¿Ha...?

—¡Basta ya! —Belle se tapó los oídos—. No quiero escuchar más.

Él se dio la vuelta.

—Ahora me vas a escuchar. —Como ella no cambiaba de actitud se acercó y le quitó las manos de los oídos—. Soy el hombre con el que te has casado, Belle. Para lo bueno y para lo malo. No me digas que no te lo he advertido.

—¿Cuándo entenderás que no me importa lo que pasó en España? Siento que ocurriera todo aquello y rezo por el alma de esa pobre chica, pero más allá de eso, ¡no me importa! ¡No te convirtió en mala persona, ni hace que te ame menos!

—Belle —dijo John rotundamente—. No quiero tu amor. No lo puedo aceptar.

Antes de que siquiera se diera cuenta de lo que iba a hacer, Belle levantó la mano y le dio una bofetada.

—¿Cómo te atreves? —musitó con todo el cuerpo temblando de furia—. ¿Cómo te atreves a humillarme de esa manera?

—¿De qué diablos hablas?

—Nunca, ni siquiera una vez, le he entregado mi amor a otro hombre. Y me lo hechas en cara como si fuera una tontería.

John le agarró una muñeca con fuerza.

—No me estás entendiendo. Lo que ocurre es que valoro tanto tu amor que no lo puedo aceptar.

—No lo aceptas porque no te da la gana. Estás confundido con una culpa mal asumida y mucha autocompasión. ¿Cómo voy a construir una vida con un hombre que no puede dejar atrás su pasado?

Él le soltó la mano sintiéndose como el más ínfimo de los bastardos por haberla tocado.

—¿Cómo voy a permitirme amar a un hombre que nunca me corresponderá?

John se quedó mirándola sintiendo de pronto una extraña sensación por todo su cuerpo.

—Pero Belle —susurró—, yo te amo.

John no estaba seguro de cómo respondería ella pero su respuesta fue muy inesperada. Dio un paso atrás como si hubiera recibido un golpe, y por un momento fue incapaz de decir nada. Levantó un dedo y lo dirigió hacia él mientras su garganta luchaba con violencia para volver a la normalidad.

—No —consiguió decir al fin—. No. No digas eso. No me lo digas.

Él la miraba y cada emoción que había sentido hacia ella se le dibujaba claramente en la cara. Amor, culpa, deseo, miedo… Todo se reflejaba en su rostro.

—No puedes hacer eso —dijo ella ronca y cada palabra era una dolorosa punzada—. No tienes derecho. No me puedes decir eso y no dejarme sentir lo mismo. No es justo.

John se acercó a ella.

—Belle, yo…

—¡No! —Belle se apartó—. No me toques. Yo… No me toques.

—Belle, no sé qué decir —dijo mirando al suelo.

—No quiero hablar contigo —dijo ella con violencia—. Ahora no. No quiero hablar contigo. Yo... yo... yo...

Las palabras se le atascaban en la garganta pues todo su cuerpo estaba tan sobrecogido de emoción que no podía hablar. Respiró convulsivamente, abrió la puerta de un tirón y salió corriendo de la habitación.

—¡Belle! —gritó John.

Pero ella no lo escuchó y él se hundió en una silla.

—Te amo.

Sus palabras, incluso para él mismo, parecían patéticas.

Capítulo 20

*B*elle no sabía adónde iba cuando salió de la habitación, pero cuando se encontró con Mary, su doncella, en el pasillo supo lo que quería hacer.

—Ponte el abrigo, Mary —dijo con la voz inusualmente seria—. Tengo que salir.

Mary miró por la ventana.

—Esta muy nublado, milady. ¿Está segura de que su recado no puede esperar hasta mañana?

—No tengo que hacer ningún recado. Sencillamente quiero salir.

Mary, que percibió que su señora hablaba con un nudo en la garganta, asintió.

—Vuelvo enseguida.

Belle se arropó la capa que no se había quitado cuando John y ella volvieron furiosos a la casa después del encuentro en Hardiman's.

Unos minutos después reapareció Mary bajando las escaleras a toda prisa. Belle ni siquiera esperó a que llegara abajo para abrir la puerta de la entrada. Necesitaba aire puro. Necesitaba salir.

Caminaron a buen paso por Upper Brook Street hasta llegar a Park Lane. Allí, Mary giró hacia el sur.

—¿No quiere ir a Rotten Row? —preguntó al ver que Belle seguía hacia el este sin ella.

Belle negó moviendo con la cabeza con furia.

—Me quiero alejar de las muchedumbres.

—No se preocupe de eso, milady —dijo Mary mirando a su alrededor. Toda la gente elegante de Londres estaba a punto de abandonar el parque. Parecía que se iba a poner a llover a cántaros en cualquier momento—. Creo que debería pensar en volver a casa. Estoy segura de que se va a poner a llover enseguida. Cada vez está más oscuro. Su madre me cortará la cabeza. O su marido.

Belle se volvió hacia ella.

—No me lo nombres.

Mary retrocedió un paso.

—Muy bien, milady.

Belle suspiró arrepentida.

—Lo siento, Mary. No quería ser tan brusca contigo.

La doncella le puso una mano consoladora en el brazo. Llevaban varios años juntas y Mary conocía bien a su patrona.

—Todo está bien, milady. Él la quiere mucho.

—Justamente ése es el problema —murmuró. Respiró hondo y se internó aún más en el parque. No estaba segura de dónde quería llegar. Probablemente no muy lejos, pero ya se estaba cansando del frío y del viento. Al final decidió dar la vuelta—. Vámonos a casa, Mary.

La doncella suspiró aliviada. Caminaron contra el viento unos momentos, y de pronto Belle puso un brazo delante de Mary.

—Pare —le susurró.

—¿Qué ocurre?

Belle había divisado a un hombre rubio a unos treinta metros más o menos. ¿Era Spencer? Con su mala vista era imposible saberlo. Maldita sea, ¿por qué había sido tan insensata? Si hubiera pensado con lucidez no habría ido al parque sin más compañía que la de una doncella. Una gruesa gota de lluvia le cayó en la nariz y la obligó a cambiar de postura.

—Retrocedamos —susurró a Mary—. Muy despacio. No quiero llamar la atención.

Con gran sigilo se dirigieron a una zona arbolada. Belle no creía que el hombre rubio la hubiera visto, pero todavía seguía muy alerta. Lo más posible es que no fuera Spencer, se decía a sí misma. Si lo hubiera sido era una gran coincidencia que él también estuviese paseando por Hyde Park un día frío y ventoso, sin otro motivo que tomar un poco de aire fresco. Sólo hubiera podido ser él si la hubiese estado siguiendo, pero el hombre rubio que estaba más adelante no parecía hacerlo.

Aún así, tenía que tener cuidado así que se internó aún más entre los árboles.

De pronto sonó un gran trueno y comenzó a llover con fuerza y furia. En unos segundos Belle y Mary estaban empapadas hasta los huesos.

—Tenemos que volver —gritó Mary en medio del estruendo.

—No hasta que el hombre rubio ese...

—¡Se ha marchado! —Mary la agarró con fuerza del brazo para arrastrarla a un claro.

Pero Belle le dio un brusco tirón.

—¡No! ¡No puedo! No si ese...

Miró hacia delante pero no había señales del hombre. De todos modos Belle no veía demasiado pues ya había oscurecido y la lluvia lo hacía aún más difícil.

De pronto un estallido les golpeó los oídos. Belle dio un grito sofocada y saltó hacia atrás. ¿Era un trueno? ¿O una bala?

Se puso a correr.

—¡Milady, no! —gritó Mary corriendo tras ella.

Presa del pánico, Belle no podía dejar de correr por el bosque a pesar de que el vestido se le enganchaba con las ramas y el pelo le caía por la cara. Tropezaba, se caía y se volvía a levantar. Le costaba respirar y se había desorientado. Y no vio la rama baja delante de ella.

La golpeó en la frente.

Cayó al suelo.

—Oh, Dios mío —gritó Mary que se arrodilló y la zarandeó—. ¡Levántese milady, levántese!

Pero ella parecía inconsciente.

—Oh no, oh no —gritó Mary.

Intentó arrastrarla por el camino pero la lluvia había empapado su gruesa ropa y, pesaba demasiado para ella.

Con un grito de frustración, Mary apoyó a Belle contra el tronco de un árbol. O se quedaba con ella o iba en busca de ayuda. No le gustaba la idea de dejarla sola, pero la alternativa... Miró a su alrededor. Estaban rodeadas de árboles. Nadie las encontraría.

Una vez tomada su decisión, Mary se puso de pie, se recogió las faldas y se puso a correr.

John estaba sentado en la biblioteca con un vaso de whisky. Había llegado a tal estado de angustia que ni siquiera se le calmaba con el alcohol, por eso tenía el vaso en la mano pero no había bebido nada.

Se había quedado completamente inmóvil observando cómo el sol se hundía por el horizonte y desaparecía, mientras escuchaba las gotas de lluvia que al golpear contra el cristal se convertían en gruesos hilillos de agua.

Tenía que ir a buscarla para disculparse. Tenía que dejar que le dijera que lo amaba. Sabía que no lo merecía, pero si a ella le molestaba escuchar la verdad... y no había nada que sobrecogiera tanto su corazón como sus lágrimas.

Suspiró. Había un montón de cosas que debía hacer. Pero era un estúpido y un cobarde, y le aterraba intentar abrazarla y que ella lo rechazara.

Finalmente apoyó el vaso en la mesa y con un suspiro fatalista se levantó. Iba a ir a buscarla. Y si lo rechazaba... Movió la cabeza. Era una idea demasiado dolorosa.

John se dirigió a su dormitorio en la planta de arriba, pero no había ninguna señal de ella desde la discusión. Confundido, bajó la escalera y en el rellano se cruzó con el mayordomo.

—Perdone —dijo John—. ¿Ha visto a lady Blackwood?

—No, lo siento milord —replicó Thornton—. Pensaba que estaba con usted.

—No —murmuró John—. ¿Se encuentra en casa lady Worth? —pensó que seguramente Caroline conocería el paradero de Belle.

—Lady y lord Worth están cenando con sus excelencias el duque y la duquesa Ashbourne. Salieron hace una hora más o menos.

John parpadeó.

—Muy bien. Gracias. Ya encontraré a mi esposa en alguna parte.

Bajó los escalones que le quedaban para echar un vistazo en el salón favorito de lady Worth pero de pronto se abrió la puerta de la entrada.

Mary entró jadeando con su cabello castaño pegado a la cara y todo el cuerpo temblando por el esfuerzo. Sus ojos se abrieron como platos al verlo.

—¡Oh, milord!

A John se le congeló el corazón de miedo.

—¿Mary? —susurró—. ¿Dónde está Belle?

—Se ha caído —dijo Mary jadeando—. Se dio un golpe en la cabeza. Intenté arrastrarla. Lo hice, se lo juro.

John ya se había puesto el abrigo.

—¿Dónde está?

—En Hyde Park. Ella... yo...

La agarró por los hombros y la zarandeó.

—¿Dónde, Mary?

—En el bosquecillo. Ella... —Mary se agarró el estómago y tosió con violencia—. Nunca la encontrará, iré con usted.

John asintió bruscamente, la cogió de la mano y la sacó a la oscuridad de la noche.

Minutos después estaba montado sobre su semental, y Mary y un mozo de cuadra sobre Amber, la yegua de Belle. John galopó por las calles con el viento golpeando contra su ropa. La lluvia caía cada vez con más intensidad, fuerte y fría, y le aterraba pensar que Belle estaba sola bajo una tormenta tan terrible.

Enseguida llegaron al borde de Hyde Park. Hizo un gesto al mozo de cuadra para acercarse a Amber.

—¿Por dónde? —gritó.

Apenas podía escuchar a Mary por el ulular del viento. Ella señaló hacia el oeste donde había una zona boscosa. John puso a Thor a medio galope.

La luna estaba tapada por grandes nubes de tormenta, así que dependía de una linterna que parpadeaba nerviosa en el viento. Puso a Thor al trote mientras buscaba el bosquecillo, consciente de lo difícil que iba a ser divisarla en la oscuridad del bosque.

—¡Belle! —gritó con la esperanza de que su voz pudiese escucharse en medio del ruido de la tormenta.

No hubo respuesta.

Belle estuvo inconsciente casi una hora. Cuando se despertó estaba oscuro, temblaba de manera incontrolada, y su moderno traje de montar estaba empapado. Se dispuso a levantarse pero se lo impidió un fuerte mareo.

—Dios mío —se quejó tocándose la frente para intentar aliviar el intenso dolor que sentía en la sien. Miró a su alrededor. Mary no se veía por ningún sitio, y estaba completamente desorientada, ¿Por dónde se iba a Mayfair?

»¡Maldita sea! —maldijo, y esta vez no sintió el menor atisbo de culpa por su lenguaje.

Agarrándose a un tronco cercano hizo un gran esfuerzo para ponerse de pie, pero enseguida sintió vértigo y volvió a caer al suelo. Los ojos se le llenaron de lágrimas de frustración, que le caían por las mejillas mezclándose con la lluvia que seguía cayendo sin descanso. Consciente de que no le quedaba otra opción, se puso a andar a gatas. Y entonces pidió disculpas por todas las veces en que se las había arreglado para no ir a la iglesia, y se puso a rezar.

—Oh, Dios, por favor, Dios, déjame que regrese a casa. Déjame regresar antes de que me congele. Antes de volver a desmayarme que me duele mucho la cabeza. Ay, por favor, prometo que prestaré más atención a los sermones y no me limitaré a mirar las vidrieras de las ventanas. Y no diré palabrotas, me preocuparé por mis padres, e incluso perdonaré a John, aunque creo que sabes que me va a costar mucho.

La apasionada letanía continuó mientras se arrastraba entre los árboles guiada sólo por su instinto pues ya no quedaba nada de luz. La lluvia cada vez era más fría y la ropa se le pegaba sin piedad envolviéndola en un frío abrazo. Cada vez temblaba más, y castañeaba los dientes sin parar. Sus plegarias se intensificaron aunque dejó de pedirle a Dios que le permitiera regresar a su casa, sino que simplemente la dejara vivir.

Sus manos estaban arrugadas y amoratadas por el lodo del camino. Entonces sintió un fuerte desgarrón. Su vestido se había enredado en uno de los arbustos con espinas que llenaban el lugar. Luchó para liberarse, pero casi no le quedaban fuerzas.

Haciendo un gesto de dolor por el horrible dolor de cabeza que tenía, hizo acopio de todas las fuerzas que le quedaban y arrancó el vestido del arbusto.

Acababa de reanudar su camino lentamente cuando un rayo de luz iluminó el cielo. Se quedó aterrorizada preguntándose enloquecida cuán cerca había caído el rayo. Enseguida sonó el trueno y Belle saltó del susto y cayó sentada.

Y así se quedó en medio del embarrado camino unos segundos intentando recuperar el control de su cuerpo tembloroso. Con un movimiento nervioso se quitó de la cara los mechones de pelo que se le habían pegado, e intentó ponérselos detrás de las orejas. Pero la lluvia y el viento no daban tregua y enseguida le volvió a caer el pelo delante de sus ojos. Nuevamente vio una luz en la oscuridad, pero esta vez iluminaba la figura de un hombre a caballo que se acercaba por el caminito que había detrás de ella.

¿Podía ser?

Belle contuvo el aliento y se olvidó de lo enfadada que estaba con el hombre que cabalgaba hacia ella.

—¡John! —chilló rogando que la pudiera escuchar a pesar del tremendo ruido del viento, pues si no la veían acabaría pisoteada por Thor.

El corazón de John se detuvo al escuchar su grito, y cuando volvió a palpitar, el pulso se le aceleró al doble de la velocidad normal. Apenas podía distinguir una silueta en el camino a unos diez metros más delante. Pero el cabello de Belle era tan rubio que capturaba el débil resplandor de la luna y brillaba como un halo. Rápidamente se acercó a ella y se bajó del caballo.

—¿John? —dijo temblando casi sin creer que él estuviese ahí delante.

—Shhh, mi amor, estoy aquí.

John se arrodilló en el barro y le cogió la cara.

—¿Dónde te duele?

—Tengo mucho frío.

—Lo sé, amor mío. Te voy a llevar a casa.

El alivio de John por encontrarla tan rápido, se transformó en miedo cuando la levantó en sus brazos y sintió sus violentos temblores. Santo cielo, había estado bajo esa fría lluvia algo menos de una hora, y su pesado traje de montar estaba completamente empapado.

—Estaba… estaba intentando arrastrarme hasta casa —consiguió decir Belle—. Tengo tanto frío.

—Lo sé, lo sé —repitió John.

Diablos, ¿por qué tenía que arrastrarse? Pero John no tenía tiempo de responder a esa pregunta. Los labios de Belle estaban adquiriendo un tono peligrosamente azul, y él tomó conciencia de que la tenía que calentar inmediatamente.

—¿Podrás ir sentada sobre la montura, amor mío? —le preguntó sentándola sobre el caballo.

—No lo sé. Tengo mucho frío.

Pero Belle ya estaba empezando a caerse de la montura cuando John iba a montarse así que tuvo que sujetarla para mantenerla encima del caballo.

—Sólo sujétate al cuello hasta que yo me suba. Te prometo que de camino a casa te agarraré bien.

Belle asintió tiritando agarrándose al potro con toda su fuerza. Enseguida John se sentó detrás de ella y la agarró firmemente por la cintura. Belle se apoyó en él y cerró los ojos.

—No p-puedo dejar de temblar —dijo débilmente sintiéndose como una niña que tiene que justificarse—. Tengo mucho frío.

—Ya lo sé, amor mío.

Mary y el mozo cabalgaban cerca.

—Seguidme —gritó John.

No había tiempo para informarles de los detalles de la situación de Belle pero hizo que Thor se pusiera a galopar y atravesaron la zona arbolada.

Acurrucada firmemente contra el torso de John, Belle, poco a poco, fue perdiendo la férrea voluntad que la había impulsado hasta ese momento. Sintió que la consciencia se escapaba de su cuerpo, y a decir verdad, estaba tan terriblemente cansada y congelada que se alegró de ir perdiéndola. Y se fue adormilando extrañamente contenta pues dejaba de sentir dolor.

—Ya no tengo tanto frío —murmuró con una hilo de voz.

—Oh, Dios —rogó John deseando haberla oído mal. Le dio un fuerte temblor—. No se te ocurra dormirte. ¿Me oyes, Belle? ¡No te duermas!

Como no reaccionó de inmediato volvió a zarandearla.

Belle ni siquiera abrió lo ojos.

—Es que estoy tan cansada...

—No me importa —dijo John con firmeza—. Tienes que estar despierta. ¿Me entiendes?

Belle tardó unos segundo en entender su petición.

—Lo que tú digas —dijo al fin.

El resto de la cabalgada, John tuvo ir espoleando a Thor para que siguiera corriendo a toda marcha y zarandeando a Belle para evitar que se durmiera. Tenía que llevarla a casa y calentarla. Le aterraba pensar que si se durmiese podría no tener suficiente fuerza como para despertar.

Después de unos minutos que le parecieron horas salieron de los árboles y pudieron aumentar la velocidad a través de las praderas de Hyde Park, y después por las calles. Se detuvieron delante de la escalinata de la entrada de la mansión Blydon. John se bajó rápidamente del caballo y cogió a Belle en brazos. El mozo que iba con Mary tomó las riendas y se llevó a Thor de vuelta a las caballerizas. Después de darle las gracias de un grito entró dando grandes zancadas al vestíbulo con Belle en sus brazos.

—¡Thornton! —gritó.

En unos segundos apareció el mayordomo.

—Prepare un baño caliente inmediatamente. El de mi habitación.

—Sí, milord, enseguida, milord.

Thornton se volvió a la señora Crane, el ama de llaves, que lo había seguido al vestíbulo. Antes de que le dijera nada ella asintió y subió corriendo las escaleras.

John corrió escaleras arriba todo lo rápido que pudo saltando los peldaños de dos en dos con la pierna buena. Avanzó por el pasillo a toda prisa acurrucando a Belle dulcemente contra su pecho.

—Ya casi hemos llegado, mi amor —murmuró—. Te prometo que entrarás en calor.

La cabeza de Belle apenas se movió. John esperaba que lo hubiera escuchado y esa fuese una señal de asentimiento, pero tenía la terrible impresión de que su movimiento simplemente era debido a la velocidad con que habían subido las escaleras. Cuando llegaron a la habitación, aparecieron enseguida dos doncellas para llenar la bañera.

—Estamos calentando el agua todo lo rápido que podemos, milord —dijo una haciendo una breve reverencia.

John asintió con brusquedad y depositó a Belle sobre una toalla que habían colocado encima de la cama. Al retirarle el cabello de la cara descubrió que un feo cardenal color púrpura le manchaba la frente. John sintió que le faltaba el aire y que le estaba invadiendo una rabia incalificable. Rabia de qué, no estaba seguro… probablemente de sí mismo.

—¿John? —preguntó Belle muy débil agitando los párpados.

—Estoy aquí, amor mío. Estoy aquí.

—Me siento rara, muy rara. Tengo frío pero no lo siento. Creo que me estoy… creo que me estoy…. —Belle estaba a punto de decir la palabra «muriendo», pero su último pensamiento racional antes de quedar inconsciente fue que no quería preocuparlo.

John maldijo entre susurros al advertir al instante que se había dormido. Inmediatamente se puso a desabotonarle el traje de montar con los dedos entumecidos aunque siempre firmes.

—¡No me dejes, Belle! —gritó—. ¿Me escuchas? ¡No me puedes dejar ahora!

La señora Crane irrumpió en la habitación con otros dos cubos de agua hirviendo.

—¿Milord? —preguntó—. ¿Está seguro de que debería hacer eso? Tal vez una mujer…

John se volvió hacia ella y le dijo de manera telegráfica:

—Es mi esposa. Yo me ocuparé de ella.

La señora Crane asintió muy rígida y salió de la habitación.

John siguió con los botones de Belle. Al terminar abrió la chaqueta y le sacó las mangas. Murmurando una disculpa rasgó limpiamente la camisola por delante. Estaba tan pegada al cuerpo que iba a llevarle mucho tiempo quitársela por la cabeza. Además, así podía seguir tumbada. Puso una mano en sus costillas. Su piel era pálida y estaba mojada. Nuevamente asustado, redobló el esfuerzo y le sacó la falda empapada.

Una vez que quedó desnuda la levantó en sus brazos y la llevó a la bañera que ya estaba casi llena de agua caliente. John se arrodilló y metió un dedo en el agua. Frunció el ceño. Estaba un poco demasiado caliente pero no tenía tiempo para que se enfriara. Rogando que todo fuera bien al final metió a Belle en la bañera.

—Ya está, amor mío. Te prometí que entrarías en calor.

Ella no respondió al calor.

—Despierta, Belle —le gritó moviéndole sus delgados hombros—. No te puedes dormir hasta que te recuperes.

Belle murmuró algo ininteligible y lo mandó callar con la mano.

John tomó ese gesto como una buena señal pero pensó no obstante que debía mantenerla despierta. La volvió a zarandear y cuando comprobó que eso ya no funcionaba hizo lo único que se le ocurrió: le sumergió la cabeza en el agua.

Belle emergió balbuceando algo y por un momento se percibió una absoluta claridad en sus ojos.

—¡Qué diablos! —gritó.

—Estoy haciendo que entres en calor, amor mío —dijo John sonriendo.

—Pues no lo estás haciendo bien. ¡Estoy helada!

—Estoy haciéndolo todo lo rápido que puedo.

—El agua me hace daño.

—Me temo que respecto a eso no podemos hacer nada. Te escocerá mientras entras en calor.

—Está demasiado caliente.

—No amor, tienes demasiado frío.

Belle refunfuñó como una niña. Después miró hacia abajo y vio las grandes manos de John restregando suavemente su piel desnuda, y se desmayó.

—¡Dios santo! —imploró John. De nuevo era un peso muerto, y si la soltaba un momento seguro que se hundía.

—¡Thornton! —gritó.

Thornton, que estaba merodeando solícitamente detrás de la puerta, apareció al instante. Echó una mirada al cuerpo desnudo de la joven noble en la bañera, hizo un gesto con la cabeza, y se dio la vuelta.

—Sí, ¿señor?

—Haz que alguien encienda un fuego aquí. Hace frío como en una morgue.

—Sí señor, me ocuparé de ello, señor.

Thornton se puso a preparar la chimenea escrupulosamente dando la espalda a la bañera.

Después de unos minutos John se sintió satisfecho pues la piel de Belle ya no estaba fría, aunque no dudaba que todavía se sentía helada por dentro. La sacó del agua, la secó con dulzura con una toalla y la depositó en la cama. Después la cubrió con las mantas arropándola como haría con un niño. De todos modos, al cabo de un rato, volvió a temblar. Le puso la mano en la frente. Estaba caliente, pero si no se equivocaba, estaría ardiendo en menos de una hora.

Suspiró y se hundió en una silla. Iba a ser una noche terriblemente larga.

Estaba tan, tan fría. ¿Por qué no podía entrar en calor? Belle se dio una vuelta en la cama restregando instintivamente su cuerpo contra las sábanas para crear calor.

Era terrible. Le volvían a doler todos los músculos y cada articulación de su cuerpo. ¿Y qué era ese extraño repiqueteo? ¿Eran sus dientes? ¿Y por qué sentía tantísimo frío?

Belle se obligó a abrir los ojos apretando los dientes por el esfuerzo. Un fuego ardía constante en la chimenea. Un fuego. Un fuego tendría que calentarla. Se quitó las mantas y se puso a andar a gatas hasta los pies de la cama. Pero aún estaba lejos. Con una lentitud angustiosa dejó que sus piernas le colgaran a un lado de la cama. Y se miró a sí misma confundida. ¿Por qué no llevaba nada de ropa? No importaba, decidió no pensar en eso. Se tenía que concentrar en el fuego.

Dejó que sus pies tocaran el suelo, aunque sus piernas se tambalearon inmediatamente, y cayó sobre la alfombra dándose un gran golpe.

John, que dormitaba en el sillón que había colocado junto a su cama se despertó al instante. Vio la cama vacía y se levantó de un salto.

—¿Belle? —miró por la habitación desesperado. ¿Dónde podía haber ido en su estado? Y desnuda, por añadidura.

Escuchó un quejido de dolor al otro lado de la cama y corrió a ver qué pasaba. Belle yacía en el suelo desplomada y John se agachó para levantarla.

—¿Qué diablos hacías en el suelo, amor mío?

—Fuego —dijo con la voz áspera.

John la miró sin entender.

—¡Fuego! —repitió con más urgencia dándole un pequeño empujón.

—¿Qué pasa con el fuego?

—Tengo frío.

—¿Intentas calentarte?

Belle asintió suspirando.

—Creo que deberías quedarte en la cama. Te traeré más mantas.

—¡No! —dijo Belle de un chillido que hizo que John se sorprendiera por su vigor—. Quiero fuego.

—Mira, por qué no te metes en la cama y te traeré un candil para que lo tengas al lado.

—Estúpido.

John casi se rió.

—Vamos, querida. Volvamos a la cama.

Hizo que se recostara, y se sintió nervioso al arroparla nuevamente. Había estado tan graciosa y adorable que por un momento
había olvidado lo seria que era su situación.

Pero no podía engañarse a sí mismo. Sólo un milagro haría que
el débil cuerpo de Belle no se afiebrara, y John no creía en milagros.
Sin duda iba a ponerse peor antes de empezar a mejorar.

Ella todavía seguía inquieta.

—Agua —susurró.

John le puso un vaso en los labios y con una toalla limpió el agua
que le caía por la barbilla.

—¿Mejor?

Ella se relamió sus resecos labios.

—No me dejes.

—No lo haré.

—Tengo miedo, John.

—Sé que lo tienes, pero no hay de qué preocuparse —mintió—.
Ya verás.

—Ya no tengo tanto frío.

—Eso es bueno —dijo él dándole ánimo.

—Todavía tengo la piel un poco fría, pero no por dentro —tosió
y todo su cuerpo se estremeció en un espasmo, y cuando se calmó
terminó la frase—: Por dentro estoy caliente.

John contenía su desesperación. Tenía que ser fuerte para ella.
Tenía que sostener esa batalla junto a ella. No estaba seguro de que
lo pudiera hacer sola.

—Shhhh, querida —dijo tranquilizándola, pasándole dulcemente una mano por la frente—. Ahora duérmete. Tienes que descansar.

Belle volvía en sí poco a poco.

—Olvidé decirte… —musitó—. Olvidé decirte algo esta tarde.

¿Esta tarde? Dios, pensó John, le parecía que había pasado una
eternidad.

—Olvidé decirte algo —insistió Belle.

—¿Qué? —le preguntó John suavemente.

—Siempre te amaré, y no me importa que me correspondas.

Y por una vez, John dejó de sentir esa extraña sensación de ahogo que se apoderaba de él.

Capítulo 21

*J*ohn miraba a Belle desde su asiento junto a la cama con expresión preocupada. Habían pasado varias horas desde que se había despertado y había intentado llegar a gatas hasta el fuego. Todavía temblaba y la fiebre había ido empeorando gradualmente.

Estaba muy enferma.

Alguien dio un suave golpe en la puerta y la abrió. Entró Caroline y su cara expresaba su inquietud.

—¿Qué ha ocurrido? —susurró con apremio—. Acabamos de llegar a casa y Thornton nos ha dicho que Belle está enferma.

John dejó la mano de Belle de mala gana y acompañó a Caroline al pasillo.

—Salió a dar un paseo, la sorprendió la lluvia y se dio un golpe en la cabeza.

Le contó el resto de los detalles por encima, excepto la discusión que había hecho que ella saliera corriendo de la casa. Acababa de conocer a sus suegros el día anterior. Si Belle quería contar a sus padres sus problemas era asunto suyo. Él, prácticamente un extraño, no iba a hacerlo.

Caroline se llevó las manos a la garganta.

—Pareces tremendamente cansado. ¿Por qué no duermes? Me quedaré con ella ahora.

—No.

—Pero John...

—Se puede quedar conmigo, pero no me iré.

Se dio la vuelta y volvió junto a Belle. Respiraba de manera uniforme, lo que era una buena señal. John puso una mano en su frente. Maldita sea. Estaba aún más caliente que antes. Dudaba si en una hora seguiría respirando tan regularmente.

Caroline lo siguió y se puso a su lado.

—¿Lleva toda la noche así? —susurró.

John asintió. Después se agachó, recogió una toalla empapada en agua fría y la escurrió.

—Aquí tienes, corazón —canturreó poniéndole la toalla en la frente.

Ella musitó algo dormida y cambió de posición. Dio varias vueltas y de pronto abrió los ojos. Su expresión era de pánico.

—Shhh, estoy aquí —dijo John con dulzura acariciándole la mejilla. Parece que eso la reconfortó un poco y lentamente dejó que sus párpados se cerraran. John tenía la impresión de que en realidad no lo había visto.

Caroline tragó saliva nerviosa.

—Creo que deberíamos llamar a un doctor.

—¿A estas horas?

Ella asintió.

—Me ocuparé de ello.

Mientras John permanecía sentado junto a Belle, observándola con atención y preocupación, su mente no dejaba de repetir el devastador comentario que le había hecho unas horas antes.

«No me importa que me correspondas.»

¿Era posible que lo amara incondicionalmente? ¿A pesar de su pasado?

«Siempre te amaré.»

Y entonces de pronto se dio cuenta… de que nadie le había dicho nunca algo así.

John retiró la toalla de la frente de Belle y la volvió a enfriar en la palangana de agua. No tenía tiempo de estar triste por haber tenido una infancia infeliz. No es que hubiera pasado hambre ni que abusaran de él. Simplemente no había sido querido, y sospechaba que miles de niños en toda Gran Bretaña compartían con él destinos similares.

Belle de pronto se inquietó y John centró de inmediato toda su atención en ella.

—Basta —se quejó.

—¿Basta de qué, amor mío?

—¡Basta!

John se inclinó hacia ella y la zarandeó.

—Tienes una pesadilla.

Dios santo, le dolía muchísimo verla en ese estado. Su cara estaba sonrosada y enfebrecida, y tenía todo el cuerpo cubierto de sudor. John intentó quitarle el pelo de los ojos, pero ella le retiró la mano. Deseó saber usar uno de esos malditos chismes que ella siempre se ponía en el pelo. Estaría más cómoda si pudiera recogerle su abundante melena.

—Fuego —gimió Belle.

—No hay fuego salvo el de la chimenea.

—Demasiado calor.

John cogió la toalla húmeda.

—No, no para… —chilló Belle sentándose.

—No, amor mío, recuéstate de nuevo.

John se puso a limpiarle el sudor del cuerpo con la esperanza de enfriarla. Belle tenía los ojos abiertos y lo miraba, pero John no sentía que lo reconociera lo más mínimo.

—¡Basta, basta! —chilló ella apartándolo con las manos—. ¡No me toques! ¡Tengo demasiado calor!

—Sólo intentaba…

—¿Qué diablos ocurre? —dijo Caroline irrumpiendo en la habitación.

—Está delirando —dijo John mientras tapaba a Belle con la sábana.

—Pero estaba gritando mucho.

—He dicho que está delirando —replicó John impaciente intentando mantener la sábana sobre el cuerpo contorsionado de Belle—. ¿Tendría láudano?. Tenemos que calmarla. —John suspiró al recordar que estaba hablando con su suegra—. Lo siento lady Worth. Es que...

Ella levantó una mano.

—Lo comprendo. Iré a buscar el láudano.

Belle se puso a atacarlo en serio con una fuerza considerable exacerbada por la fiebre. De todos modos no era rival para John cuyo cuerpo firme y musculoso había sido robustecido durante años en el ejército.

—Despiértate, maldita sea —dijo él con rabia—. Si te despiertas se irá el fuego. Te lo prometo.

La única respuesta de ella fue luchar aún más.

John no cedió ni un centímetro.

—Belle —suplicó y de su garganta salió un violento—: Por favor.

—¡Apártate de mí! —dijo ella chillando.

Caroline eligió ese momento tan inoportuno para regresar a la habitación con una botella de láudano.

—¿Qué le estás haciendo?

John respondió con una pregunta.

—¿Dónde está el láudano?

Caroline vertió un poco en un vaso y se lo pasó.

—Toma esto, Belle —dijo suavemente intentando hacer que se sentara y se quedara quieta al mismo tiempo. Le puso el vaso en los labios—. Un poquito.

Los ojos de Belle se centraron en algo que había detrás de él, y volvió a gritar. Se llevó las manos a la cabeza y golpeó el vaso que John tenía en la mano, que cayó rodando por el suelo derramando la droga.

—Yo se lo daré ahora —dijo Caroline—. Tú sujétala.

Puso el vaso en los labios de su hija y la obligó a beber.

Después de un rato Belle se tranquilizó, y tanto su madre como su marido dieron un suspiro de agotamiento.

—Shhh —susurró John—. Ahora podrás dormir. Ya pasó la pesadilla. Descansa, amor mío.

Caroline le apartó los grandes mechones de pelo que tenía en la cara.

—Tiene que haber alguna manera de hacer que esté más cómoda.

John se acercó a la cómoda y sacó algo.

—Éste es uno de sus chismes para el pelo. ¿Podría sujetarle el cabello?

Caroline sonrió.

—Se llaman pasadores, John —dijo, y cogió la cabellera de Belle y se la recogió en un moño chapucero—. ¿Estás seguro de que no quieres dormir unas horitas?

—No puedo —dijo él con voz ronca.

Caroline asintió comprensiva.

—Entonces me iré yo a dormir. Mañana estarás agotado y necesitarás ayuda.

Caroline se dirigió a la puerta.

—Gracias —dijo él de pronto.

—Es mi hija.

John suspiró recordando cuando se enfermaba de niño. Su madre nunca iba a verlo. Abrió la boca y la cerró, y después asintió.

—Soy yo quien tiene que agradecérselo —continuó Caroline.

John la miró con dureza y su expresión mostraba claramente la pregunta: ¿Por qué?

—Por amarla. No puedo pedirte más. No puedo esperar más.

Caroline salió de la habitación.

Belle enseguida cayó en un profundo sueño. John la movió un poco hacia el otro lado de la cama donde las sábanas no estaban tan húmedas. Se inclinó hacia ella y la besó en la sien.

—Te mejorarás —le susurró—. Tú puedes conseguir lo que quieras.

Volvió a su asiento y se desplomó en él. Debió de adormilarse porque cuando volvió a abrir los ojos ya había amanecido aunque era difícil percibirlo porque no paraba de llover. El tiempo estaba sumamente deprimente, y la lluvia no mostraba la menor señal de amainar. John se quedó mirando hacia el paisaje de la ciudad intentando encontrar algún rincón que le diera motivos para ser optimista. Y entonces hizo algo que no había hecho en muchos años.

Se puso a rezar.

Ni la salud de Belle ni el tiempo mejoraron en varios días. John se mantuvo siempre atento junto a la cama de su esposa, obligándola a beber agua y caldo todo lo posible, y dándole láudano cuando se ponía histérica. Al final del tercer día, John se dio cuenta de que si no le bajaba pronto la fiebre, Belle se podría poner muy grave. No había comido nada sólido y estaba adelgazando demasiado. La última vez que John la había lavado con el trapo húmedo observó que se le notaban las costillas.

El doctor venía todos los días, pero no había sido de gran ayuda. No les quedaba más que esperar y rezar, le dijo a la familia.

John se aguantó la preocupación y se levantó para tocarle a Belle la frente. Ella parecía completamente inconsciente de su presencia. De hecho, no parecía ser consciente más que de las pesadillas que inundaban su enfebrecida mente. John había estado tranquilo y resuelto al principio, pero ya se le estaba bajando el ánimo. Apenas había dormido en tres días, y había comido poco más que Belle. Sus ojos estaban irritados, su cara demacrada, y el espejo le decía que parecía estar casi tan mal como su querida esposa.

Se estaba desesperando. Si Belle no volvía en sí pronto no iba a saber qué hacer. Varias veces durante la vigilia había dejado caer la cabeza entre las manos sin siquiera molestarse en limpiarse las lágrimas que le caían por la cara. No sabía cómo iba a poder soportar el día a día si ella falleciese.

Con cara de desolación se acercó a la cama y se recostó junto a ella. Belle descansaba muy tranquila, pero John detectó un pequeño cambio en su estado. Parecía quieta, anormalmente quieta, y su respiración era muy superficial. El pánico se apoderó de él y sintió como si le hubieran apretado el corazón. Se acercó a ella y la sujetó por los hombros.

—¿Vas a dejarme? —preguntó con dureza—. ¿Vas a dejarme?

La cabeza de Belle cayó a un lado gimoteando.

—¡Maldita sea! ¡No puedes rendirte!

John la zarandeó aún más.

Ella escuchaba su voz como si le llegara desde un larguísimo túnel. Sonaba como la de John, pero no entendía por qué estaba en su dormitorio. Parecía enfadado. ¿Estaba enfadado con ella? Suspiró. Estaba muy cansada. Demasiado cansada como para ocuparse de un hombre enfadado.

—¿Me oyes, Belle? —escuchó que decía—. Nunca te perdonaré si me dejas.

Belle frunció el ceño al sentir que sus grandes manos le apretaban los brazos. Quería quejarse de dolor pero no tenía suficiente energía. ¿Por qué no la dejaba tranquila? Lo único que quería era dormir. Nunca se había sentido tan cansada, y sólo quería acurrucarse y dormirse para siempre. Haciendo acopio de todas las fuerzas que le quedaban consiguió decir:

—Vete.

—¡Ajá! —gritó John triunfal—. Todavía estás aquí. Aguanta, Belle. ¿Me oyes?

Claro que lo oía, pensó Belle enfadada.

—Vete —dijo con un poco más de fuerza.

Se movió nerviosa y se escondió bajo la ropa de cama. Tal vez él dejaría de molestarla si se escondía bajo el edredón. Si lograba volver a dormirse se iba a sentir mucho mejor.

John comprobó que estaba perdiendo la voluntad a pesar de que hubiera conseguido hablar. Ya había visto antes esa expresión en el rostro de algunos hombres que había conocido en la guerra. No los afortunados que morían en las batallas, sino los desgraciados que tenían que luchar contra la fiebre y las infecciones semanas después. Observar cómo Belle iba dejando la vida era más de lo que podía soportar. De pronto algo golpeó en su interior. Se llenó de furia y olvidó su promesa de ser tierno y considerado mientras la cuidaba.

—Maldita sea, Belle —gritó enfadado—. No voy a quedarme aquí viendo cómo te mueres. ¡No es justo! No me puedes dejar ahora. ¡No te lo permitiré!

Belle no respondió nada, pero John siguió intentando que hablara.

—¿Sabes lo furioso que me voy a poner si te mueres? Te odiaré para siempre si me dejas. ¿Eso es lo quieres?

Desesperado observó la cara de Belle deseando encontrar algún signo de recuperación, pero no vio nada. Toda su pena, rabia y preocupación se apoderaron de él y la agarró brutalmente, la cogió en sus brazos, la acunó y siguió hablando.

—Belle —dijo con voz ronca—. Sin ti no tengo esperanza. —Hizo una pausa porque se estremeció—. Te quiero ver sonreír, Belle. Que sonrías contenta con tus ojos azules llenos de luz y bondad. Quiero verte leyendo un libro riéndote por lo que cuenta. Quiero que seas muy feliz. Siento no haber podido aceptar tu amor. Lo haré. Te lo prometo. Si tú, con tu infinita bondad y sabiduría, consideraste que valía la pena amarme, bueno, entonces… entonces supongo que no soy tan malo como pensaba. Oh, Dios Belle —dijo llorando destrozado—. Por favor, por favor aguanta. Si no lo haces por mí hazlo por tu familia. Te quieren tanto. No querrás hacerles daño, ¿verdad? Y piensa en todos los libros que todavía no has leído. Te prometo que te daré a escondidas el próximo libro de Byron si no lo puedes comprar en la librería. Todavía tienes mucho por hacer, amor mío. No me puedes dejar ahora.

Durante todo su apasionado soliloquio, Belle seguía desmayada y con la respiración muy débil. Finalmente, John, desesperado, se vino abajo y desnudó su alma.

—Por favor, Belle —suplicó—. Por favor, no me dejes. Belle, te amo. Te amo y no soportaría que te murieras. Por el amor de Dios, te quiero tanto. —Su voz se quebró y al darse cuenta de pronto de lo infructuosa que era su situación, suspiró destrozado y la volvió a recostar suavemente sobre la cama.

Incapaz de contener una lágrima solitaria que le caía por la mejilla, la tapó con dulzura. Respirando hondo se inclinó hacia ella. Dios, era una tortura estar tan cerca. Le rozó una oreja con los labios y susurró:

—Te amo, Belle. Recuérdalo siempre.

Después salió de la habitación rogando que ese «siempre» durara más de una hora.

Unas horas después Belle seguía en cama y empezaba a sentir un calor reconfortante en los dedos de los pies, que habían estado tanto tiempo fríos, incluso cuando todo el resto de su cuerpo le ardía. Pero ahora los sentía calientes, incluso… sonrosados. Belle se preguntó si era posible sentir los pies sonrosados, y pensó que así debía ser, pues esa palabra describía exactamente cómo los sentía.

De hecho sentía que toda ella estaba sonrosada. Sonrosada y cómoda, aunque un poco mareada, pero en general bien. Por primera vez en… arrugó la frente, se dio cuenta de que no tenía idea de cuánto tiempo llevaba enferma.

Con mucho cuidado se sentó, sorprendida de lo débiles que tenía los músculos. Parpadeó unas cuantas veces para ver dónde se encontraba. Estaba de vuelta en la habitación que compartía con John desde la noche de bodas. ¿Cómo había regresado? Todo lo que recordaba era el viento y la lluvia. Ah, y la pelea. Su terrible pelea con John.

Suspiró y le dolieron los huesos. Ya no le importaba que él no quisiera que le dijera que lo amaba. Lo aceptaría fuese como fuese. Lo único que quería era que terminara el irritante problema con George Spencer, y volver al campo a Bunford Manor.

¿Bunford Manor? No, no se llamaba así.

¡Caray! Nunca recordaba el nombre de ese lugar. Inclinó la cabeza a un lado. Dolor. Flexionó los dedos. Dolor. Estiró los dedos de los pies y gimió. Le dolía todo el cuerpo.

Mientras permanecía allí sentada revisándose las distintas partes del cuerpo, el picaporte giró suavemente y John entró en la habitación. Al final se había obligado a descansar quince minutos, se había hechado un poco de agua en la cara y había comido algo. Volvía aterrorizado de encontrarse que mientras estaba fuera Belle hubiera perdido el tenue hilo de vida que le quedaba.

Para su gran sorpresa, cuando llegó junto a la cama, vio que el objeto de su desesperada preocupación estaba sentada moviendo los hombros. Arriba, abajo, arriba, abajo.

—Hola, John —dijo muy débilmente—. ¿Cómo se llama nuestra casa en Oxfordshire?

John estaba tan sorprendido, tan completamente desconcertado por su extraña pregunta que tardó varios segundos en responder.

—Bletchford Manor —dijo.

—Es un nombre horrible —replicó Belle haciendo una mueca.

Después bostezó pues la frase le había hecho gastar un montón de energía.

—He... he pensado cambiarlo.

—Sí, bueno lo podremos hacer pronto. No es adecuado para ti. Ni para mí tampoco—. Belle volvió a bostezar y se acurrucó en la cama—. Si me disculpas, parece que estoy muy cansada. Creo que me gustaría dormir un poco.

John pensó desconcertado en las incontables veces en que rezó para que se despertara de sus pesadillas, y ahora no le importaba que durmiera.

—Sí —dijo con dulzura—, deberías dormir un poco.

Mudo de asombro, se hundió en el asiento que había sido su hogar durante su devota vigilia a la cabecera de su cama.

Ya no tenía fiebre. Extraña, feliz y sorprendentemente ya no tenía fiebre. Por una vez sus oraciones habían sido escuchadas.

Y entonces ocurrió algo extraño. Empezó a sentir una curiosa y cálida sensación cerca del corazón que se le extendía por el cuerpo.

Le había salvado la vida.

Una voz resonó en la habitación.

Estás perdonado.

Miró de reojo a Belle. Ella no parecía haber escuchado la voz. Qué extraño. A él le había sonado muy alto. Era una voz de mujer. Parecida a la de Ana.

Ana. John cerró los ojos y por primera vez en cinco años no pudo rememorar su cara.

¿Había expiado por fin sus pecados? ¿O, tal vez, era que sus pecados no merecían una condena eterna como pensaba?

Volvió a mirar a Belle. Ella siempre había creído en él. Siempre.

John era mucho más fuerte con ella a su lado. Y, tal vez, a ella le ocurría lo mismo. Juntos se habían enfrentado al más terrible enemigo de todos, y habían ganado. Ella iba a vivir, y él ya no tendría nunca más que enfrentar su futuro solo.

Respiró hondo, apoyó los codos sobre los muslos y dejó caer su cara en las manos. Una sonrisa disparatada le desfiguró la cara, y se puso a reír. Toda la tensión y la angustia de los últimos días dieron lugar a una enorme carcajada.

Belle se volvió y abrió los ojos al oírlo. Aunque tenía la cara tapada sabía que estaba demacrado. La piel de sus brazos estaba muy tirante y llevaba los últimos botones de la camisa abiertos con descuido. John levantó lentamente la cabeza y la miró. Tenía la mirada cargada de una emoción que ella no sabía definir. Impertérrita siguió examinándolo. Sus ojos expresaban cansancio y las mejillas tenían barba de varios días. Y su cabello normalmente fuerte y brillante parecía apagado. Belle frunció el ceño, extendió un brazo y puso una mano sobre la de él.

—Tienes un aspecto terrible —dijo ella.

Un buen rato después, John consiguió recuperar la voz para contestar.

—Oh, Belle —dijo con la voz ronca—. Estás maravillosa.

Un par de días después Belle ya se sentía mucho mejor. Todavía estaba un poco débil, pero había recuperado el apetito, y se entretenía con un constante desfile de visitas.

Llevaba un día sin ver a John. En cuanto se aseguró de que ella ya no estaba en peligro se desmoronó. Caroline daba a Belle informes periódicos sobre su estado, pero hasta ahora no había ocurrido nada especial:

—Todavía está durmiendo.

Al fin, tres días después de que la fiebre hubiera remitido, su marido entró en la habitación con una tímida sonrisa en la cara.

—Estaba desesperada por volver a verte —dijo ella.

Él se situó a un lado de la cama.

—Me temo que he estado durmiendo.

—Sí, eso he oído —dijo ella estirando una mano para tocarle la cara—. Es maravilloso ver tu rostro.

Él sonrió.

—¿Te has lavado el pelo?

—¿Qué? —se miró y se cogió un rizo—. Oh, sí. Creo que me hacía muchísima falta. John, yo...

—Belle, yo... —pronunció la frase a la vez que ella—. Tú primero.

—No, habla tú primero.

—Insisto.

—Oh, es una tontería —dijo Belle—. Estamos casados al fin y al cabo. Aunque estamos tan nerviosos.

—¿Nerviosos de qué?

—Por Spencer. —El nombre quedó flotando en el aire unos segundos antes de que continuara—. Lo tenemos que sacar de nuestra vida. ¿Has contado a mis padres nuestro problema?

—No. Lo he dejado a tu criterio.

—No quiero contárselo. Lo único que conseguiremos será preocuparlos.

—Lo que tú digas.

—¿Has pensado algún plan?

—No. Cuando estabas enferma... —se atragantó pues sólo recordarlo lo aterrorizaba—. Cuando estabas enferma no podía pensar en nadie más que en ti. Y después he estado durmiendo.

—Bueno, pues yo he estado pensando en nosotros.

Él la miró.

—Creo que tenemos que enfrentarnos a él en la fiesta de los Tumbley —dijo ella.

—Por supuesto que no.

—Mi madre ya ha insistido en que tenemos que ir. Quiere aprovechar la ocasión para presentarnos en sociedad.

—Belle, habrá tanta gente. Cómo te voy a vigilar si...

—La muchedumbre nos protegerá. Alex, Emma y Dunford estarán cerca de nosotros sin levantar sospechas.

—Lo prohíbo...

—¿Lo pensarás por lo menos? Lo enfrentaremos juntos. Creo que... juntos... podemos hacer cualquier cosa.

Belle se humedeció los labios pues se le atascaban las palabras.

—Muy bien —aceptó en parte porque quería cambiar de tema, pero sobre todo porque verla humedeciéndose los labios anulaba todos sus pensamientos.

Ella se acercó y le puso una mano sobre las suyas.

—Gracias por cuidarme.

—Belle —replicó—. Te amo.

Ella sonrió.

—Ya lo sé. Y yo también te amo.

Él le cogió la mano, se la llevó a la boca y la besó con fervor.

—Todavía no me puedo creer que lo hagas, pero —cuando vio que lo iba a interrumpir le puso la mano suavemente sobre sus labios— me produce más alegría de lo que pensaba que era posible. Más alegría de la que pensaba que existiera en el mundo.

—Oh, John.

—Me has ayudado a perdonarme. Cuando supe que no te ibas a morir me di cuenta de que te había salvado la vida. —Hizo una pausa con la expresión confundida, como si todavía no se pudiera creer el milagro que había tenido lugar en esa misma habitación—. Fue cuando lo supe.

—¿Supiste qué?

—Que había pagado mi deuda. Una vida por una vida. No pude salvar a Ana pero te salvé a ti.

—John —dijo ella con dulzura—. Salvarme la vida no ha sido para compensar lo que ocurrió en España.

John la miró horrorizado.

—No era necesario compensarlo. ¿Cuándo aceptarás que no fuiste responsable? Te llevas torturando desde hace cinco años, y todo por lo que hizo otro hombre.

John la miraba fijamente. Miraba esos brillantes ojos azules, y por primera vez, las palabras de ella adquirieron pleno sentido para él.

Belle le apretó la mano.

John parpadeó finalmente.

—Tal vez la verdad se encuentre en un punto intermedio. Sí, se suponía que tenía que protegerla, y fallé. Pero no la violé. —Movió la cabeza y habló con más fuerza—. No fui yo.

—Ahora tu corazón es libre.

—No —susurró—. Es tuyo.

Capítulo 22

J ohn dio un brusco tirón al pañuelo que llevaba en el cuello.

—Esto es una estupidez, Belle —susurró—. Una estupidez.

Ella pasó de puntillas junto al ayuda de cámara de John, que había soltado un quejido agónico al ver cómo se deshacía su complicada obra.

—¿Cuántas veces vamos a volver a lo mismo? Ya te he dicho que no podemos dejar de ir a la fiesta de los Tumbley esta noche. Mi madre me mataría si no muestro en sociedad que soy una dama bien casada.

John despidió a su ayuda de cámara con un brusco gesto con la cabeza.

—Así es. Ahora eres una mujer casada. Ya no tienes que obedecer a tus padres en todo.

—Ah, y entonces en vez de obedecerles a ellos, tengo que obedecerte a ti. Perdóname si no me pongo a dar saltos de alegría.

—No seas sarcástica. No te va nada. Lo único que te digo es que ya no tienes que obedecer a tus padres.

—Intenta decirle eso a mi madre.

—Eres una mujer adulta.

John se dirigió a un espejo para anudarse el pañuelo.

—Hay algo que tienes que saber. Los padres no dejan de serlo cuando sus hijos se casan. Y especialmente las madres no dejan de ser madres.

John se puso mal el trozo de tela y soltó un taco.

—Deberías habértelo dejado como te lo puso Wheatley. Me pareció que quedaba muy elegante.

Le lanzó una mirada que expresaba que no quería escucharla.

—Míralo de otro modo —continuó Belle arreglándose la falda para que no se le arrugara al sentarse en la cama—. Mis padres aún te están conociendo. Les parecerá sospechoso si nos negamos a que nos vean en público. No querrás llevarte mal con tus suegros el resto de tu vida, ¿verdad?

—Tampoco quiero que me maten.

—Eso no tiene ninguna gracia, John. No me gusta que hagas bromas con eso.

John dejó su pañuelo un momento y se volvió para poder mirar a su esposa a los ojos.

—No estoy bromeando, Belle. Esta noche será de locos. No tengo idea de cómo voy a cuidar de nosotros mismos.

Belle se mordió el labio.

—Alex y Dunford estarán allí. Estoy segura de que nos serán de gran ayuda.

—Estoy seguro de que lo serán. Pero no garantizan nuestra seguridad. No entiendo por qué no les dices la verdad a tus padres.

—Ah claro, así les darás una muy buena impresión —dijo Belle con sarcasmo—. Te querrán mucho después de saber que has puesto en riesgo mi vida. —Al ver que John fruncía el ceño añadió—: Sin querer, claro.

Dejó de intentar colocarse el pañuelo y gritó:

—¡Wheatley! —Después se volvió a Belle y dijo enseguida—: Valoro nuestras vidas más que las opiniones de tus padres. Harías bien en recordar eso.

—John, sinceramente creo que estaremos bien mientras nos mantengamos cerca de Alex y de Dunford. Tal vez incluso tengamos la oportunidad de atrap... Oh, hola señor Wheatley. Su señoría parece tener problemas con el pañuelo. Me temo que su mal humor le ha hecho perder la destreza de sus dedos. ¿Le podría ayudar a colocárselo?

John se estaba enfadando.

Belle le ofreció una sonrisa radiante mientras él fruncía el ceño, y se levantó.

—Voy a ver si está preparado el carruaje.

—Ve a ver.

Belle se giró y fue hacia la puerta.

John se quedó sin aliento.

—Dios santo, mujer. ¿Qué te has puesto? ¿O mejor qué no te has puesto?

Belle sonrió. Se había puesto el vestido de terciopelo color azul medianoche que se había comprado hacía unas semanas cuando planeaba seducirlo.

—¿No te gusta? —le preguntó dándole la espalda para que no viera que se estaba riendo.

Pero fue un error pues el vestido le dejaba prácticamente toda espalda al descubierto.

—Es indecente —profirió John.

—No lo es —dijo Belle incapaz de que su voz sonara en tono de protesta—. Muchas mujeres usan vestidos así. Algunas incluso usan telas más finas y las mojan para que sean más transparentes.

—No quiero que los otros hombres te miren la espalda. ¡Y esto es definitivo!

Ella decidió que no le importaba su actitud posesiva.

—Bueno, si te pones así…

Salió de la habitación a toda prisa y se dirigió a su propio vestidor donde la esperaba Mary con otro vestido recién planchado. Sabía de antemano que tendría que cambiarse de vestido. Pero había cumplido su objetivo. Hacer que John dejara de pensar en Spencer al menos unos minutos.

Tras cambiarse bajó la escalera y llegó hasta la puerta principal justo en el momento en que entraban Alex, Emma, Dunford y Persephone. Los cuatro charlaban animadamente.

—¿Qué hacéis aquí? —preguntó Belle.

Emma miró detrás de ella para asegurarse de que seguía abierta y gritó:

—¡TE VAMOS A LLEVAR AL BAILE ESTA NOCHE!

—¿Ah sí?

—¡SÍ!

—¿Pero por qué?

Emma vio que el mayordomo estaba punto de cerrar la puerta.

—No la cierre todavía —le susurró antes de mirar a Belle para replicarle—: ¡PORQUE TÚ NOS LO PEDISTE!

—Ah, claro, qué tonta soy.

Lady Worth apareció en el vestíbulo.

—¿Qué demonios es todo este revuelo?

—No tengo la menor idea —murmuró Persephone mirando extrañada a Emma.

—¡VAMOS A LLEVAR A BELLE Y A JOHN AL BAILE! —gritó Emma.

—Claro, por supuesto, pero deja de gritar.

Alex cerró la puerta enseguida y dijo:

—Le he estado diciendo que se tiene que revisar los oídos. Lleva tres días hablando así.

Emma apartó a Belle a un lado y le susurró:

—Sólo quiero que nuestro enemigo sepa que esta noche vais a ir en nuestro carruaje.

—Ya veo.

—No intentará nada si vamos todos juntos.

—Siempre podrá intentar romper el eje o algo así. Y el problema lo tendríamos todos.

—No lo creo. Sería demasiada casualidad si consigue herir justamente a John. Esperará a más tarde.

—¿Qué estáis cuchicheando? —preguntó Caroline—. ¿Y qué tal tu dolor de oídos, Emma? Pensaba que sólo podías gritar. Ven aquí, que hay más luz. Quiero mirártelos. Seguramente les hace falta una buena limpieza.

Emma hizo un gesto de disgusto pero dejó que la llevara a una habitación vecina.

—Creo que iré con ellas —dijo Persephone—. Ha estado comportándose de manera muy extraña toda la tarde.

—Gracias —dijo Belle en cuanto su madre desapareció.

—Ni lo menciones —replicó Alex haciendo un gesto con la mano—. Aunque ha sido dificilísimo disimular con Persephone.

—Es muy lista.

—Eso he descubierto.

—No te va a dejar que la mandes de vuelta a Yorkshire después de haberlo pasado tan bien en Londres.

Alex se encogió de hombros antes de pasar a asuntos más urgentes.

—¿Dónde está tu marido?

—Arriba, enfadado.

—¿Problemas en el paraíso? —preguntó Dunford con una extraña sonrisa.

—Ni se te ocurra reírte de mi angustia, canalla.

—Considéralo un cumplido. Ninguna angustia me divierte tanto como la tuya.

—Qué emocionante, Dunford. —Se volvió hacia Alex—. Está un poco enfadado por tener que salir esta noche. No cree que sea seguro.

—No lo es. Pero no os podéis quedar aquí prisioneros para siempre. La fiesta de los Tumbley probablemente sea la salida más segura que podemos organizar. Si Spencer intenta algo habrá cientos de testigos. Será fácil atraparlo.

—Intenté explicarle eso mismo, pero no escucha. Creo que está preocupado por mí.

Alex sonrió.

—Se supone que los maridos se tienen que preocupar por sus esposas. Es una lección que aprendí muy rápido. Ante eso no se puede hacer nada salvo evitar comportarse de manera demasiado estúpida, claro. ¿Y cuándo crees que bajará? Ya tendríamos que partir.

—En cualquier momento, creo.

En ese preciso instante apareció John en lo alto de las escaleras.

—Ah, bien, ya estás aquí —gritó Belle.

—No hace falta que te alegres tanto.

Belle se disculpó con la mirada con sus acompañantes para compensar el mal genio de su marido. Los dos hombres se miraron con cara de estar divirtiéndose, y Belle se limitó a sacudir la cabeza y esperar a que John se les uniera. Las escaleras siempre le hacían ir lento. Sin embargo, una vez que las bajó, se desplazó por el vestíbulo con sorprendente rapidez.

—Ashbourne. Dunford. —Saludó a los invitados con un rápido gesto de la cabeza.

—Pensamos que era más seguro que vinierais con nosotros esta noche —dijo Dunford.

—Buena idea. ¿Dónde está Emma? ¿Ha venido?

—Ha ido a que le revisen los oídos —replicó Belle.

—¿Por qué?

—Es una larga historia.

—Estoy seguro que lo debe de ser —dijo John con voz cansina.

Belle lo cogió de la mano y le dio un tirón para que se pusiera a su lado.

—Me estoy cansando de tu actitud, John.

—No esperes que sea agradable en por lo menos una semana —susurró—. Sabes lo que pienso de esto.

Belle cerró la boca firmemente y miró a Alex y a Dunford. Alex miraba el techo silbando ensimismado. Dunford tenía una sonrisa de oreja a oreja.

—Oh, cállate —dijo ella al fin.

—¡Si no he dicho nada! —dijeron a la vez Dunford y John.

—Hombres. Estoy harta de vosotros. ¡Emma! ¡Emma! ¡Te necesito! ¡Ahora!

Emma llegó al vestíbulo con sorprendente rapidez.

—¡Lo siento, tía Caroline! —gritó hacia atrás—. Belle me necesita. —Y llegó corriendo junto a Belle—. Gracias a Dios y a ti, Belle. Creía que me iba a matar.

—¿Nos vamos? —dijo Alex suavemente—. ¿Dónde está Persephone?

—Ha decidido ir con tía Caroline y tío Henry —replicó Emma cogiendo a su prima del brazo dejando a los hombres a lo suyo—. Me ha echado algo horrible en los oídos —susurró—. Decía que estaban sucios.

Belle sonrió y ladeó la cabeza.

—Te estaba tomando el pelo. Detesta que alguien le esconda un secreto.

Emma dejó que Alex la ayudara a subir al carruaje.

—Lady Worth podría hacer llorar a Napoleón.

Ese comentario hizo que John profiriera un sonoro bufido de asentimiento.

Belle lo miró enfadada mientras se sentaba junto a Emma. John se repantingó en el asiento de enfrente pero a Belle no la engañaba su relajada postura. Sabía que estaba alerta, preparado para ponerse en acción en cuanto fuera necesario. La actitud vigilante de John contagiaba a Alex y a Dunford, quienes a su vez también tenían un ojo en las puertas y el otro en las damas.

Belle intentaba no mirar a los hombres; la estaban poniendo nerviosa, y a pesar de su valiente postura frente a John, sentía un poco de aprensión con lo que podría ocurrir esa noche. Afortunadamente, Emma no dejaba de sacar conversaciones, y charlaron todos animados camino a la fiesta.

—Y ya se me han pasado las náuseas del todo —iba diciendo Emma—. Por lo menos eso espero. Llevo una semana sin encontrarme mal.

—Eso es bueno. Ya se te empieza a notar —dijo Belle en voz baja pues la conversación no era muy adecuada para un grupo mixto.

—Un poco, pero estos modelos tapan bastante. Y ya ves, no se ve nada debajo de esta capa, pero... ¡Qué pasa!

El carruaje dio una violenta sacudida a la derecha.

John en segundos saltó instintivamente sobre Belle para evitar que se hiciera daño.

—¿Te has hecho daño? —le preguntó preocupado.

—Estoy bien. Estoy bien, pero... ¡Oh!

El carruaje se balanceó y después se tambaleó hacia la izquierda.

—¡Qué diablos está pasando! —preguntó Alex trasladándose desde su posición junto a Emma hasta la ventana.

—¡Alex, no! —gritó Emma—. ¡Si volcamos te aplastará!

Alex volvió a su sitio de mala gana. No sentía que estuvieran en un gran peligro. El carruaje se movía y se balanceaba, pero muy suavemente. Al final, como si suspirara aliviado, el carruaje soltó un sonoro crujido y volcó hacia el lado izquierdo quedando todos aplastados contra una pared lateral.

Cuando al fin quedó claro que ya no se iba a mover más, Belle rezó en silencio una oración de agradecimiento por haber caído encima de todos y sacó el brazo de debajo del cuello de Alex.

—Parece —dijo Belle arrastrándose a la ventana, que hemos quedado apoyados contra un árbol. Por eso no hemos volcado por completo.

—¡Ay! —se quejó Emma—. Me has clavado las rodillas. Mira donde te apoyas.

—Lo siento. Esto es muy estrecho. ¿Todo el mundo está bien? —Miró debajo de ella—. ¿Dónde está Dunford?

—Mmmf grhrsmp.

Belle abrió los ojos como platos. No debía estar cómodo con cinco personas encima.

—Salgo enseguida. Creo que tendremos que salir por la puerta de arriba. Si abrimos ésta nos caeremos y es posible que nos demos un golpe en la cabeza. —Volvió a mirar por la ventana—. No creo que ni siquiera se pueda abrir la puerta lo suficiente como para salir. El árbol la ha bloqueado.

—Hazlo, Belle —ordenó Alex.

—¿John, estás bien? No has dicho nada.

—Estoy bien, Belle, sólo un poco incómodo. Tengo a tres personas encima.

—Brmmf thmgish —fue la elegante réplica de Dunford.

Belle miró nerviosa hacia el enredado montón de cuerpos enfadados y se arrastró en dirección opuesta, ignorando los frecuentes gruñidos de dolor e indignación de Emma. Como se le enredaban las faldas tuvo que olvidar todos sus pudores y se las levantó por encima de las rodillas. Después estiró su cuerpo a lo largo del asiento hasta llegar a la manija de la puerta.

—Casi llego… ¡ya! Ahora tengo que abrir la puerta… —Belle giró la manija y le dio un empujón. Pero la gravedad iba en su contra. Tras cada intento la puerta se volvía a cerrar—. Lo siento mucho, pero necesito hacer más fuerza. Me voy a tener que estirar más.

Se movió por el asiento y puso su pie derecho sobre lo primero que encontró, y resultó ser la cabeza de Alex. Emma soltó una risilla que hizo que Belle volviera atrás.

—¿Pasa algo?

—Nada —respondió Alex en un tono que expresaba: «Vuelve rápido a lo tuyo».

Belle volvió a girar la manija y empujó la puerta todo lo que pudo. Esta vez pasó el punto crítico y se abrió. Soltó un grito de alegría y se encaramó sobre el asiento para poder asomar la cabeza por la apertura.

—Oh, hola, Bottomley —dijo contenta al reconocer al conductor de Alex y Emma—. ¿Qué ha ocurrido?

—Se salió una rueda, milady. No tengo idea de lo que ha ocurrido.

—Hmm, esto es muy raro.

—Si no os importa continuar con esta conversación más tarde —dijo John, que estaba en medio de la pila de cuerpos—, queremos salir del carro.

—Oh. Lo siento. Bottomley, ¿me puede recoger si me deslizo desde aquí? —Él asintió, así que trepó por la apertura y se deslizó por un lado del carruaje—. Espere a Emma. Creo que es la siguiente.

Belle echó un vistazo para inspeccionar la avería. La rueda izquierda se había salido por completo y había seguido rodando por la calle, donde un grupo de golfillos se la estaban llevando.

—¿Qué has visto? —dijo Emma saliendo del carruaje.

—Parece como si alguien hubiese aflojado la rueda. No parece que hayan cortado ni roto nada.

—Hmm —Emma se sujetó las faldas y se agachó para mirar.

—¿Puedes salir de la calle? —dijo Alex que fue el siguiente en salir y también quería examinar el carruaje. Cogió a Emma de la mano y la ayudó a levantarse.

—Parece que ha sido un bandido bastante benévolo —dijo Emma—. Eso, o no sabía usar una sierra.

John apareció furioso.

—¿Qué es lo que serró?

—Nada —replicó Alex—. Sólo aflojó la rueda.

John maldijo para sí mismo.

—Me disculpo por haberos puesto a tu esposa y a ti en peligro. Belle y yo regresaremos a casa enseguida, y te daré el dinero que cueste el arreglo del carruaje.

Antes de que Belle pudiera protestar, Alex levantó una mano y dijo:

—Tonterías. No hay grandes daños. Lo único que nos hace falta es otra rueda.

—¿Qué pasa con la rueda? —dijo Dunford, que salió al fin con aspecto de estar bastante magullado.

—¡Se salió! —dijeron los otros cuatro al unísono.

—No hace falta que seáis tan antipáticos. Acabo de salir.

—Perdona —dijo Belle—. Siento como si llevara aquí una hora.

—Probablemente así sea —replicó Dunford en tono seco—. Tuviste mucha suerte, no sé si recuerdas que caíste encima de nosotros. A propósito, he enviado a Bottomley a tu casa, Ashbourne, para que traiga lo necesario para arreglar el carruaje. No creo que tarde demasiado. Estamos a un par de calles de tu casa. —Se dirigió al lugar donde debía de haber estado la rueda izquierda—. Es evidente que Spencer hizo un trabajo bastante malo, si quería que el coche tuviera un accidente hay maneras mucho mejores de hacerlo. Ni siquiera ha conseguido que se nos rompa un simple hueso a ninguno de nosotros cinco.

Belle puso los ojos en blanco.

—Siempre le ves a todo el lado bueno.

John frunció el ceño e hizo que se acercara a su lado.

—Es una suerte que haya herido ningún herido, pero no puedo ver el lado bueno. No seré la causa de ninguna de vuestras muertes. Vámonos, Belle. Nos vamos a casa.

—¿Y que nos mate de un balazo mientras volvemos? Creo que no es una buena idea.

—Belle tiene razón —dijo Alex—. Estaréis mucho más seguros con nosotros que solos.

—Sí —replicó John con dureza—. Pero vosotros estaréis mucho más seguros sin nosotros.

—¿Nos perdonáis un momento? —dijo Belle, y apartó unos metros a su marido del grupo—. Me tienes que escuchar —susurró—. ¿No fuiste tú el que me dijiste que no podemos pasar el resto de la vida escondiéndonos de ese hombre? Parece que está lo suficientemente loco como para intentar hacernos algo en la fiesta de los Tumbley. Si lo atrapamos habrá cientos de testigos. Lo encarcelarán el resto de su vida.

—Tal vez, ¿y si lo consigue? O peor aún, ¿y si en vez de darme a mí, te da a ti? Belle, te prometo que no huiremos de ese hombre el resto de la vida. Me encargaré de él, pero no haré nada que te ponga en peligro. Tienes que creerme... no es un hombre con el que ninguna mujer quisiera estar sola.

John la agarró de los hombros.

—Belle, no puedo vivir sin ti. ¿No te das cuenta que ahora tiene dos blancos? Si te mata, también me habrá matado a mí.

Los ojos de Belle se llenaron de lágrimas por sus apremiantes palabras.

—Yo también te amo, John. Y sabes lo nerviosa que estoy por tu seguridad. Pero tampoco puedo vivir mi vida en constante sospecha. Y no tendremos una oportunidad mejor para atrapar a Spencer que esta noche.

—Entonces iré yo —dijo poniendo las manos en las caderas—. Pero tú regresarás a casa.

—No te voy a esperar en casa aterrorizada como un ratoncillo —dijo Belle con los ojos brillantes—. Juntos podemos hacer cualquier cosa. Solos no somos nada. Confía en mí, John.

—Recuerdo cuando me rogaste que no asumiera riesgos innecesarios. Permíteme la misma cortesía. Vete a casa, Belle. Ya tengo suficientes preocupaciones sin tener que estar cuidando de ti.

—John, por última vez, escucha lo que te digo. ¿Tú me amas?

—Dios, Belle —dijo destrozado—. Sabes que sí.

—Bien, la mujer de la que te has enamorado no es de las que se quedan pacientemente en casa cuando el hombre que ama está en peligro. Creo que juntos podemos atrapar a Spencer si tenemos a suficiente gente de nuestro lado. Es obvio que no es muy inteligente. Ni siquiera ha podido sabotear el carruaje correctamente. Si los cinco nos organizamos podremos con él. Y esta noche tenemos una oportunidad perfecta.

—Belle, si te pasara algo…

—Lo sé, querido. Siento lo mismo por ti. Pero no va a pasar nada. Te amo demasiado como para permitirlo.

John miró sus radiantes ojos azules resplandeciendo de amor, fe y esperanza.

—Oh, querida —dijo con voz ronca—. Contigo me siento optimista. Me haces creer que merezco tanta felicidad.

—Claro que sí.

John puso las manos con dulzura sobre sus hombros.

—Quédate quieta un momento —dijo suavemente—. Quiero mirarte. Y guardar la imagen de nosotros juntos el resto de la vida. No creo que nunca hayas estado tan hermosa como lo estás ahora mismo.

Belle se ruborizó de placer.

—No seas tonto. Mi vestido está arrugado y estoy segura de que tengo el pelo revuelto, y…

—Shhh. No digas nada. Mírame. Hay en tus ojos una luz casi púrpura, y parecen moras.

Belle se rió con dulzura.

—Parece que siempre tuvieras hambre. Me sigues comparando con frutas.

—¿Ah sí?

John no podía apartar la vista de sus labios y se dio cuenta de que le parecían cerezas maduras.

—Sí, una vez me dijiste que mis orejas eran como melocotones.

—Así es. Supongo que tienes razón. Tengo hambre desde que te conocí.

Ella se sonrojó.

—¡Yuju! ¡Enamorados!

John y Belle dejaron de mirarse y vieron que Dunford se acercaba a ellos.

—Cuando dejéis de hacer el amor verbalmente podremos seguir. Por si no os habéis dado cuenta tenemos un carruaje nuevo.

John respiró hondo poco a poco antes de volverse a Dunford para decirle:

—Veo que aprender a tener tacto no fue una prioridad en tu crianza.

Dunford sonrió con alegría.

—No, en absoluto. ¿Nos vamos?

John se volvió hacia Belle y le ofreció su brazo.

—¿Querida?

Belle aceptó su gesto con una sonrisa, pero cuando pasaron junto a Dunford se volvió hacia él y le susurró:

—Te voy a matar por esto.

—Estoy seguro de que lo intentarás.

—Este carruaje no es tan calentito como el otro —se disculpó Alex con una sonrisa—. No suelo usarlo en invierno.

En unos momentos estaban todos instalados en el carruaje para dirigirse a la fiesta de Tumbley. Belle y John se acurrucaron en el rincón para darse calor. John le cogió las manos y distraídamente le iba dando golpecitos con los dedos en los nudillos. Ella sintió el calor de sus manos y lo miró. Él también la miraba con sus cálidos ojos marrones, suaves como terciopelo.

Belle no se pudo contener y dio un pequeño gemido de satisfacción.

—¡Oh, por el amor de Dios! —exclamó Dunford volviéndose hacia Alex y Emma—. ¿Los habéis visto? Ni siquiera vosotros erais tan pesados.

—Algún día —interrumpió Belle en voz baja apuntándole con un dedo—, te vas a encontrar con la mujer de tus sueños y me voy a reír mucho de ti.

—Me temo que no lo harás, querida Arabella. La mujer de mis sueños es tal dechado de virtudes que es imposible que exista.

—Oh, por favor —le espetó Belle—. Apuesto a que en menos de un año estarás atado de pies y manos, y encantado de estarlo.

Belle se volvió a sentar con una sonrisa de satisfacción. Detrás de ella John se reía.

Dunford se inclinó hacia delante apoyando los codos sobre las rodillas.

—Acepto esa apuesta. ¿Cuánto estás dispuesta a perder?

Emma se volvió hacia John.

—Parece que te has casado con una jugadora.

—Si lo hubiese sabido, te aseguro que habría calculado mis movimientos con mucho cuidado.

Belle le dio un golpe juguetón en las costillas mientras lanzaba una mirada contundente a Dunford para preguntarle:

—¿Y bien?

—Mil libras.

—Trato hecho.

—¿Estás loca? —exclamó John.

—¿Acaso sólo pueden hacer apuestas los hombres?

—Nadie puede hacer una apuesta tan loca —dijo John—. Has apostado contra el hombre que controla el resultado. Seguro que vas a perder.

—No menosprecies el poder del amor, querido. Aunque en el caso de Dunford, tal vez sólo sea necesaria la lujuria.

—Me has herido —replicó Dunford colocando las manos dramáticamente sobre su corazón para dar más énfasis—, al suponer que soy incapaz de tener emociones más elevadas.

—¿Y puedes?

John, Alex y Emma observaban divertidos la charla con mucha atención.

—No tenía idea de que fueras una adversaria tan formidable, querida —dijo John.

—No sabes muchas cosas de mí —se mofó Belle, y se echó hacia atrás satisfecha—. Espera a que avance la noche.

Una extraña sensación se instaló en el estómago de John.

—Tengo miedo de todo.

Capítulo 23

—¡Cielo santo! —sonó una desagradable voz chillona—. ¿Qué os ha ocurrido?

A Belle se le pusieron los pelos de punta. Había olvidado la peculiar voz de lady Tumbley, permanentemente con ese tono de soprano.

—Un accidente con el carruaje —dijo Alex con tranquilidad—. Es que estábamos tan ansiosos por llegar que no quisimos volver para cambiarnos. Por eso llevamos la ropa un poco arrugada. Espero que nos perdone.

Cuando venían de camino habían decidido que Alex, por ser la persona de mayor rango del grupo, actuara de portavoz. Su explicación, que acompañó con su sonrisa más sofisticada, funcionó y lady Tumbley enseguida cayó rendida a sus pies de manera evidente y muy poco atractiva.

—Claro que no me importa, su excelencia —dijo entusiasmada—. Estoy muy honrada de que aceptarais mi invitación. Nos os veía aquí desde hace años.

Belle advirtió que la sonrisa de Alex se había congelado.

—Un error que debo rectificar —dijo.

Lady Tumbley comenzó a mover las pestañas con coquetería, lo que era gesto muy poco apropiado para una mujer de sus años y su diámetro. Cuando al fin dejó de pestañear miró fijamente a John y dijo:

—¿Y a quién tenemos aquí?

Belle dio un paso adelante.

—Es mi marido, milady.

—¿Tu qué? —preguntó lady Tumbley volviendo a soltar un chillido.

Belle dio un paso atrás. Había vuelto a gritar

John tomó la mano de la anfitriona y le besó los nudillos.

—John Blackwood a su servicio, milady.

—Pero lady Arabella, querida, quiero decir, lady Blackwood, es que no, bueno, no sabía que te habías casado. ¿Cuándo fue? ¿Y, eh, fue una gran boda?

En otras palabras... ¿por qué no la habían invitado?

—Fue algo muy íntimo, lady Tumbley —dijo Belle—. Hace dos semanas.

—¿Hace dos semanas? ¿Quince días completos? Y yo sin enterarme.

—Salió en el *Times* —añadió John.

—Tal vez, pero...

—Tal vez debería leer el periódico más a menudo —dijo Belle dulcemente.

—Tal vez debería. Si me perdonáis.

Lady Tumbley sonrió incómoda, hizo una reverencia y salió disparada a ver a los demás invitados.

—Ya hemos cumplido nuestro primer objetivo —anunció Belle—. Dentro de cinco minutos todo el mundo sabrá: primero, que nuestro aspecto desarreglado se debe a un percance con el carruaje; y segundo, que me he casado con un hombre misterioso del que nadie sabe nada.

—En otras palabras, todo el mundo sabrá que estamos aquí —dijo John—. Incluido Spencer.

—Si ha venido —dijo Emma pensativa—. Dudo que lo hayan invitado.

—Es fácil colarse en una fiesta tan grande —dijo Dunford—. Yo mismo lo he hecho algunas veces.

Emma lo miró con curiosidad antes de preguntar:

—¿Y ahora qué hacemos?

—Supongo que nos mezclaremos con la gente —replicó Belle—. Pero tenemos que intentar estar cerca los unos de los otros. Alguno podría necesitar ayuda.

Belle miró a su alrededor. Lady Tumbley se había superado a sí misma ese año y la fiesta brillaba con velas, joyas y sonrisas. El salón de baile era uno de los más peculiares de Londres pues tenía una galería en la segunda planta que lo rodeaba. Belle siempre había pensado que los niños Tumbley debían de haber pasado incontables noches allí espiando a elegantes aristócratas. Suspiró para sí misma rogando que John y ella pudieran terminar la velada indemnes, y que algún día sus hijos pudieran comportarse de manera similar.

Durante la siguiente hora y media, el quinteto se comportó como si fueran unos inocentes juerguistas. Belle y John recibieron muchas felicitaciones de los invitados, y la mayoría de las veces no ocultaron su insaciable curiosidad hacia John y el rápido matrimonio. Alex y Emma permanecían cerca y su mera presencia significaba que aprobaban a la pareja. Pero lo más importante es que podían vigilar si aparecía Spencer mientras Belle y John se mantenían ocupados con conversaciones formales. Dunford hacía de espía móvil y se paseaba por todo el salón controlando las entradas y salidas.

Después de casi dos horas, llegaron Caroline, Henry y Persephone, e inmediatamente se dirigieron a donde estaban Belle y John.

—¡No os podréis creer lo que nos ha pasado! —exclamó Caroline.

—¿Un accidente con el carruaje? —preguntó John inexpresivo.

—¿Cómo lo has sabido?

—¿Habéis tenido un accidente con el coche? —dijo Belle horrorizada.

—Bueno, no fue peligroso. Se salió la rueda izquierda trasera y volcamos un poco hacia un lado. Fue bastante incómodo pero no nos hicimos daño. Claro que tuvimos que volver a casa para cambiarla, por eso hemos llegado tan tarde. —Caroline parpadeó unas cuantas veces y se fijó en el vestido un poco arrugado de Belle.

—No se suponía que ese vestido fuese de terciopelo arrugado ¿verdad?

—También tuvimos un desafortunado accidente con el carruaje —dijo John.

—¡No me digas! —exclamó Persephone, y después se dirigió a una mesa llena de refrescos.

—Qué raro —comentó lord Worth—. Muy raro.

—Es verdad —dijo John con expresión lúgubre.

Dunford apareció a su lado.

—Buenas noches, lady Worth y lord Worth. Esperaba haberles visto antes. Eh, Blackwood, puedo hablar contigo a solas un momento.

John se excusó y se unió a Dunford a unos pocos metros.

—¿Qué ocurre?

—Está aquí. Y parece furioso. Ha entrado por la puerta lateral hace unos minutos. Apuesto a que no lo han invitado. O eso o tiene miedo de que el mayordomo cante su nombre. Lleva traje de etiqueta. Nadie sospecharía de él. No desentona en absoluto.

John asintió bruscamente.

—Va a intentar algo.

—Tenemos que tramar un plan.

—No hay nada que podamos hacer hasta que no dé el primer paso.

—Ten cuidado.

—Claro que sí. Ah, y ¿Dunford? Vigila a Belle. ¿Vale? —John tragó saliva nervioso y buscó en su cabeza las palabras adecuadas—. Para mí sería horrible si le pasa algo.

Los labios de Dunford dibujaron una breve sonrisa y asintió.

—También tendré que vigilarte a ti. Para ella sería horrible si te pasa algo.

John captó el significado de su mirada. No se conocían demasiado bien, pero los unían sus sentimientos hacia Belle; Dunford como amigo de toda la vida, y John como su apasionado y devoto marido.

John regresó junto a Belle y sus suegros, que estaban muy ocupados saludando a una gruesa pareja que querían felicitarlos por su reciente boda, y se lamentaban por no haber podido asistir a la ceremonia. Llegó al final de la conversación y se tuvo que morder los labios para no reírse al ver que Belle no decía nada para no tener que explicarles que no les habían invitado. Los ojos de ella se encendieron al verlo.

—Ha llegado nuestro amigo —dijo tranquilamente.

—¿Y quién es? —preguntó Caroline.

—Un conocido de John del ejército —improvisó Belle consolándose por el hecho de que no estaba mintiendo.

—Entonces deberíais ir a buscarlo.

—Oh, creo que él nos encontrará a nosotros —dijo John con malicia.

Caroline se fijó en un amigo que no había visto desde que habían regresado de Italia, y Belle enseguida se dirigió a John para preguntarle:

—¿Qué vamos a hacer ahora?

—Nada. Mantenernos atentos.

Belle respiró hondo y apretó los labios. No se sentía muy paciente.

—¿Se lo has dicho a Alex y a Emma?

—Lo ha hecho Dunford.

—Entonces ¿esperaremos como ovejas mientras lleva a cabo su terrible plan?

—Algo así.

Belle hizo un gesto de disgusto y un extraño ruido salió por su boca.

John la miró sorprendido.

—¿Has gruñido?

—Puede que sí.

—Madre mía, será mejor que atrapemos a Spencer pronto o si no mi esposa se va a convertir en un animal.

—Y en uno muy malvado, si puedo decir algo al respecto. —Belle suspiró y miró el salón de baile—. ¡John! ¿No es ese hombre que está ahí? —dijo señalando discretamente a un hombre rubio que bebía una copa de champán.

John siguió su mirada y asintió bruscamente sin dejar de mirar a Spencer. En ese momento el sujeto levantó la vista de la copa y sus ojos se encontraron. John sintió que un temblor frío le recorría el cuerpo y de pronto se convenció más que nunca de que había sido una mala idea venir a la fiesta. Tenía que sacar a Belle de allí. Iba a ocuparse de Spencer a su manera.

—¡Viene hacia aquí! —susurró Belle.

John entornó los ojos. Spencer había dejado su copa en una mesa próxima y estaba atravesando el salón de baile. John advirtió que ya no lo miraba; su mirada estaba ahora puesta en Belle. Eso hizo que se llenara de furia y de miedo y apretó las manos con fuerza.

—Buenas noches lord Blackwood, lady Blackwood —dijo Spencer burlón.

—¿Qué diablos quieres? —espetó John.

Tuvo que controlarse para no saltar sobre Spencer allí mismo y estrangularlo.

—Vamos, vamos, lord Blackwood, ¿por qué estás tan arisco? Sólo he venido a saludarte a ti y tu esposa. Eso es lo que se supone que hay que hacer en estas reuniones. ¿Verdad? Claro que la memoria me puede estar fallando. Hace mucho tiempo que no asistía a un baile de etiqueta en Londres. He estado fuera del país, como sabéis, durante mucho tiempo.

—¿Y eso que quiere decir?

—Hace mucho tiempo que no bailo. Estaba deseando que lady Blackwood me hiciera el honor.

John hizo que Belle se le acercara aún más.

—Ni hablar.

—Eso lo tiene que decidir la dama, ¿no crees?

Belle tragó saliva intentando humedecerse un poco la garganta que se le había secado de repente.

—Su invitación es muy amable, señor Spencer —consiguió decir—. Pero me temo que he decidido no bailar esta noche.

—¿De verdad? Qué raro —los ojos color azul plateado de Spencer brillaban de malicia.

—Es por deferencia a mi marido —Belle siguió improvisando—. Él no baila, ya sabe.

—Oh sí, es cojo. A menudo lo olvido. Pero eso no debería impedir que se divierta.

Dio un paso adelante y puso un revolver en el estómago de John. Lo apretó con fuerza, y apuntó hacia arriba dispuesto para acabar con él.

Belle miró hacia abajo. Su estómago se revolvió de miedo y por un momento pensó que vomitaría allí mismo. La fiesta estaba llena de gente, muy llena de gente, pero nadie había advertido que uno de los invitados estaba apuntando a alguien con su arma. Si chillaba, seguramente Spencer dispararía antes de que nadie pudiera arrebatarle el revolver.

—Me... me encantaría bailar con usted, señor Spencer —susurró.

—No, Belle —dijo John en voz baja.

—Mi marido —dijo Belle en tono de broma— se pone muy celoso. No quiere que baile con ningún hombre.

—Estoy seguro de que esta vez no le importará —Spencer se guardó el arma, cogió a Belle de la mano y la condujo a la pista de baile.

John se quedó paralizado mientras recuperaba la respiración. Apretó los puños y no sintió las uñas clavándose contra sus palmas. Toda su atención, toda su energía y toda su alma estaban concentradas en las dos cabezas rubias que bailaban en la pista. Spencer no le haría daño a Belle, eso lo sabía. Por lo menos no en medio de un salón de baile lleno de gente. Si le ocurría algo a Belle delante de tantos testigos, Spencer nunca iba a tener la opción de eliminar a su verdadero objetivo. Pues John sabía que Spencer quería sobre todo matarlo a él.

—¿Qué pasa? ¿Por qué está Belle bailando con Spencer?

John se volvió y se encontró a Emma con cara de miedo y preocupación.

—Me apuntó con un revolver y pidió a Belle que bailara con él.

—¿Alguien lo vio? —preguntó Alex.

John negó con la cabeza.

—Maldita sea. Lo mejor sería que hubiera testigos de fuera de la familia —Alex cogió a Emma de la mano—. Vamos querida, nosotros también vamos a bailar.

Y con gran rapidez, aunque no con demasiada gracia, el duque y la duquesa Ashbourne se dirigieron a la pista de baile.

—¿Qué quiere? —susurró Belle mientras su pies se ponían automáticamente a seguir los pasos del vals.

Spencer le dedicó una amplia sonrisa.

—¿Por qué? Sólo quiero tener el placer de estar en su compañía. ¿Le parece tan increíble?

—Sí.

—Tal vez sólo quiero conocerla. Al fin y al cabo nuestra vidas, cómo decirlo, se han entremezclado.

Belle sintió que se llenaba de rabia, más que de miedo.

—Me gustaría que las desenredara.

—Bueno, pienso hacerlo, no lo dude. Esta noche, si todo va bien.

Belle le dio un pisotón y después se disculpó amablemente. Vio que Emma y Alex bailaban justo detrás de Spencer, y respiró sintiéndose mucho más segura por su presencia.

—Pero he de admitir —continuó Spencer—, que estoy disfrutando un montón con la cara de su marido. No creo que le guste verla en mis brazos.

—Imagino que no.

Belle le volvió a dar un pisotón esta vez tan fuerte que él hizo un gesto de dolor.

—Parece una buena chica —dijo volviendo a ignorar que lo había pisado—. Lamento importunarla matando a su marido, pero no hay nada que hacer respecto a eso.

Madre mía, pensó Belle, este hombre está rematadamente loco. No se le ocurría qué decir, así que volvió a pisarlo, esta vez con una fuerza considerable.

—Veo que lo que se cuenta sobre su gracia para bailar es exagerado —finalmente se atrevió a decir.

Belle sonrió con dulzura.

—No hay que creerse ni la mitad de lo que se comenta en sociedad. Oh Dios, ¿se ha acabado el baile? Me tengo que marchar.

—No tan rápido —dijo agarrándola del brazo—. Me temo que no puedo dejar que se vaya todavía.

—Pero el baile ha terminado. La etiqueta dicta que…

—¡Cállese! —soltó Spencer—. Voy a usarla para que su marido vaya a una habitación que hay a un lado. No voy a matarlo en un salón de baile lleno de gente. No podría escaparme.

—Si lo mata, no escapará —susurró Belle—. Hay demasiada gente que sabe que lo quiere matar. Le detendrán en unos minutos. Y si no lo hacen no podrá volver a aparecer por Inglaterra nunca más.

—Estúpida mujer. ¿Cree que pienso que puedo disparar a un noble y después esperar tener una vida libre y fácil? He estado en el exilio cinco años. Estoy acostumbrado. Tener un lugar en la sociedad puede ser bonito, pero prefiero vengarme. Ahora venga conmigo.

Tiró con fuerza de su brazo y la arrastró a unas puertas que daban al salón.

Belle actuó instintivamente. Él no le iba a hacer daño en ese momento. No antes de atrapar a John. Así que se liberó de un tirón y corrió hacia John que ya se les estaba acercando.

—Rápido, alejémonos de él. ¡Está loco!

John la cogió de la mano y comenzó a serpentear entre la gente. Belle miraba hacia atrás. Spencer estaba muy cerca. Alex y Emma lo seguían, pero al ser dos no se podían mover tan bien como una persona sola.

—Vamos muy despacio —dijo Belle nerviosa—. Nos atrapará antes de que lleguemos a la puerta.

John no respondió. Aceleró el paso aunque su pierna se resentía por esa tortura.

—John, vamos más deprisa. Tenemos que llegar allí.

Belle señaló las puertas que había al otro lado del salón. Entre ellos y el lugar por donde escapar había unos cien aristócratas bailando.

—¿Y cómo quieres que lleguemos allí? ¿Bailando?

Belle parpadeó.

—¡Claro que sí! —con la fuerza que nacía de su rabia y su terror detuvo a John, le puso una mano en el hombro y comenzó a bailar.

—¿Estás loca, Belle?

—Baila. Y encaminémonos al otro lado del salón. Enseguida llegaremos. Ni siquiera Spencer se atrevería a correr por la pista de baile.

John hizo que su pierna lisiada se pusiera en acción y lentamente se puso a bailar avanzando por la habitación con cada paso.

Belle tenía tanta prisa que hundió los dedos en su hombro para hacerle ir más rápido.

—¿Me dejas llevarte? —susurró John y después dijo—: Lo siento —cuando chocaron con otra pareja.

Belle estiró el cuello.

—¿Lo ves?

—Está intentando avanzar por el perímetro. Nunca nos alcanzará. Es un plan estupendo, amor mío, si puedo decir eso de mí misma.

Giraban frenéticamente, y aunque sus movimientos iban muy fuera del compás, en un momento llegaron al otro extremo del salón.

—¿Qué hacemos ahora? —preguntó Belle.

—Te voy a llevar a casa. Después veré a las autoridades. Debí haberlo hecho hace mucho tiempo, pero no creía que hicieran nada sólo por amenazas verbales. Pero una pistola en el estómago… eso hará que lo encarcelen un tiempo por lo menos.

Ella asintió y lo siguió a la puerta.

—Puedo ser tu testigo. Y estoy segura de que Alex, Emma y Dunford también pueden testificar.

Respiró aliviada de que John no fuese a tomarse la ley por su cuenta. Si mataba a Spencer lo colgarían.

Acababan de sentir el aire frío de la noche cuando Dunford apareció repentinamente.

—¡Esperad! —gritó, y se detuvo para recuperar el aliento—. Ha cogido a tu madre, Belle.

—¿Qué? —dijo Belle que había palidecido—. ¿Cómo?

—No tengo idea, pero lo acabo de ver saliendo del salón con ella, y la llevaba muy pegada a él.

—Oh, John, tenemos que hacer algo. Tiene que estar asustadísima.

—No puedo pensar en nadie más competente que tu madre —dijo John intentando tranquilizarse—. Probablemente lo tenga ya inmovilizado, listo para que llegue la policía.

—John, ¿cómo puedes bromear con esto? —gritó Belle—. ¡Es mi madre!

—Lo siento, mi amor —dijo apretándole la mano para darle seguridad—. ¿Dunford, dónde han ido?

—Seguidme.

Los condujo a una puerta lateral y a un pasillo oscuro donde los esperaban Alex y Emma.

—¿Sabéis por qué puerta entraron? —susurró John.

Alex negó con la cabeza.

—Emma —dijo—, quiero que tú y Belle regreséis al salón.

—¡De ninguna manera! —fue la encendida respuesta.

Los tres hombres miraron a Belle a la vez.

—¡Mi madre está en peligro! —replicó acaloradamente—. Es como si la abandonara.

—Muy bien —suspiró Alex dándose cuenta de que una orden directa era una perdida de tiempo—. ¡Pero quedaos atrás!

Las dos mujeres asintieron y los cinco avanzaron por el pasillo abriendo todas las puertas con mucho cuidado para que las bisagras no chirriasen.

Por último llegaron a una habitación que estaba parcialmente abierta. John iba por delante y enseguida reconoció la voz de Spencer. Se dio la vuelta y se puso el dedo índice en los labios haciendo que todo el mundo quedara en silencio. Los tres hombres cogieron sus armas sin decir nada.

—Imbécil —escucharon que decía Caroline—. ¿Qué espera conseguir haciendo esto?

—Silencio.

—No me callaré —respondió imperiosamente—. Me ha sacado de la fiesta para meterme en una habitación vacía apuntándome con una pistola que supongo que está cargada, ¿y espera que me calle? No es usted muy inteligente, querido amigo, y...

—¡Cállese!

—Hmm.

Belle se mordió un labio. Había escuchado antes ese tono. Si no hubiera estado tan aterrorizada podría resultarle hasta cómico.

John, Alex y Dunford se miraron. Si no hacían algo pronto, alguien podría morir, aunque no estaban necesariamente convencidos de que la víctima fuera a ser Caroline. John levantó la mano y contó en silencio con los dedos. Uno. Dos.

¡Tres! Los hombres irrumpieron en la habitación y se distribuyeron por la pared del fondo apuntando con las pistolas a Spencer.

—Habéis tardado mucho —se rió con desprecio.

Agarró con mucha fuerza el brazo de Caroline y le puso la pistola en la sien.

—Su actitud es más que desagradable —dijo ella mofándose—. Es verdaderamente patética...

—Madre, por favor —suplicó Belle apareciendo por la puerta—. No lo provoques.

—Ah —dijo Spencer con aprobación—. Habéis traído a las mujeres. Qué maravilla.

Belle no podía ver la cara de John pero por la manera en que tenía los hombros sabía que estaba furioso con ella por no haberse quedado en el pasillo.

—Suelta a mi madre —dijo a Spencer—. No te ha hecho nada.

—Lo haría, si estuvieras dispuesta a intercambiarte por ella.

Belle dio un paso adelante, pero John la detuvo con su brazo que era como una barrera de acero.

—No, Belle.

—Belle, no seas tonta —dijo Caroline—. Puedo arreglármelas con nuestro estúpido amigo.

—¡Ya tengo suficiente! —Spencer explotó y dio una bofetada a Caroline.

Belle soltó un chillido de preocupación y corrió hacia a delante eludiendo el brazo de John.

—¡Déjala tranquila!

Spencer estiró un brazo, cogió a Belle de la cintura y la acercó a él. Aunque le daba vueltas el estómago contuvo el miedo y dijo:

—Ahora deje que mi madre se vaya.

Spencer apartó a Caroline de un empujón, e hizo que cayera al suelo. Ella abrió la boca para darle una mordaz reprimenda pero se contuvo pues ya no se sentía tan valiente ahora que tenía atrapada a su única hija.

En ese momento John dejó de respirar. Sentía como si Spencer le estuviese apretando la tráquea. Belle intentaba parecer valiente, pero John veía miedo y odio en sus ojos. Tiró al suelo la pistola, levantó los brazos y dio un paso adelante.

—Vamos Spencer. Yo soy el único que buscas.

Spencer acarició la mejilla de Belle con el dorso de la mano.

—Tal vez he cambiado de opinión.

John perdió el control y hubiera saltado sobre él en ese mismo momento si Alex no lo hubiera sujetado por la camisa.

—He dicho que la sueltes —repitió John con el cuerpo temblando de rabia.

La mano de Spencer descendió hasta el trasero de Belle y le dio un apretón.

—Todavía me lo estoy pensando.

Belle hizo un gesto de disgusto pero consiguió seguir en silencio. La vida de John estaba en peligro y si podía salvarlo dejando que ese hombre la manoseara, por Dios, que lo hiciera todo lo que le diera la gana. Pero rogaba que no intentara nada más íntimo. La bilis ya le estaba subiendo por la garganta.

John estaba tenso de rabia.

—Por última vez, Spencer, suéltala o te…

—¿Qué me harás? —replicó Spencer burlándose—. ¿Qué puedes hacer? Tengo un arma. Tú no. Además tengo a tu esposa —y continuó riéndose como un maníaco—. Y tú no.

—No te olvides de nosotros —dijo Dunford arrastrando las palabras volviendo la cabeza hacia Alex que también tenía la pistola apuntando al pecho de Spencer.

Spencer miró de arriba abajo a sus adversarios y se rió.

—No creo que ninguno de los dos haga algo tan tonto como dispararme mientras estoy apuntando con un arma cargada a la encantadora lady Blackwood. De todos modos ella no era mi principal objetivo cuando vine aquí, y me temo que voy a tener que intercambiarla. ¿Blackwood?

John dio otro paso adelante.

—Suéltala.

—Todavía no. —Spencer se quitó la corbata y se la dio a Belle—. Átele las manos a la espalda.

—¿Qué? No irá a…

—¡Hágalo! —levantó el arma y apuntó a la frente de John—. No puedo atarlo apuntando al mismo tiempo.

—Oh, John —se quejó Belle.

—Haz lo que te dice —dijo John.

Tras él, percibió que Alex y Dunford tensaban los músculos preparados para ponerse en acción.

—No puedo —dijo Belle con los ojos llenos de lágrimas—. No puedo.

—Átele las manos —le advirtió Spencer—, o juro que le dispararé cuando termine de contar hasta tres.

—¿Se las puedo atar por delante? Me parece tan bárbaro…

—Por el amor de Dios, áteselas como quiera. Áteselas muy fuerte y terminemos con esto.

Con las manos temblorosas, Belle ató la corbata en las muñecas de John intentando dejarla todo lo suelta que pudo sin levantar sospechas.

—Un paso atrás —le ordenó Spencer.

Belle se alejó un pasito de John.

—Más lejos.

—¿Qué va a hacer? —preguntó.

—¿Todavía no se lo imagina?

—Señor Spencer, se lo suplico.

La ignoró.

—Vuélvete, Blackwood. Te disparé en la base del cráneo.

A Belle se le debilitaron las piernas y se hubiera caído al suelo si no se hubiera topado con una mesa baja. Por el rabillo del ojo percibió que Dunford avanzaba lentamente, pero tenía pocas esperanzas de que fuera capaz de salvarlo. Spencer podía ver todos sus movimientos, y no había manera de sorprenderlo. En cuanto Dunford intentara derribarlo, ya habría disparado un tiro mortal. Además, la habitación tenía muchos muebles; parecía como si los Tumbley hubieran metido allí todos los sofás y mesas desechadas. Dunford tendría que saltar dos sillas y una mesa baja para llegar a ellos directamente.

—¡Usted! —gritó Spencer moviendo la cabeza hacia Belle sin mirarla—. Aléjese más. Estoy seguro de que le gustaría ser una heroína, pero no quiero tener la sangre de una dama en la conciencia.

Belle se movió a un lado pues la mesa le bloqueaba el paso. Olió algo. Olía a violetas. Qué extraño.

Belle dio otro paso atrás y chocó contra algo sólido…. y claramente humano. Miró a su alrededor. Alex, Dunford, Emma y su madre estaban allí.

—¡Toma esto! —susurró alguien.

¡Dios santo, era Persephone! Y le estaba poniendo una pistola en la mano.

Spencer levantó su arma y apuntó.

Belle sintió que se moría. Tendría que disparar a Spencer y rezar para acertar a su objetivo. No había manera de pasarle el arma a John. Maldita sea, ¿por qué no habría dejado que Emma le enseñara a disparar bien?

John volvió la cabeza todo lo que pudo.

—¿Podría pedir un último deseo?

—¿Qué?

—Quiero besar a mi esposa para despedirme. Con tu permiso, claro.

Spencer asintió de mala gana, y Belle corrió hacia él escondiendo la pistola entre los pliegues de la falda. Tocó la cara de John con la mano libre asegurándose de que Spencer pudiera ver el movimiento. John se miró las muñecas y Belle se dio cuenta de que casi había liberado sus manos de la corbata que había atado con holgura.

—Oh, John —susurró en voz alta—. Te amo. Ya lo sabes, ¿verdad?

Él asintió y moviendo los labios le dijo que le pasara la pistola.

—¡Oh, John! —gimió imaginando que cuanto más espectáculo dieran, más tiempo tendrían para conspirar.

Belle llevó su mano libre a la nuca de John e hizo que se acercara para darle un intenso beso. Se acercó a él todo lo que pudo y rogó para que Spencer no pudiese ver lo que estaba ocurriendo en el estrecho espacio que había entre sus cuerpos. Puso la pistola en las manos de John y mientras lo hacía terminó de soltarle la corbata de las muñecas.

—Sigue besándome —susurró John.

Ella sintió cómo la mano de él se posaba en el arma. Belle asomó la lengua, trazó con ella el contorno de la boca de John, y disfrutó de su sabor levemente salado.

—Abre la boca, amor mío —dijo él con dulzura.

Lo hizo y la lengua de John se hundió profundamente en ella. Belle le devolvió su fogosa pasión, mientras miraba de reojo a Spencer, que los contemplaba fascinado. Había bajado un poco el brazo, y Belle se dio cuenta de que su beso lo había distraído de su obsesión por matar a John. Así que decidió que tenía que distraerlo del todo, y se puso a gemir de placer de forma muy ruidosa.

John entonces comenzó a darle besitos a lo largo de la mandíbula, y Belle arqueó el cuello para facilitarle el trabajo. Pero ella se daba cuenta de que John estaba atento a otra cosa. Sintió cómo asentía con la cabeza y entonces, de las sombras surgió un chillido espantoso que no parecía humano. El sonido era aterrador. Y a Belle se le revolvió el estómago al escucharlo.

—¿Qué demonios? —Spencer despertó bruscamente de su ensueño de *voyeur*, y no pudo evitar que su cabeza se volviera en dirección al sonido.

John soltó a Belle, y antes de darse cuenta de lo que ocurría, cayó de frente terminando en el suelo. John giró sobre sí mismo, cogió su arma, disparó al revolver de Spencer y se lo quitó limpiamente de la mano. Alex y Dunford se abalanzaron enseguida hacia delante y derribaron al sorprendido Spencer.

Persephone dio un paso y cruzó los brazos con una sonrisa de satisfacción en la cara.

—A veces una cierta edad y bastante sabiduría pueden ser algo muy positivo.

—¿Persephone, qué hace aquí? —preguntó Alex mientras sujetaba las manos de Spencer a la espalda.

—Qué buena manera de felicitarme después de haberles salvado a todos.

—Oh, Persephone —dijo Belle con mucho sentimiento—. ¡Gracias! —Se puso de pie y abrazó a la anciana—. Pero ¿qué fue ese ruido tan horrible?

—Yo —dijo Persephone con una amplia sonrisa.

Caroline levantó las cejas incrédula.

—Yo creo que no era algo humano.

—¡Sí que lo era!

—El caso es que funcionó —dijo John, que se había unido a las mujeres después de asegurarse de que Spencer estaba bien atado—. Aunque debo admitir que nunca imaginé que emitiría un sonido así cuando le indiqué que levantara un gran revuelo.

—¿Sabías que ella estaba allí? —preguntó Belle.

—Cuando la vi pasarte el arma. Bien hecho, Persephone.

John se echó hacia atrás el pelo y advirtió que la mano le temblaba. Iba a tardar mucho tiempo antes de que se borrara de su mente la imagen de Spencer con Belle como rehén.

—¿Cómo diablos entró? —preguntó Belle.

—Sabía que estaba ocurriendo algo siniestro. Nadie consideró adecuado confiar en mí —Persephone suspiró con desdén—. Pero lo imaginaba. También escuché bastante a escondidas. Y entonces me di cuenta...

—¡Perdonadme! —llamó Dunford.

Las seis cabezas se volvieron hacia él.

—Deberíamos notificar de esto a las autoridades —e hizo un gesto hacia Spencer que estaba tumbado en el suelo, atado y amordazado.

Belle le hizo un gesto para que esperara pues estaba demasiado interesada en la historia de Persephone.

—Tal como está no se va a marchar a ninguna parte.

Dunford levantó una ceja ante su indiferencia, aunque de todos modos, para divertirse, pisó a Spencer en la espalda con una de sus botas.

—Si me dejáis continuar... —siguió Persephone encantada de ser la heroína del momento.

—Por supuesto —replicó Belle.

—Como iba diciendo escuché por casualidad a Alex y a Emma discutiendo sobre el baile de esta noche, y me di cuenta de que John y Belle podían estar en peligro. Por eso insistí en que me trajeran. —Se dirigió a Belle—. Ahora me doy cuenta de que no fui una dama de compañía estricta, pero me tomé mi trabajo con mucha seriedad, y pensé que era descuidar mis obligaciones no venir en vuestra ayuda.

—Y yo se lo agradezco muchísimo —Belle se sintió obligada a interrumpir.

Persephone sonrió comprensiva.

—Me di cuenta de que esta noche podrías necesitar un arma secreta. Secreta incluso para vosotros mismos. Estabais todos tan ocupados con vuestros planes que no advertisteis que desparecí nada más llegar a la fiesta. Subí al balcón que da al salón de baile y observé. Vi cómo ese hombre te abordaba, Belle, y después, cómo obligó a tu madre a salir del salón.

—Pero ¿cómo entró aquí? —preguntó Belle.

Persephone sonrió con astucia.

—Dejasteis la puerta abierta, y entré a gatas. Nadie me vio. Y como la habitación está tan llena de muebles simplemente me fui desplazando entre los sofás y las sillas.

—No me puedo creer que no la viéramos —murmuró John—. Debo de haber perdido reflejos.

—Está un poco oscuro aquí —replicó Persephone intentando tranquilizarlo—. En ese momento estabas atento a otra cosa. No me preocuparía por eso, milord. Además, fue el primero en darse cuenta. Después de Belle, claro.

John movió la cabeza admirado.

—Usted es una maravilla, Persephone. Una verdadera maravilla. Nunca se lo agradeceré lo bastante.

—Con vuestra primera hija, tal vez —sugirió Dunford con picardía—. Persephone es un bonito nombre.

Belle lo miró frunciendo el ceño. Tal vez era un nombre bonito pero no para una hija suya. Una vez más... los ojos de Belle se iluminaron pues se le ocurrió una idea. Una idea perfecta y oportuna...

—Yo también tengo que expresarle mi agradecimiento —dijo cogiendo a la anciana del brazo—. Pero no creo que el nombre de mi primera hija sea la manera adecuada para hacerlo.

—¿Por qué no? —dijo Dunford con una sonrisa maliciosa de oreja a oreja.

Belle sonrió socarronamente y besó la mejilla de su antigua dama de compañía.

—Ay, Persephone, tengo mejores planes para usted.

Capítulo 24

*P*ocas semanas después John y Belle estaban acurrucados en su cama de Persephone Park disfrutando inmensamente de la paz y el silencio. Belle ojeaba un libro como era su costumbre antes de dormir, y John estaba organizando una serie de informes financieros.

—Te sientan muy bien tus gafas nuevas —dijo con una sonrisa.

—¿Eso crees? Creo que me hacen parecer inteligente.

—Eres inteligente.

—Sí, pero con gafas me veo más seria, ¿no crees?

—Quizá —John dejó los papeles en la mesilla de noche y después se acercó a ella y le dio un beso húmedo en uno de los lentes.

—¡Jo-ohn!

Belle se sacó las gafas para limpiarlas con la colcha.

Él se las quitó de la mano.

—Déjalas.

—Pero sin ellas no veo el libro…

Él cogió el libro que tenía en las manos.

—Tampoco necesitas esto. —El libro cayó al suelo y John cubrió cálidamente su cuerpo con el suyo—. Es hora de dormir, ¿no crees?

—Tal vez.

—¿Sólo tal vez? —dijo dándole un mordisquito en la nariz.

—He estado pensando…

—Eso espero.

—Deja de molestarme. —Belle le hizo cosquillas—. Hablo en serio.

John le miró los labios y pensó que también quería mordisquearlos.

—¿Qué estás pensando, querida?

—Todavía quiero un poema.

—¿Qué?

—Un poema de amor tuyo dedicado a mí.

John suspiró.

—Te hice la proposición de matrimonio más romántica que una mujer haya tenido nunca. Me subí a un árbol por ti. Y me arrodillé. ¿Para qué necesitas un poema?

—Para tener algo que pueda conservar. Algo que descubran nuestros bisnietos muchos años después de que hayamos muerto y puedan decir: «El bisabuelo amaba a la bisabuela de verdad». Creo que no es algo tan tonto.

—¿Me escribirías tú un poema a mí?

Belle pensó en ello un momento.

—Lo intentaré, pero no soy tan poética como tú.

—¿Y eso cómo lo sabes? Te aseguro que mis poesías son espantosas.

—A mí nunca me había gustado la poesía antes de conocerte. A ti siempre te ha encantado. Y por eso deduzco que tienes una mente mucho más poética que la mía.

John la miraba. Su cara bajo la luz de las velas resplandecía de amor y devoción, y él se sentía incapaz de negarle nada.

—Si te prometo que te escribiré un poema ¿me prometerás que me dejarías besarte hasta que pierdas el conocimiento cuando quiera?

Belle soltó una risita.

—Si ya puedes hacerlo...

—¿Pero en todas las habitaciones? Podría besarte en mi estudio, o en tu saloncito, o en el salón verde o en el azul o en...

—¡Basta! ¡Basta! Por favor —dijo ella riendo—. ¿Cuál es el salón verde?

—El que tiene todos los muebles azules.

—¿Y cuál es el azul?

John se quedó desconcertado.

—No lo sé.

Belle tuvo que contener la risa.

—Pero ¿te puedo besar allí?

—Supongo, pero sólo si me besas ahora.

John gruñó de placer.

—A su servicio, milady.

Pocos días después Belle estaba pasando la tarde en su salón, leyendo y escribiendo cartas. John y ella habían querido ir a caballo a Westonbirt para visitar a Alex y a Emma, pero el inclemente tiempo les había hecho cambiar de planes. Belle estaba sentada en su escritorio observando la lluvia que golpeaba contra los cristales cuando John entró en la habitación con las manos metidas en los bolsillos como un niño.

—Qué buena sorpresa —dijo ella—. Pensaba que estabas leyendo los informes financieros que te había enviado Alex.

—Te echaba de menos.

Belle sonrió.

—Puedes subir los informes y leerlos aquí. Te prometo que no te distraeré.

—Tu mera presencia me distrae, amor mío. No podría leer nada. Me prometiste que te podría besar en cualquier habitación de la casa ¿te acuerdas?

—Hablando de eso, ¿no me ibas a escribir un poema a cambio?

John negó con la cabeza.

—Creo que no.

—Me acuerdo perfectamente. De momento tendré que limitar tus besos a las habitaciones del segundo piso.

—Juegas sucio, Belle —la acusó—. Estas cosas llevan tiempo. ¿Crees que Wordsworth creaba sus poemas de repente cuando alguien se lo pedía? Pues que no. Los poetas trabajan cada palabra. Ellos...

—¿Has escrito alguno?

—Bueno, empecé uno, pero...

—Oh, por favor, ¡déjame escucharlo!

Los ojos de Belle brillaron de emoción, y John pensó que parecía una niña de cinco años a la que le acaban de decir que se podía comer otro caramelo.

—Muy bien —dijo John, y suspiró.

Claro es mi amor, cuando su claro cabello dorado
Por el viento vuela a mi lado;
Claro, cuando el rosa en sus mejillas rojas aparece;
O en sus ojos el fuego del amor resplandece.

Belle entornó los ojos.

—Si no me equivoco alguien escribió ese poema hace unos cuantos siglos. Creo que es de Spenser. —Y con una sonrisa levantó el libro que había estado leyendo: *Poemas escogidos* de Edmund Spenser—. Si me lo hubieses recitado una hora antes hubiera colado.

John frunció el ceño.

—Lo podría haber escrito yo si no se le hubiera ocurrido a él primero.

Belle esperó con paciencia.

—Está bien tú ganas. Te leeré mi poema: Camina bella, como la noche...

—Por amor de Dios, John, ¡ya lo intentaste con ese antes!

—¿Ah, sí? —murmuró—. ¿Ya te lo recité?

Belle asintió.

Él respiró hondo.

—En Xanadú, Kubla Khan decretó que se hiciera una majestuosa cúpula para el placer...

—Te estás pasando, John.

—Oh, por el amor de Dios, Belle. Te leeré el mío. Pero he de advertirte ya que, bueno, es... Bueno, lo verás tú misma.

Metió la mano en el bolsillo y sacó un papel muy doblado. Belle, vio que el papel estaba lleno de tachones y cambios.

John se aclaró la garganta y la miró.
Belle sonrió anticipando el momento y lo animó.
John se volvió a aclarar la garganta.

Mi amor tiene los ojos tan azules como el cielo.
Su sonrisa cálida y radiante me hace desear
entregarle el mundo,
y cuando está acurrucada
en mis brazos y siento su cuerpo,
me doy cuenta de lo mucho que la amo.
Pues mi mundo ha pasado del negro al blanco.
Besarse bajo las luz de la estrellas, gozar del sol,
y bailar a medianoche.

La miró a los ojos vacilante.

—Hay que trabajarlo más, pero creo que la mayoría de las rimas están bien.

Belle lo miró, y el labio inferior le temblaba de emoción. Lo que al poema le faltaba en elegancia, lo compensaba enormemente en sentimiento y significado. Que hubiera trabajado tanto en una tarea para la que no tenía aptitudes, sólo porque ella se lo había pedido… no pudo evitarlo, pero sintió que le caían unas gruesas lágrimas por las mejillas.

—Oh, John. Me debes de amar de verdad.

John se acercó a ella e hizo que se levantara. Después la cogió en sus brazos.

—Claro que sí, amor mío. Créeme, te amo de verdad.

www.titania.org

Visite nuestro sitio web y descubra cómo ganar
premios leyendo fabulosas historias.

Además, sin salir de su casa, podrá conocer
las últimas novedades de
Susan King, Jo Beverley o Mary Jo Putney,
entre otras excelentes escritoras.

Escoja, sin compromiso y con tranquilidad,
la historia que más le seduzca
leyendo el primer capítulo de cualquier libro
de Titania.

Vote por su libro preferido y envíe su opinión
para informar a otros lectores.

Y mucho más...

WITHDRAWN
No longer the property of the
Boston Public Library.
Sale of this material benefits the Library.